CIARA

Jeder Tag ein neuer Anfang

Ciara Geraghty

Jeder Tag ein neuer Anfang

Roman

Aus dem Englischen
von Sibylle Schmidt

GOLDMANN

Die englische Originalausgabe erschien 2021 unter dem Titel
»Make Yourself At Home« bei HarperCollins Publishers Ltd., London.

Penguin Random House Verlagsgruppe FSC® N001967

1. Auflage
Taschenbuchausgabe März 2024

Umschlaggestaltung: UNO Werbeagentur GmbH, München
Umschlagmotiv: FinePic®, München
Redaktion: Regina Carstensen
LK · Herstellung: ik
Satz: GGP Media GmbH, Pößneck
Druck und Bindung: GGP Media GmbH, Pößneck
Printed in Germany
ISBN 978-3-442-49327-2

www.goldmann-verlag.de

Für Grace,
die dieses Haus tagtäglich zum Zuhause macht.

1

Optimistische Menschen würden vielleicht behaupten, das Gute am absoluten Tiefpunkt sei, dass es von dort aus nur noch aufwärtsgeht. Zu diesen Menschen gehörte Marianne Cross nicht.

Marianne, mit Leib und Seele Buchhalterin, war eine Zahlenperson.

Bei Zahlen wusste man immer exakt, woran man war.

Die Zahl 435 821 zum Beispiel. Das war die Nummer ihres Gerichtsverfahrens.

Eine weitere Zahl: 84. So oft hatte Marianne Ladendiebstahl begangen.

Die Anzahl der Festnahmen: 1. Das Alter, in dem Marianne mit den Diebstählen begann: 13, eine Primzahl. Und 35, eine zusammengesetzte Zahl: So alt war Marianne, als sie Brian heiratete.

Dann die Anzahl der Ehejahre: 4. Die Anzahl der Kinder, die sich Marianne gewünscht hatte: 0. Was gut passte, denn Brian sah das angeblich genauso.

Die Anzahl der Kinder, die Brian bald mit seiner neuen Partnerin Helen bekommen würde: 2.

Diese und andere Zahlen beschäftigten Marianne an jenem Vormittag, als sie in ihr Elternhaus zurückkehrte.

Die Verkaufszahl der überregionalen Zeitung, in der Mariannes Vergehen bei den Gerichtsberichten aufgeführt war: 79 254. Wie oft sich ihr Chef entschuldigte, während er sie entließ: 8. Die Summe, die Marianne im Rückstand war, als ihr Haus von der Bank beschlagnahmt wurde: 150 000 Euro.

Marianne stieg aus dem uralten Jeep ihrer Mutter, richtete sich auf und blickte zum Haus hinüber. Eine weitere Zahl kam ihr in den Sinn: 15. In diesem Alter hatte sie ihr Elternhaus verlassen.

Mit dem festen Entschluss, niemals zurückzukommen. Doch nun war sie hier.

Das war die Bedeutung von »absoluter Tiefpunkt«.

Keine andere Wahl mehr zu haben.

2

Das Haus hieß Ancaire, benannt nach einem ankerförmigen Felsen am Strand unten.

Den Namen hatte Marianne immer als passend empfunden.

Jetzt schon spürte sie das schwere Gewicht, das sie nach unten zog. Sie stampfte mit den Füßen auf die matschige Erde, um ihre Zehen zu beleben, und schlang die Arme um sich, in dem vergeblichen Versuch, den bitterkalten Ostwind abzuwehren, der mit salziger Meeresluft ihre ohnehin widerspenstigen Haare im Nu in einen feuchten krausen Wust verwandelte.

»Alles in Ordnung mit dir, Schatz?« Marianne öffnete die Augen. Sie hatte ihre Mutter fast vergessen. Was man nicht von vielen Leuten behaupten konnte. Das wurde allein schon durch Ritas Kleidungsstil verhindert.

Nicht zum ersten Mal fragte sich Marianne, weshalb ihre Mutter bei der Auswahl ihrer bizarren Klamotten niemals die Witterungsverhältnisse in Betracht zog. Weder der grellorange Seidenturban noch das ärmellose pinke Sommerkleid und das blutrote Bolerojäckchen konnten Wärme spenden. Und der Tag war so trüb, dass die gigantische Sonnenbrille enorm überflüssig war. Rita steuerte auf ihre Tochter zu, blieb dicht vor ihr stehen und legte ihr die Hände auf die Schultern. Marianne roch Zigaretten, Kaffee und den Kräuterduft, mit dem Rita nicht nur sich selbst, sondern gerne auch arglose Menschen in ihrer Nähe besprühte. Sie roch wie die Ampfertinktur, mit der Marianne in ihrer Kindheit Flos Brennnesselausschlag behandelt hatte.

»Willst du den Wagen noch parken?«, fragte Marianne und trat zurück, sodass Ritas Arme einen Moment lang ausgestreckt in der Luft hingen. Dann ließ Rita sie sinken, strich ihr Kleid glatt und blickte zu dem betagten Jeep hinüber, dessen breite Reifen im aufgeweichten Boden versanken. Es war ein altes Armeefahrzeug, dessen zerrissene Plane im Wind flatterte, als könne das rostige Gefährt sich jederzeit in die Lüfte erheben. Ganz im Gegensatz zu dem großen Gockel, der sich inzwischen auf dem Dach niedergelassen hatte.

»Ist bereits geparkt.« Während Rita den großen Vogel herunterhob, sagte sie zu ihm: »Ich hab dir doch erklärt, dass du das lassen sollst, Declan. Beim letzten Mal bist du runtergefallen, weißt du das nicht mehr?«

Der Hahn starrte sie mit seinen schwarzen Knopfaugen an, und Rita setzte ihn auf den Boden. »Sieh mal zu, dass du Gerard findest. Auf dem alten Ziegenbock kann ja jeder Platz nehmen.« Sie kraulte den bunten Federschopf des Gockels, während Marianne ihre zwei Koffer aus dem Jeep nahm.

»Du hast ja wenig Gepäck«, bemerkte Rita.

Einen schrecklichen Moment lang fürchtete Marianne, in Tränen auszubrechen wie ein hilfloses Kleinkind. Stattdessen stellte sie die Koffer ab und täuschte ein Husten vor. Rita schlug ihr so schwungvoll auf den Rücken, dass Marianne vorwärtstaumelte. Sie hatte vergessen, dass ihre Mutter wesentlich kräftiger war, als sie aussah.

Dann beäugte Marianne das Haus.

Es wirkte genauso heruntergekommen wie damals, ganz als sei es nur eine Frage der Zeit, bis es von den Klippen stürzen würde. Die hohe graue Fassade war fast vollständig bedeckt von dem Efeu, den Mariannes verstorbener Vater William früher noch manchmal zu stutzen versucht hatte. Doch zumindest gelang es dem unzähmbaren Blattwerk, die verrottenden alten Schiebefenster einigermaßen zu verbergen. Marianne hörte, wie sie im Ansturm des gnadenlosen Winds klapperten, der über den kahlen Hügel fegte. Hinter dem Haus donnerten die Wogen an die Küste und verschlangen sie im Lauf der Jahre Stück für Stück. Irgendwann würde dieser Ort hier verschwunden sein.

Marianne schlang fröstelnd die Arme um sich und kniff die Augen zusammen. Was nichts nützte, sie sah Ancaire dennoch vor sich: das steile Dach, auf dem an einigen Stellen Schieferplatten fehlten, die krummen Schornsteine. Die schwere Holztür, an der die Farbe abblätterte, den abgegriffenen Messingklopfer in Form eines zähnefletschenden Löwenkopfs.

Als Marianne die Augen wieder öffnete, kniete Rita vor einem fleckigen Tonblumentopf und tastete in der Erde herum, aus der lediglich Unkraut wuchs.

»Da ist er ja«, sagte sie schließlich und brachte einen großen Eisenschlüssel zum Vorschein, den sie säuberte, indem sie ihn gegen den Topf schlug. Dann schloss sie die Tür auf, und sofort schlug Marianne der Geruch des Hauses entgegen. Feucht und pflanzlich wie in einem Gewächshaus, als sei das Gebäude lebendig, ein atmender Organismus.

Rita hielt die Tür auf, und Marianne nahm ihre beiden Koffer hoch. Die Griffe fühlten sich sperrig an in ihren langen knochigen Händen, und sie versuchte, nicht daran zu denken, dass sich in diesen zwei Gepäckstücken ihr gesamtes Hab und Gut befand. Als sie ins Haus trat, bemühte sie sich, weder Rita noch die Tür zu berühren, etwa so wie ein Kind, das nicht auf Ritzen zwischen Steinplatten tritt. Vielleicht glaubte Marianne unbewusst, dann könne sie nach Hause zurückkehren. In ihr Eigenheim an der Carling Road in Drumcondra im Norden von Dublin, das Brian und sie zur Hochzeit des Booms für eine Unsumme gekauft hatten. Trotz der hohen Raten, die sie in die Liste der Monatsausgaben hatte eintragen müssen, hatte sich die Investition gelohnt, denn das Haus bot alles, worauf Marianne Wert legte. Gute Wärmedämmung. Sicherheit. Eine Zentralheizung, die auf Knopfdruck reagierte, anstatt umgarnt und überredet und gelegentlich mit einer aufgerollten *Vanity Fair* von Rita geschlagen werden zu müssen.

Marianne ging den Flur entlang, den Blick auf die rautenförmigen schwarzen und weißen Bodenkacheln gerichtet. Die Fußbodenleiste und die Tapete, deren Muster unter unzähligen Farbschichten schon lange nicht mehr erkennbar war, konnte sie dennoch nicht ganz ausblenden.

Rita marschierte voraus, und Marianne roch die Bräunungscreme an Ritas Beinen, die aber auch nichts ausrichten konnte gegen die hervortretenden blauen Krampfadern in den Kniekehlen.

Die Tür zu dem Raum, den Mariannes Großeltern als »Salon« bezeichnet und in dem Rita und William ihre rauschenden Feste gefeiert hatten, war geschlossen, aber dennoch war lautes Stimmengewirr zu vernehmen.

»Was ist das?«, fragte Marianne argwöhnisch.

»Meine Alles-wird-gut-Gruppe«, antwortete Rita mit einem Lächeln.

Jetzt schmetterten die Stimmen ein Lied.

Alles wird gut.
Wie?
Trink nicht mehr, sing dieses Lied.
Wann?
Von heute an
wird täglich
alles besser.

»So einfach soll das sein?«, bemerkte Marianne.

Rita ging nicht auf ihren zynischen Tonfall ein, sondern erwiderte: »Ich musste sie alleine lassen, um dich abzuholen.«

»Können die nicht auf sich selbst aufpassen?«

»Doch, Marnie, sie sind erwachsen.«

»Mein Name lautet Marianne.«

Alles Wird Gut© hatte Rita ihr Programm genannt, und sie bestand auf dem Copyright, obwohl Marianne sicher war, dass sie es nie offiziell beantragt hatte. Dieses Programm hatte Rita entwickelt, als ihr klar geworden war, dass die Anonymen Alkoholiker ihr bei der Bekämpfung ihrer Sucht keine Hilfe sein konnten. Die Vorstellung einer »höheren Macht« sagte Rita überhaupt nicht zu, und sie lehnte auch die Vorstellung ab, dass Alkoholismus eine Krankheit war, von der man nie genesen würde. »Alles wird gut« empfand sie durch seine positive Botschaft als stärkender und wirksamer.

Man musste sich nicht offiziell anmelden und erfuhr meist durch Mundpropaganda von der Gruppe. Es gab auch keine Regeln dafür, wie lange man bleiben konnte. So lange wie nötig, war Ritas Devise.

»Außerdem war Patrick vorher bei ihnen«, fügte Rita hinzu. »Hat ihnen Schnitzen beigebracht.«

»Wo steckt er jetzt?«, fragte Marianne mit spöttischem Unterton. »Löscht wohl Feuer im Regenwald, oder wie?« In Ritas Nähe verfiel sie unwillkürlich in diesen kindischen, patzigen Tonfall.

»Montiert Solarzellen aufs Dach«, antwortete Rita. »Die Kraft der Sonne ist so wunderbar. Und für alle kostenlos. Patrick meint …«

»In welches Zimmer soll ich mein Gepäck stellen?«, fiel Marianne ihrer Mutter ins Wort. Konnte die nicht wenigstens warten, bis Marianne ihre Jacke ausgezogen hatte, bevor sie wieder in Lobeshymnen über den elenden Patrick verfiel? Der bezeichnet werden konnte als … nun ja … Pflegebruder? Er war mit elf damals in dem Winter zu ihnen gekommen, als Marianne – fünfzehnjährig – Rita überredet hatte, sie in einem Internat am anderen Ende des Landes unterzubringen. Im Sommer dieses Jahres hatte auch William das Weite gesucht, kurz nachdem Rita aufgehört hatte zu trinken. Zwischen diesen beiden Ereignissen gab es einen Zusammenhang.

Patrick war eines von vielen Pflegekindern, die Rita bei sich aufgenommen hatte, nachdem sie von William und Marianne verlassen worden war. Die meisten verschwanden nach ein paar Tagen oder Wochen wieder, aber Patrick war geblieben. An seinem achtzehnten Geburtstag hatte Rita ihm ein Stück Land am nordöstlichen Rand des Grundstücks geschenkt, auf dem sich Patrick eine Tischlerwerkstatt mit einer Wohnung darüber gebaut und einen Gemüsegarten angelegt hatte, in dem zu jeder Jahreszeit etwas wuchs und gedieh. Er bestand darauf, Pacht zu bezahlen, aber Rita sparte das Geld für ihn auf. Sie hatte Marianne in die Einzelheiten des Sparkontos eingeweiht, zur Sicherheit. »Du kannst ja gut mit Geld umgehen«, hatte sie gesagt.

Das galt jedoch schon lange nicht mehr.

Patrick gehörte ebenso zum Inventar von Ancaire wie Rita und Tante Pearl, die eigentlich nicht Mariannes Tante war, sondern eine Cousine von William. Als Rita das Haus von ihren Eltern geerbt hatte, gehörte auch Tante Pearl mit zum Erbe.

»In dein Zimmer natürlich«, antwortete Rita und warf einen Blick auf ihre Uhr. »Ah, die Sitzung ist zu Ende. Meine Alles-wird-gut-Leute können es kaum erwarten, dich kennenzulernen.«

»Ich will *sie* aber nicht kennenlernen.«

»Ach, selbstverständlich willst du. Die sind alle ganz reizend.«

Rita marschierte in den Salon und klatschte in die Hände. »Hey, Leute, alle mal herhören, bitte. Das ist Marnie. Marnie, da sind sie alle.«

Marianne blieb in der Tür stehen, typische Position für eine Außenseiterin. Damit war Marianne vertraut, aber es fühlte sich dennoch nicht gut an. Das Zimmer wirkte vollgestopft, obwohl sich einzig vier Menschen darin aufhielten, zwei Männer und zwei Frauen.

Eine der beiden, die Mitte zwanzig sein mochte, betrachtete Marianne mit dunkelblauen Augen, als sei sie ein Wesen von einem anderen Stern. In der fahlen Januarsonne, die durch die Fenster fiel, glitzerten nicht nur die Silbernieten an der Lederjacke der jungen Frau, sondern auch etliche Piercings an Nase, Kinn und Ohren. Die Haarfarbe ließ sich nicht ermitteln, da der Schädel kahl rasiert war. Dem weinroten Lederrock gelang es kaum, die Schenkel zu bedecken, die Füße steckten in weißen Sneakers mit Keilabsatz und Schnürsenkeln im gleichen grellen Rot wie der Lippenstift.

»Du siehst nicht nach einer Marnie aus«, verkündete

die junge Frau mit rauchiger Stimme und argwöhnischem Unterton.

»Ich bin ja auch keine. Sondern eine Marianne.« Alle grinsten, als hätte sie einen guten Witz gemacht.

»Und ich bin 'ne Shirley«, erwiderte die junge Frau und schob einen Kaugummi in ihrem Mund herum. »Mir steht auch 'ne Zwangsräumung bevor.«

»Ich hatte aber keine Zwangs …«

»Zwangsräumung, Zwangsenteignung, die gleiche Scheiße, nur anders«, fuhr Shirley fort und zuckte lässig die Schultern.

»Wie geht es dir?« Die andere Frau, eine zierliche in diverse Strickjacken gehüllte alte Dame, schlurfte in Wollhausschuhen auf Marianne zu und streckte ihr die knochige Hand hin. Sie fühlte sich an wie dürre Zweige, Marianne wagte es nicht einmal, sie zu drücken.

»Ethel Abelforth«, sagte die alte Dame. »Schön, dich kennenzulernen.« Sie lächelte liebenswürdig. Mit ihrer violetten Dauerwelle wirkte sie auf Marianne nicht gerade wie eine Trinkerin, aber Rita hätte garantiert entschieden erklärt, Sucht könne jeden treffen.

»Tut mir leid wegen deines jungen Mannes«, fügte Ethel hinzu. Braune Augen, riesig hinter dicken Brillengläsern, sahen Marianne bekümmert an.

Marianne zog ihre Hand zurück und fauchte Rita an: »Sag mal, gibt es noch irgendwas, das du nicht schon ausposaunt hast?«

Einer der beiden Männer trat vor und betrachtete eingehend Mariannes Gesicht. »Ja, die Gute hat uns verheimlicht, wie schön du bist.« Er legte eine dickliche Hand an seine Wange. »In diesem Licht siehst du aus wie die junge Katharine Hepburn!«

»Hashtag Objektifizierung«, meldete sich Shirley zu Wort.

»Hashtag, darf man jetzt einer Frau keine Komplimente mehr machen?«, konterte der Mann. Er trug einen eleganten Anzug mit Weste, etwas stramm am Bauch und umspannt mit einer goldenen Uhrkette. Die schwarz gefärbten Haare waren mit Pomade zu einem makellosen Pompadour gestylt. Jetzt ergriff der Mann formvollendet Mariannes Hand und verneigte sich. »Bartholomew Sebastian Doyle der Dritte, genesender Alkoholiker, zu deinen Diensten«, verkündete er und zog Marianne ohne Vorwarnung in eine herzliche Umarmung, die mit einer vollen Dröhnung Paco Rabanne einherging. Marianne hustete und löste sich aus dem Zugriff.

»Du magst ja Alkoholiker sein, aber wie schon mehrmals betont: Ich bin nur Gelegenheitstrinker«, äußerte jetzt der andere Mann, der nervös wirkte und ein braunes Cordsakko mit Lederflicken an den Ellbogen trug.

»Wer's glaubt, wird selig«, murmelte Bartholomew und zwinkerte Marianne verschwörerisch zu.

Der nervöse Mann, groß und hager, mit wässrigen grauen Augen und schütterem grauem Haar, schob seine Nickelbrille zurecht und blickte zur Decke. Er schien bis zehn zu zählen, was Marianne gut nachvollziehen konnte, da sie selbst zu dieser Methode häufig Zuflucht nahm. Schließlich sagte er mit einem knappen Kopfnicken: »Freddy Montgomery. Bin Geschäftsmann hier vor Ort. Sag Bescheid, wenn du mit der Jobsuche loslegen willst, ich könnte dir Kontakte vermitteln.«

»Ha!«, rief Bartholomew, aber Rita legte ihm die Hand auf die Schulter, worauf er verstummte.

»Nicht nötig«, erwiderte Marianne. »Ich bleibe nicht lang.«

»Du kannst so lange bleiben, wie du möchtest, Marnie«, sagte Rita.

»Sobald ich ein paar Sachen geklärt habe, reise ich wieder ab.«

»Okay, aber sag trotzdem ruhig Bescheid, wenn ...«, begann Freddy von Neuem.

»Ich brauche nichts.« Marianne packte ihre Koffer, marschierte hinaus und zog die Tür hinter sich zu. Einen Moment lang blieb sie draußen im zugigen Flur stehen. Aus dem Salon war nichts zu hören. Vielleicht flüsterten die jetzt, aber das war ihr einerlei. Diese Leute waren ihr gleichgültig, ihre Namen hatte sie schon vergessen. Sie war bereits müde gewesen, als sie ankam, jetzt fühlte sie sich vollkommen erschöpft und so durchgefroren, als ginge ihr die klamme Kälte von Ancaire durch Mark und Bein.

3

Das Zimmer hatte sich kaum verändert. Zwei Einzelbetten mit bestickten Tagesdecken, einstmals buttergelb, inzwischen porridgegrau. Marianne ging zu ihrem Bett und versuchte, dabei nicht über die Trennlinie zu treten, die sie vor vielen Jahren mit einem Permanentmarker auf den Boden gezeichnet hatte.

Alte Gewohnheiten sind hartnäckig.

Das Bücherregal am Kopfende von Mariannes Bett beherbergte noch immer ihre *Encyclopædia Britannica*. Jedes Jahr hatte sie sich einen neuen Band vom Weihnachtsmann gewünscht, obwohl sie nie an den geglaubt und sich immer schlafend gestellt hatte, wenn ihre Eltern ins Zimmer schlichen, um Strümpfe ans Bett zu hängen.

Die Eulenposter über dem anderen Bett waren ausgeblichen, die Ecken wellig, doch die Vögel schienen Marianne anzustarren, als erwarteten sie Antwort auf eine längst vergessene Frage.

Sogar die Vorhänge waren dieselben wie damals. Blau-gelb, mit Muster vom Bären Paddington.

Marianne stellte die Koffer ab. Sie hatte keine Erinnerungsstücke aus ihrem Haus mitgenommen, bis auf eine kleine Porzellaneule, verpackt in Küchenpapier, einen Strumpf und einen Pantoffel, den sie noch mit einem Handtuch und einer dicken Strickjacke umwickelt hatte. Damit sollte die Eule eigentlich Ritas Fahrstil und die holprige Fahrt in dem alten Jeep unversehrt überstanden haben.

Dann trat Marianne ans Fenster und blickte in den Garten hinaus, der eigentlich eher eine große Grasfläche war. Sie endete abrupt an der Klippe, die fünfzig Meter hoch über dem Meer aufragte. Der Gockel hatte sich mittlerweile auf dem Rücken eines räudig wirkenden Esels niedergelassen, unter einem selbst gebauten Dach pickten Hühner neben einem luxuriösen Hühnerhaus. Nahe der Klippe befand sich Patricks Behausung samt Werkstatt, bei der zu jeder Jahreszeit die Türen offen standen. Im Gemüsegarten, der tipptopp gepflegt aussah, hopste ein Ziegenbock mit großen Hörnern so wild herum, als habe er einen nervösen Tick.

Dahinter verschwammen Meer und Himmel zu einer einzigen blaugrauen Fläche. Marianne hatte früher oft von Leuten zu hören bekommen, wie fantastisch es sein müsse, auf einer Klippe am Meer aufzuwachsen. Das sei doch bestimmt, als lebe man auf einer eigenen Insel.

Marianne war sich immer vorgekommen wie auf einer einsamen Insel gestrandet.

Und obwohl das Haus hier ungeschützt ärgsten Witterungen ausgesetzt war, hielt es stand. In gewisser Weise war es wie Rita, dachte Marianne – unverwüstlich. Im Frühling 1930 war es von einem Amerikaner namens Ron Stark, der an der Börse mit Schweinebauch handelte, für seine große Liebe Julia erbaut worden. Ron hatte sich für einen Romantiker gehalten und deshalb wohl ein Anwesen inmitten tobender Wellen, schroffer Felsen und endlosem Himmel als passend empfunden.

Ein Jahr später floh er nach Vermont zurück. Er bot das Haus nicht einmal zum Verkauf an, weil er wohl nicht daran glaubte, dass jemand verrückt genug sein würde, sich eine solche Monstrosität zuzulegen.

Doch er hatte sich geirrt.

Im Sommer 1931 erwarben Ritas Eltern, Ruby und Archibald, Ancaire. Die beiden hatten zu ihrem eigenen Erstaunen mit Selbsthilfebüchern eine Menge Geld verdient. Die Themen waren recht beliebig: *Wie man Zehen und andere Extremitäten zeichnet*, *Wie man entspannt über seine Verhältnisse lebt*, *Wie man gut schläft und träumt*. Aber ihre Bücher, die sie auch selbst illustrierten, verkauften sich vor allem wegen Ruby und Archibald wie geschnitten Brot. Die Leserschaft war regelrecht verrückt nach den beiden.

Ihr populärstes Buch war *Wie man erfolgreich ein Mädchen erzieht*, verfasst in Ritas ersten Lebensmonaten. Später gestanden sich die beiden insgeheim ein, dass ihr einziges Kind nicht als Beweis für den Erfolg dieses Buchs gelten konnte.

Einige der Werke waren noch im Handel erhältlich, wenn wohl auch eher aus Gründen der Nostalgie, und mit den Verkäufen konnte sich Rita ihren gegenwärtigen recht anspruchslosen Lebensstil finanzieren. Dieses wenn auch geringe Einkommen erlaubte es ihr als Malerin, keines ihrer Bilder zu verkaufen, da sie der Ansicht war, ihre Werke und sie selbst würden unter dieser schnöden Form der Kommerzialisierung zu leiden haben.

Marianne sank auf den Bettrand und überlegte, ob sie auspacken sollte. Duschen. Etwas Frisches anziehen. Hatte sie sich morgens überhaupt die Zähne geputzt? Wohl schon, oder? Aber sie konnte sich nicht erinnern. Sie hatte einen schalen Geschmack im Mund. Ja, Zähneputzen und Wasser trinken. Doch stattdessen sank sie einfach aufs Bett, und weil sie zu müde war, um sich die Schuhe auszuziehen, ließ sie die Füße über den Rand hängen.

Wieso war sie überhaupt so erschöpft? Sie hatte doch heute überhaupt nichts getan. Und in der ganzen Zeit davor auch nicht. Außer herumzusitzen und darauf zu warten, dass das Beil fiel. Was es dann auch peu à peu tat, seit Brian sie vor einem Jahr verlassen hatte.

Manchmal konnte Marianne es noch immer nicht glauben. Wie schnell und unwiderruflich alles in die Brüche gegangen war. Dabei hatten Brian und sie ihr Leben ganz genau geplant. Nur sie beide, darüber waren sie sich einig, das genügte ihnen. Marianne hatte sogar errechnet, wann sie sterben würden. Nicht aus einer morbiden Anwandlung heraus, sondern als eine Art versicherungstechnische Schätzung, basierend auf Faktoren wie Ernährung, Bewegung, Umwelt, Gene etc. Externe Faktoren waren natürlich nicht vorhersehbar, wie Naturkatastrophen, ein Verkehrsunfall oder von einem Pitbull zerfleischt zu werden.

Sogar nachdem Brian weg war, hatte Marianne nicht aufgegeben. Es war ihr gelungen, das Haus an der Carling Road zu behalten. Das war ihr ungeheuer wichtig gewesen. Sie hatte ihre gesamten Ersparnisse aufgebraucht, um Brians Anteil zu erwerben, hatte aber zusätzlich eine Hypothek aufnehmen müssen. Doch mit ihrem Einkommen war das finanzierbar gewesen. Marianne war sicher, dass sie auch weiterhin klargekommen wäre, wenn man sie nicht beim Ladendiebstahl erwischt hätte. Dabei hatte sie an diesem Tag gar nichts stehlen wollen. Es musste etwas mit dieser Nachricht zu tun gehabt haben. Mit Helen. Die schwanger war. Und Zwillinge erwartete.

Marianne hatte den Diebstahl selbst kaum bemerkt, hatte es fast mechanisch getan. Aber dem Securitymann war es nicht entgangen.

»Es macht einfach keinen guten Eindruck«, hatte ihr Chef nach dem Urteil gesagt. »Ich meine, wäre es irgendetwas anderes, was weiß ich, Stalking oder so … Aber eine Buchhalterin, die stiehlt … das kann ich unseren Kunden nicht zumuten. Ich hoffe, Sie verstehen das?«

»Natürlich«, hatte Marianne gefaucht.

Kein Einkommen, keine Ersparnisse. Binnen Kurzem begann die Bank Fragen zu stellen. Zuerst mit höflichen Briefen, die Marianne nicht beantwortete. Dann mit Anrufen, auf die sie nicht reagierte. Die Mailbox war voller Nachrichten, die sie nicht abhörte. Sie saß nur im Haus und wartete auf das fallende Beil.

Jetzt wäre Erleichterung doch eigentlich angebracht, sagte sie sich. Das Warten hatte ein Ende, der Tiefpunkt war erreicht.

Aber im Rückblick fand sie die Zeit des Wartens gar nicht so schlecht. Vergleichsweise angenehm sogar. Denn sie hatte sie geborgen in ihrem eigenen Haus zugebracht.

Ihrem Zuhause.

Irgendwann döste Marianne auf dem Bett ein. Als sie schlagartig vom Scheppern des Essensgongs wach wurde, biss sie sich vor Schreck auf die Zunge. Der Schmerz versetzte sie abrupt in die Gegenwart zurück und zu der Erinnerung, dass das Beil nun endgültig gefallen war.

Rita stand vor der Wohnzimmertür und schlug mit einem Holzlöffel auf eine blecherne Keksdose. Die Sonnenbrille saß jetzt auf dem Turban, der inzwischen grellrosa war, denn sie hatte sich zum Abendessen umgekleidet, hatte ein smaragdgrünes wadenlanges Satinkleid mit Herzausschnitt angezogen, der ihre Brüste hochdrückte. Marianne fror schon beim bloßen Anblick.

»Da bist du ja, Marnie«, schrie Rita fröhlich über den Radau hinweg.

»Kannst du bitte mit diesem Krach aufhören?«

»Was hast du gesagt, Schatz?«

»Hör bitte mit dem Krach auf!«, brüllte Marianne genau in dem Moment, in dem Rita den Löffel sinken ließ.

»Du musst nicht so schreien«, sagte sie, ließ den Löffel in die Dose fallen und stellte sie auf einen Stapel

Selbsthilfebücher, die sich auf dem Flurtisch türmten. »Komm, alle warten schon auf dich.«

»Alle?« Bei dem Wort krampfte sich Mariannes Magen zusammen. Brian und sie hatten immer mit dem Tablett auf den Knien vor dem Fernseher gegessen und dabei die Abendnachrichten geschaut. Es hatte nie eine offizielle Absprache gegeben, dass beim Essen nicht geredet wurde. Das war gar nicht nötig gewesen.

Das Esszimmer von Ancaire war der zugigste Raum des Hauses, aufgrund des gewaltigen gekachelten Kamins, durch den eisiger Wind hereinpfiff, offenbar direkt vom Nordpol. Ansonsten strahlte das hohe weitläufige Speisezimmer mit seinen breiten Erkerfenstern, den umlaufenden Zierleisten an der Decke und den schweren Samtvorhängen noch immer eine gewisse Eleganz aus. Dem ausladenden Kristalllüster fehlten allerdings Teile, und er wirkte auch reichlich eingestaubt.

»Du hast dich also endlich entschieden, uns mit deiner Anwesenheit zu beehren.« Tante Pearls Tonfall war so spitz wie der Kragen ihrer Bluse. Marianne brauchte gar nicht hinzuschauen, um zu wissen, dass Pearl einen Tweed-Glockenrock, eine blickdichte fleischfarbene Strumpfhose und robuste braune Lederschnürschuhe trug. Diese Kombi war über die Jahre kaum verändert worden, und vermutlich roch Tante Pearl auch nach wie vor stark nach Mottenkugeln.

»Setz dich, damit wir endlich essen können«, sagte sie jetzt. Ihre Stimme klang grundsätzlich pikiert, selbst wenn sie jemanden nur bat, ihr die Milch zu reichen. Marianne vermutete, dass das an ihren schmalen, verkniffenen Lippen lag.

Pearl war dürr und knochig und trug das graue Haar stets zu einem strengen Knoten frisiert. Mit sechs hatte Marianne sie einmal an Halloween gefragt, ob sie eine Hexe sei, was Pearl ihr nie verziehen hatte.

»Hallo, Tante Pearl. Schön, dich zu sehen«, sagte Marianne.

»Larifari«, fauchte Pearl. »Niemand findet es schön, mich zu sehen, warum denn auch. Aber ich bin trotzdem da. Ob wir jetzt wohl endlich essen könnten?« Erbost funkelte sie Rita an, die strahlte, als habe Pearl ihr gerade ein Kompliment gemacht.

»Gewiss. Ich werde gleich servieren.« Rita verschwand Richtung Küche.

»Hallo, Marianne.« Das war Patrick, der ihr formvollendet einen Stuhl am Tisch herauszog, bevor er wieder den Platz neben Tante Pearl einnahm. Neben dem wuchtigen, breitschultrigen Mann wirkte sie noch zerbrechlicher.

Pearl warf ihm einen erbosten Blick zu, schüttelte dann empört den Kopf und manövrierte eine Ecke ihrer Serviette in den hochgeschlossenen Blusenkragen.

»Hallo, Patrick.« Marianne setzte sich und griff nach dem Wasserkrug, aber Patrick war schneller und goss ihr bereits ein. Typisch, immer einschmeicheln. Äußerlich erinnerte er Marianne an einen Pitbull: gedrungen und kahlköpfig, muskulöser Körper unter einem Metallica-T-Shirt. Hals und Arme waren mit Tier-Tattoos bedeckt, hauptsächlich Schlangen, Leoparden und Haie. Patricks Stimme aber war so sanft und leise, dass man sich anstrengen musste, um ihn zu verstehen.

Marianne hatte ihn kennengelernt, als sie in den Sommerferien vom Internat nach Hause kam, und gleichgültig die Achseln gezuckt, wie immer, wenn Rita ihr neue Pflegekinder vorstellte. Denen traute Marianne damals ebenso wenig über den Weg wie der neuen Abstinenz ihrer Mutter.

Patrick war eines von jenen Kindern, die regelmäßig nach kurzer Zeit von ihren Pflegefamilien wieder beim Jugendamt abgeliefert wurden wie schadhafte Waren. Dafür gab es natürlich Gründe. Es gab immer Gründe. In Patricks Fall eine drogensüchtige Mutter, die an einer Überdosis starb, als Patrick sieben war. Ein Vater, der Drogendealer war und hinter Gittern landete, als Patrick neun wurde.

Der Sozialarbeiter hatte Rita damals zugeflüstert, er sei sicher, der Junge sei entweder Psychopath oder Soziopath. »Wie war das gleich wieder – welche Sorte ist nicht charmant?«, hatte der Mann gefragt, aber Rita hatte sich nicht darum gekümmert.

Am dritten Tag der endlos langen Sommerferien hatte Marianne die Ferienaufgaben beendet und hielt Ausschau nach einer Beschäftigung. Dabei entdeckte sie den seinerzeit noch kleinen und mageren Patrick im Geäst einer Eiche, wo er, mit Schleuder und Steinchen ausgestattet, ein Vogelnest beäugte.

»Das lässt du bleiben!«, rief Marianne wütend, aber Patrick starrte nur auf sie hinunter, legte einen der scharfkantigen Steine in das Gummiband und zielte auf ihre Stirn. Sie zuckte nicht mit der Wimper, sondern stützte die Hände in die Hüften und fixierte Patrick mit eisigem Blick.

Rita rettete dann die Situation unwissentlich, indem sie den Essensgong schlug. Das war damals auch neu: der Gong und regelmäßige Essenszeiten. An sich nichts Schlechtes, wenn Ritas Kochkünste nicht anfänglich so hundsmiserabel gewesen wären. Alles geriet entweder matschig oder steinhart.

Jetzt, fünfundzwanzig Jahre später, war Patrick immer noch da. Und hing immer noch an Ritas Lippen wie ein dankbares ausgesetztes Hündchen, das endlich ein Zuhause gefunden hat.

Rita vertraute ihm alle ihre Geheimnisse an und suchte seinen Rat bei jedem noch so wirren Gedanken, der ihr gerade in den Sinn kam. Die beiden benahmen sich wie siamesische Zwillinge, was Marianne immer auf die Palme gebracht hatte.

Jetzt kehrte Rita mit einem quietschenden Servierwagen zurück und verkündete: »Ihr habt hoffentlich alle Hunger?« Das Parfum, das sie heute Abend trug, roch süßlich, nach Rosen und Feigen, und Marianne hielt sich ihre Serviette vor die Nase. Patrick stellte die schwere silberne Suppenterrine auf den Tisch.

»Danke, mein Junge.« Rita tätschelte Patrick den Arm und hob den Deckel der Terrine an. Trotz der zweifelhaften grünen Farbe roch die Suppe erstaunlich köstlich. »Erbsensuppe mit Minze«, erklärte Rita, der Mariannes argwöhnische Miene nicht entging, und füllte die Teller.

»Esst, ihr Lieben«, sagte Rita und setzte sich, »bevor sie kalt wird.«

Ein paar Minuten lang sprach niemand, nicht einmal Rita. Das Schweigen war nicht direkt unbehaglich, aber Marianne hätte sich auch dann nicht berufen gefühlt, etwas dagegen zu unternehmen. Es kostete sie viel zu viel Kraft, überhaupt mit mehreren Menschen in einem Raum zu sein und nicht nur mit sich selbst.

Einzig das Scharren der Löffel in den Schalen war zu hören, das Rascheln der Serviette, wenn Pearl sich den Mund abtupfte, das Klirren von Ritas Armbändern, als sie sich ein Stück Roggenbrot nahm. Sogar Patricks Schweigen erzeugte ein Geräusch, fand Marianne, ein tiefes Brummen wie von einem Generator.

Sie bewegte die Suppe hauptsächlich hin und her, statt sie zu essen, warf Brotstücke hinein und schaute zu, wie sie sich grün verfärbten.

Nach einer Weile legte Rita ihren Löffel beiseite, griff nach ihrem Wasserglas und lächelte ihre Tochter an. »Ich möchte jetzt …«, begann sie.

»Bitte keine Rede halten«, sagte Marianne sofort.

»Ich halte keine Rede. Ich wollte nur sagen: Willkommen zu Hause.«

Bei *zu Hause* hatte Marianne ein flaues Gefühl im Magen.

»Und ich wollte auch noch …«, fuhr Rita fort.

»Ich dachte, du wolltest keine Rede halten«, fiel Tante Pearl ihr ins Wort.

»Gut, dann nicht.« Rita seufzte und stellte ihr Glas ab.

Worauf Patrick das seine hob und mit einem kleinen Lächeln sagte: »Willkommen zu Hause, Marianne.«

Sie starrte auf den Tisch, ein riesiges Mahagoni-Ungetüm mit zahlreichen Macken. Um ihn buchstäblich in besserem Licht dastehen zu lassen, hatte Rita eine Reihe langer Kerzen in der Mitte aufgestellt. Die Flammen flackerten, erzeugten zittrige gelbe Lichtflecken auf dem Tisch.

»Diese Dinger stellen eine Brandgefahr dar«, bemerkte Tante Pearl, wies mit dem Kopf auf die Kerzen und zog ihr Schultertuch enger um sich. »Ich lege allergrößten Wert auf Sicherheitsbelange, aber deine Mutter hört ja nie auf mich.« Pearl schüttelte mit sauertöpfischer Miene den Kopf, und Marianne fragte sich, ob dabei wohl die Knochen rasselten. Die Liste der Dinge, auf die Tante Pearl allergrößten Wert legte, hätte einen ganzen Band der *Encyclopædia* füllen können, aber das sagte Marianne nicht. Sie sagte gar nichts.

»Wie lange willst du bleiben?«, fragte Pearl jetzt verdrossen.

»Nicht lange. Sobald ich … sobald ich einiges geklärt habe, reise ich wieder ab«, antwortete Marianne.

»Also hast du tatsächlich einen Plan?« Pearl gelang es wahrhaftig, noch stocksteifer dazusitzen als vorher.

Patrick griff nach seinem Glas, und aus dem Augenwinkel sah Marianne, wie sein vorstehender Adamsapfel sich auf und ab bewegte.

»Lass sie zufrieden, Pearl«, sagte Rita und sammelte die leeren Suppenschalen ein. »Sie ist doch gerade erst angekommen.«

Plötzlich war Hufgeklapper zu vernehmen, und der langhaarige Ziegenbock, den Marianne zuvor im Garten gesehen hatte, galoppierte herein, drehte eine Runde um den Tisch und beschnüffelte schließlich hoffnungsvoll den Servierwagen.

»Wer hat denn wieder dieses Tier hereingelassen?«, fragte Pearl in schneidendem Tonfall.

»Er muss die Erbsen gerochen haben«, sagte Rita und zupfte den Ziegenbock zärtlich an seinem langen Bart. »Du liebst Erbsen doch so, nicht wahr, Gerard?«

»Das ist unhygienisch!«, zeterte Tante Pearl. »Tiere in einem Esszimmer!«

»Gerard kann sich aber benehmen«, wandte Rita ein, schob den Servierwagen zur Tür und manövrierte ihn ächzend über die Schwelle. Gerard trottete hinter ihr her, und der Lärm von Ritas Absätzen, Gerards Hufen und dem ratternden Wagen war so monströs, dass Marianne sich am liebsten die Ohren zugehalten hätte.

Patrick verteilte jetzt Teller auf dem Tisch, dieselben wie damals: blau-weißes Porzellan mit einem Muster aus Schiffen, Ankern, Wellen. Als Kind hatte Marianne in der Küche auf einen Stuhl steigen müssen, um die

Teller zu erreichen. Sie erinnerte sich, wie sie für Flo ein Spiegelei gebraten und am Rand Bohnen wie Strahlen arrangiert hatte.

»Rate, was das sein soll«, hatte Marianne gesagt, und Flo hatte geantwortet: »Die Sonne.«

»Ist etwas für dich dabei, Marianne?«, fragte Rita, als sie zurückkam und diverse Schüsseln mit Gemüse auf den Tisch stellte. »Falls du das Couscous nicht magst, gibt es auch Kartoffelpüree …«

»Alles okay«, sagte Marianne. Rita reichte ihr einen Teller mit Möhren, Steckrüben und Pilzen in einer dunkelroten Soße. Obendrauf befanden sich Kichererbsen, Wachsbohnen, ganze Knoblauchzehen und Rosmarinstängel. Marianne konnte sich nicht erinnern, wann sie zum letzten Mal gegessen hatte. Zum Frühstück? Vor der Arbeit hatte sie selten etwas zu sich genommen, aber wenn um elf der Catering-Wagen kam, hatten die Kollegen Schlange gestanden, und Marianne war eingefallen, dass sie essen musste. In den letzten Monaten, ohne diesen Rhythmus, war es ihr schwergefallen, daran zu denken.

Sie schob das Gemüse mit der Gabel auf dem Teller herum.

Rita redete ohne Unterlass.

»… deshalb habe ich Shirley vorgeschlagen, dass wir …«

»Dein Essen wird kalt«, fiel Marianne ihr ins Wort.

»Ist immer so«, bemerkte Tante Pearl.

Rita quasselte unbeirrt weiter.

»… fünf Minuten in einem Raum mit diesem grässlichen Mann, und …«

»Die meisten Männer sind grässlich«, warf Pearl ein. »Wen meinst du denn nun genau?«

»Shirleys Vermieter. Hörst du mir überhaupt zu?« Rita schüttelte den Kopf. »Er hat Shirley zum Ende des Monats April gekündigt.«

»Ist das die alleinerziehende Mutter?« Pearl verzog missbilligend das Gesicht.

»Sie ist die Mutter von zwei entzückenden Jungen«, erwiderte Rita entschieden.

»Ich hatte das zweifelhafte Vergnügen, Sheldon und seinen Bruder Harrison kennenzulernen«, sagte Pearl. »*Entzückend* ist nicht die Vokabel, die mir dabei in den Sinn kommt.«

»Jedenfalls hat Shirley nicht einmal einen richtigen Mietvertrag.« Rita spießte ein Stück Tomate auf und wedelte mit ihrer Gabel. »Dieser Halunke ist natürlich nur an Geld interessiert, an seinem … wie heißt das gleich noch wieder …« Sie sah Marianne an. »Wenn Leute so auf Geld versessen sind …«

»Profit?«, sagte Marianne.

Rita strahlte. »Genau. Mein kluges Kind.«

Patrick räumte das Geschirr ab, stapelte alles auf dem Wagen und beförderte ihn so mühelos über die Türschwelle, als sei er federleicht. Rita folgte ihm, und Marianne hörte im Flur ihr perlendes hohes Lachen, weil Patrick etwas Amüsantes geäußert hatte.

Pearl schnalzte missbilligend mit der Zunge, ohne

sich über den Anlass ihrer Empörung zu äußern. Marianne nahm ihre Brille ab und putzte sie mit einem Zipfel ihrer Serviette.

»Ist bestimmt längst sauber«, kommentierte Pearl.

Seit ihrem fünfzehnten Lebensjahr trug Marianne eine Brille, und sie tat es tatsächlich gern. Damals, in der ersten Woche im Internat, war der Mathelehrerin aufgefallen, dass Marianne herumrätselte, weil sie die Gleichungen an der Tafel nicht richtig erkennen konnte. Marianne bevorzugte massive Brillengestelle, weil sie sich damit geschützt fühlte. Eine schwere dunkle Brille war eine Aussage und löste bei den Menschen eine bestimmte Vorstellung aus. Ernsthaft. Ruhig. Vernünftig. So wollte Marianne sich selbst auch gern sehen.

Als sie die Brille wieder aufsetzte, konnte Marianne nicht umhin, Tante Pearl deutlich zu erkennen. Deren blausilbrige Augen wirkten noch immer so klar, als sei sie nicht um die neunzig. Kalt glitzernd wie Messerschneiden. »Also wirklich, Marianne«, sagte sie und betastete ihren Haarknoten, der es aber gewiss nie wagen würde zu verrutschen, »Ladendiebstahl! Ich hätte nie …«

»Nachtisch!«, trällerte Rita munter, als sie mit dem Wagen wieder hereinspaziert kam, und Pearl, die sich ihre Vorliebe für Süßes nur schwer verzeihen konnte, inspizierte begierig das Angebot. »Ist das da eine Baiser-Roulade?«

»Mit unseren eigenen Himbeeren«, bestätigte Rita.

»Aber jetzt gibt es doch gar keine.«

»Patrick hat letzten September welche eingefroren«, erklärte Rita und lächelte Patrick an, der mit einer Kanne Kaffee und einer Schüssel Sahne hereinkam. Der Kaffee roch würzig und erdig. Nach vier Uhr nachmittags nahm Marianne normalerweise kein Koffein mehr zu sich, ließ sich aber eine Tasse einschenken, damit sie ihre Hände daran wärmen konnte. Sie beugte sich sogar darüber und genoss den heißen Dampf auf ihren kalten Wangen.

»Und was will diese Shirley jetzt tun?«, fragte Pearl, nahm erwartungsvoll ihre Himbeerroulade entgegen und stellte den Teller beinahe zärtlich auf den Tisch.

Marianne lehnte ab, weil sie nicht gerne Süßes aß, musste aber zugeben, dass die weiche weiße Baiserschicht, von rosa Himbeersaft durchtränkt, einen appetitlichen Anblick bot.

Rita schob sich einen Bissen Roulade in den Mund und sagte kauend: »Wir wollen am Tag vor der Zwangsräumung ein Sit-in vor Shirleys Haus machen.«

»Und wann ist das?«, fragte Patrick.

Marianne merkte, dass nicht nur sie in der Bewegung erstarrte, sobald Patrick sprach, sondern auch die anderen. Es schien, als fürchteten alle, seine Worte würden sich ansonsten in Luft auflösen. Rita, die gerade nach einer Himbeere Ausschau hielt, die in ihrem Dekolleté versunken war, reagierte als Erste.

»Im April irgendwann.« Sie fischte einen dicken Kalender aus ihrer Handtasche neben dem Stuhl und blätterte darin. »Vielleicht hat sich der Vermieter bis dahin umstimmen lassen. Ansonsten fahren wir schweres Geschütz auf. Zur Not sogar Tante Pearl.«

Die verzog daraufhin ärgerlich das Gesicht.

Rita warf den Kalender auf den Tisch. »Kann nichts erkennen, zu wenig Licht hier drin.«

»Das wäre anders, wenn du die Brille auch tragen würdest, die dir verschrieben wurde«, bemerkte Pearl spitz.

»Ich brauche keine Brille, sondern eine zweite Meinung«, erklärte Rita, tupfte mit dem Zeigefinger die restliche Himbeersoße auf und leckte ihn geräuschvoll ab.

Der Kalender lag aufgeschlagen auf dem Tisch, und als Marianne einen Blick darauf warf, sah sie ein rotes X mit mehreren Ausrufezeichen, darunter eine krakelige Zeichnung von einem Haus und mehreren Strichmännchen mit Protestschildern. Auf jedem war ein Buchstabe von Shirleys Namen und ein rotes Herz zu erkennen.

Zweifellos der Räumungstag.

Marianne beugte sich weiter vor.

Der dreißigste April.

Sie lehnte sich zurück, bis sie die Holzstreben der Stuhllehne im Rücken spürte, konzentrierte sich auf das Gefühl, wie die Kanten in ihre Haut drückten.

»Marianne?« Rita sah sie forschend an. »Du bist ganz bleich geworden.«

»Alles … okay«, brachte Marianne mühsam hervor. »Ich …«

Sie sah die fünfjährige Flo vor sich, an ihrem ersten Schultag. Marianne ließ ihre Hand los, Flo übergab ihr

Brunos Leine und küsste den Hund auf die Nase, obwohl man ihr schon x-mal gesagt hatte, wie unhygienisch das war. Flo trug Mariannes alte schwarze Lackschuhe, auf Hochglanz poliert.

»Hast du gar keine Angst?«, fragte Marianne.

»Wovor denn?«, erwiderte Flo, mit neugierigem Blick in den blauen Augen.

»Vor der Schule.«

Flo schüttelte so heftig den Kopf, dass ihre Zöpfe herumflogen.

Jetzt stand Marianne auf und schob unbeholfen ihren Stuhl zurück, was auf den Steinfliesen ein unangenehm schabendes Geräusch erzeugte. Die Gesichter der anderen schienen so weit weg zu sein, als schaue sie durchs falsche Ende eines Fernglases.

»Mir ist nicht wohl«, sagte Marianne und bewegte sich auf die Tür zu. Auch die schien endlos weit entfernt zu sein, wie in einem Traum.

»Soll ich mitkommen?«, rief Rita.

Marianne schüttelte den Kopf und drückte mehrmals die Klinke, aber die Tür ließ sich nicht öffnen.

»Du solltest jeden Morgen einen Löffel Lebertran nehmen«, verkündete Tante Pearl. »Das hilft gegen alles.«

Patrick erschien neben Marianne, vollführte einige komplizierte undurchschaubare Bewegungen und drückte dann gegen die Tür, die sich lautlos öffnete.

»Manchmal klemmt da was«, sagte er.

Marianne stürzte in den Flur hinaus, steuerte zur Treppe und rannte zwei Stufen auf einmal nehmend hinauf. In ihrem Zimmer lehnte sie sich von innen keuchend gegen die Tür.

Das Zimmer, seit ihrer Kindheit unverändert, kam ihr vor wie ein Hohn, als wolle es sagen: Du bist nie erwachsen geworden. Flos Bett, das Kissen unter der Tagesdecke, das Bettzeug darunter ordentlich. Das wusste Marianne, weil sie jeden Morgen sorgfältig Kissen und Decken von beiden Betten umgedreht und die Laken festgesteckt hatte. Das hatte ihr nichts ausgemacht, weil sie ordentliche Betten liebte. Weil sie froh war, alles immer genau so vorzufinden, wie sie es hinterlassen hatte. Dieses Zimmer war der einzige Raum im Haus, auf den damals Verlass gewesen war.

Marianne trat zum Fenster und schaute hinaus. Das Meer sah aus wie immer, mit seinen grauen Wellen, der weißen Gischt, den Wogen, die auf den dunklen Sand und an die Felsen brandeten. So hatte es auch am dreißigsten April vor fünfundzwanzig Jahren ausgesehen. Für Marianne, die jetzt ihre Wange an das kalte Glas presste, schien sich nichts verändert zu haben.

Auch nicht Flo, die für immer ein zehnjähriges Mädchen bleiben würde. Die schon seit fünfundzwanzig Jahren ein zehnjähriges Mädchen war.

4

Marianne legte sich mit Jogginghose, einem alten T-Shirt von Brian, Fleecejacke und Hausschuhsocken ins Bett. Daraus bestand ihre Kleidung ohnehin seit Monaten.

Trotzdem fror sie, und die Kälte trug nicht dazu bei, sie ihre Lage vergessen zu lassen. Marianne schlief unruhig, wachte immer wieder auf, ihrer Schätzung nach im Abstand von siebenunddreißig Minuten. Jedes Mal musste sie sich erinnern, wo sie war, und wurde dann von heftiger Trauer erfasst, die sich anfühlte wie ein Schlag in den Solarplexus. Sie versuchte sich zu beruhigen, indem sie an die zwei Alt-Wiener-Porzellanvasen in ihrem Haus dachte, die den offenen Kamin flankierten. Sie waren mit identischen künstlichen Blumen gefüllt, die man lediglich alle paar Tage abstauben musste, dann sahen sie aus wie neu.

Niemand schien je bemerkt zu haben, dass die Blumen nicht echt waren. Allerdings hatten sie auch selten Besuch gehabt. Genau genommen hauptsächlich von Brians Schwester Linda, die zweimal im Jahr von Guernsey anreiste. Sie hatte Brian nach dem Tod der Eltern großgezogen; Linda war damals achtzehn, er zwölf gewesen. Dass Linda die künstlichen Blumen nie erwähnt hatte, konnte aber auch daran liegen, dass sie generell sehr schweigsam war.

Marianne hatte nie Wert auf Gäste gelegt. Ancaire dagegen war immer voller fremder Menschen gewesen, wobei Rita ihrer Tochter erklärt hatte, fremde Menschen gäbe es gar nicht. Das seien lediglich Freunde, denen man vorher noch nicht begegnet war.

Als Brian ausgezogen war, hatte er keine Möbel mitgenommen, mit der Begründung, Marianne habe sie mit so viel Mühe ausgesucht. Dabei hatte sie es gar nicht mühevoll gefunden, sondern es hatte ihr großen Spaß gemacht, einen ganzen Nachmittag in einem Möbelhaus zu verbringen, um den idealen Garderobenständer aufzustöbern.

Als sie Brian kennenlernte, hatte sie ihren Single-Status nicht nur längst akzeptiert, sondern war äußerst zufrieden damit. Sie lebte allein und schlief allein, auf ihrem robusten Kastenbett, das nicht einmal knarrte, wenn sie sich ruhelos herumwälzte.

Sie arbeitete allein, im Gästezimmer ihrer Wohnung, das sie zum Büro umfunktioniert hatte.

Und sie war auch im Internat und beim Studium an der Queen's University eine Einzelgängerin gewesen. Hatte ein winziges Zimmer gehabt, die Dusche mit sechs anderen Mädchen teilen müssen und deshalb immer lauwarmes Wasser abgekriegt. Das Studium, bei dem es aus gutem Grund eine hohe Abbrecherquote gab, hatte sie als höllisch anstrengend empfunden. Marianne redete nicht mit ihren Kommilitoninnen, und irgendwann gaben die auch alle Versuche auf, mit ihr zu sprechen.

Den Abschluss schaffte sie als Jahrgangsbeste und hatte deshalb gute Jobangebote. Sie entschied sich für ein Angebot, bei dem sie von zu Hause aus arbeiten konnte, in ihrem winzigen Apartment im obersten Stock eines Wohnblocks an der Griffith Avenue. Sie fühlte sich sicher dort, in den lichtdurchfluteten Räumen mit Blick auf den Tolka River. Der Garten war so verwildert, dass sich niemand außer ihr dort aufhielt, und Marianne liebte es, sich an Sommerabenden dort ins hohe Gras zu legen, vor Blicken verborgen, und zum Sternenhimmel aufzuschauen.

Hätte das Unternehmen nicht irgendwann verlangt, dass künftig alle Mitarbeiter im Firmengebäude anwesend sein sollten, hätte Mariannes Leben einen ganz anderen Verlauf genommen. Denn dann wäre sie nicht in der Teeküche im fünften Stock Brian begegnet.

Um 4:37 Uhr wurde Marianne durch ein scharrendes Geräusch aus ihren Grübeleien gerissen.

Sie ignorierte es zunächst, sagte sich, es seien bestimmt die kahlen Äste der Birke, die vom Wind gepeitscht am Fenster schabten. Doch nach einer Weile merkte sie, dass die Geräusche von der Tür kamen. Wahrscheinlich Mäuse, die hinter der Wandvertäfelung ihr Unwesen trieben.

Als das Scharren immer lauter und heftiger wurde, quälte sich Marianne schließlich um 4:46 Uhr fröstelnd aus dem Bett, stapfte zur Tür und riss sie auf.

Ein Hund saß davor, eine Pfote erhoben, weil er gerade weiter an der Tür kratzen wollte. Es war ein großer dünner Hund, weder alt noch jung. Ein Hund in den mittleren Jahren mit struppigem Fell, so grau wie abgestandenes Spülwasser. Er starrte Marianne an und legte den Kopf schief. Die Ohren waren hoch aufgerichtet wie Antennen und zitterten ein bisschen.

Marianne schloss die Tür und ging wieder ins Bett.

Es hatte zwar immer eine ganze Menagerie gegeben in Ancaire, aber nach Bruno hatte Rita nie mehr einen Hund angeschafft.

Das Tier bearbeitete die Tür weiterhin hartnäckig mit seinen Krallen, die dem Geräusch nach dringend geschnitten werden mussten. Marianne zog sich das Kissen über die Ohren, um den nervigen Lärm nicht mehr zu hören.

Jetzt begann der Hund auch noch zu winseln, und das hörte sich so schrecklich verloren und einsam an, dass Marianne schließlich klein beigab.

Seufzend stand sie wieder auf, öffnete die Tür und fixierte den Hund aufgebracht. »Was willst du?«

Er antwortete, indem er sofort den Streifen nackter Haut an Mariannes Bein ableckte, der zwischen Jogginghose und Hausschuhsocke zu sehen war. »Lass das«, knurrte Marianne und wich zurück, worauf sich der Hund an ihr vorbei ins Zimmer drängte. Er drehte sich einmal vor Mariannes Bett im Kreis und ließ sich dann auf den Boden plumpsen. »Nee, nee, raus mit dir!«, sagte sie und deutete Richtung Flur. Der Hund blinzelte zweimal träge, streckte die Vorderpfoten aus, legte den Kopf darauf und schlief ein.

Die Kälte war so unerträglich, dass Marianne nichts anderes übrig blieb, als wieder unter die Decke zu kriechen. Um nicht auf den Hund zu treten, hangelte Marianne sich vom Fußende aus ins Bett.

Um 5:30 Uhr wachte sie vom ohrenbetäubenden Schnarchen des Hundes auf.

Hatte Brian geschnarcht, war Marianne immer ins Gästezimmer ausgewandert. Auch wenn einer erkältet war, oder während ihrer Periode. Und wenn einer von beiden früher als der andere aufstehen musste.

Deshalb hatte sie alles in allem häufiger im Gästezimmer übernachtet als im Schlafzimmer.

Jetzt war ihr plötzlich so heiß, als hätte sie Fieber. Sie rollte sich auf die Seite und ließ einen Arm aus dem Bett hängen, um sich abzukühlen. Dabei landete ihre Hand auf dem struppigen Fell des Hundes. Rasch zog sie den Arm zurück, aber der Hund hatte das wohl für Streicheln gehalten, jedenfalls setzte er sich auf und legte beide Vorderpfoten aufs Bett. Sie spürte seinen feuchten, heißen Atem im Gesicht und versuchte ihm auszuweichen, denn dieser Vierbeiner lud nicht zum Kuscheln ein. Über seinen trüben bernsteinfarbenen Augen wölbten sich dichte, verfilzte Augenbrauen, und er sabberte. »Weg mit dir«, knurrte Marianne, worauf er ihr das Gesicht ableckte. Sie schob seine Pfoten vom Bett, drehte sich zur Wand und zog die Decke über ihren Kopf, um das Tier nicht mehr sehen und riechen zu müssen.

Irgendwann schlief sie dann doch noch ein, und träumte von Brian und Helen, was vor allem dann passierte, wenn Marianne sich sehr verunsichert fühlte. In dem Traum lag Helen im Bett, war aber wach, vielleicht weil das Baby im Bauch sie getreten hatte.

Nein, falsch.

Die Babys.

Es waren ja zwei.

Zwillinge.

Brian hatte gar kein Kind gewollt, geschweige denn zwei. Marianne auch nicht. Diese einstimmige Entscheidung war ein wichtiger Teil des Fundaments ihrer Ehe gewesen. Eine felsenfeste Abmachung, hatte Marianne geglaubt. Unverbrüchlich.

»Menschen verändern sich, Marianne«, hatte Brian beim Abschied leise und bittend gesagt.

»Ich nicht«, hatte sie erwidert.

5

»Ah, du hast George kennengelernt«, flötete Rita, als sie morgens in Mariannes Zimmer gestürmt kam und die Vorhänge aufriss.

Das grelle Morgenlicht war wie ein Schlag ins Gesicht, und Marianne war so geblendet, dass sie einen Moment lang nichts sah.

Rita bückte sich und streichelte den Hund, der sich erfreut auf den Rücken drehte, damit sie ihm den Bauch kraulen konnte.

Marianne streckte die Hand nach dem Krug mit gefiltertem Wasser auf dem Nachttisch aus, bevor ihr einfiel, dass hier weder das eine noch das andere vorhanden war. Dabei erinnerte sie sich auch daran, dass sie sich abends wegen der Kälte die Zähne nicht geputzt hatte. Den schalen Geschmack in ihrem Mund fand sie unerträglich, bestimmt hatte sie über Nacht schreckliche Karies bekommen. Mühsam betastete sie ihre widerspenstigen Locken, die sich mangels Pflegeprodukt – oder auch nur Wasser und Shampoo – wie das undurchdringliche Gestrüpp am Schloss von Dornröschen anfühlten.

»Du solltest jetzt mal was essen«, verkündete Rita.

»Hab keinen Hunger.«

»Etwas richtig Nahrhaftes«, fuhr Rita unbeirrt fort. »Ich mache dir Chiasamen-Pudding. Das wird dich ein bisschen aufpeppen.« Sie hatte eine unerschütterlich optimistische Miene aufgesetzt, und ihr Turban war heute so blendend weiß, dass Marianne die Augen wehtaten. Zwischen Daumen und Zeigefinger hielt ihre Mutter einen Vape Pen. Der Geruch des Dampfs erinnerte Marianne an das Minzeis, das Brian und sie immer gegessen hatten, wenn sie sich am Samstagabend eine Naturdoku im Fernsehen anschauten.

»Oder ich mache dir einen Smoothie, ich habe Blaubeeren und Avocados da. Du siehst wirklich aus, als könntest du …«

»Kaum zu glauben, dass du deinen Vitaminbedarf früher mit Zitronen und Oliven in deinen Wodka Tonics gedeckt hast«, murmelte Marianne.

»Das ist lange her«, erwiderte Rita gelassen.

Marianne wurde beinahe nostalgisch, als sie an die Rita von früher dachte. Da hatte man wenigstens gewusst, woran man war. Auch bei William. Die monumentalen Streitereien, die mit der falsch behandelten Zahnpastatube im Badezimmer begannen und im Garten endeten, wo die beiden sich im Mondlicht wechselweise wutentbrannt über den Rasen scheuchten. Der kleinen Marianne, die ihre Eltern durchs Fenster beobachtete, war das Ganze immer vorgekommen wie ein seltsames Ballett mit zwei Figuren, die ihr so fremd und unbegreiflich waren wie Sternschnuppen.

»Die Hühner waren fleißig heute Morgen«, sagte Rita jetzt. »Falls du lieber Eier möchtest.«

»Ich dachte, du seist inzwischen Veganerin.«

»Bin ich auch. Mit Ausnahme von Eiern. Nur Freiland natürlich. Und manchmal Käse. Aber Milch trinke ich nie.«

»Weil du Milch ohnehin nicht ausstehen kannst.«

»Komm schon, Schätzchen, steh auf. Du musst mit George spazieren gehen.«

»Wieso um alles in der Welt sollte ich das tun?«, fragte Marianne.

Rita deutete auf George, der sich aufgerappelt hatte und Marianne erwartungsvoll anstarrte.

»Weil er dich auserwählt hat. Jetzt ist es offenbar so weit. Bisher hatte er sich für niemanden entschieden.«

»Du hast gesagt, du würdest dir keinen Hund mehr zulegen, nachdem Bruno abgeschafft wurde«, sagte Marianne. Falls Rita ihren brüchigen Tonfall wahrnahm, reagierte sie jedenfalls nicht darauf.

»Das war auch so geplant. Aber als George vor einem Monat hier auftauchte, halb verhungert und mit blutender Pfote …«

»Ich muss nicht die ganze Tragödie hören.«

»Wir haben ihn prima wieder aufgepäppelt«, fuhr Rita fort. »Aber bislang hatte er sich noch keinen Rudelführer ausgesucht. Scheint geradezu auf dich gewartet zu haben.« Rita schien über diese Entwicklung hocherfreut zu sein. Was man von Marianne nicht behaupten konnte.

Sie richtete sich auf, was Rita dazu nutzte, ihr das Kissen wegzuziehen und es kräftig zu vermöbeln. Dabei klirrten ihre Armreifen so schrill, dass Marianne sich gerne die Ohren zugehalten hätte.

»Zeit zum Aufstehen, Tochter«, verkündete Rita jetzt so entschieden, dass Marianne ihre Mutter unwillkürlich ansah. Die beiden Frauen betrachteten sich, und vielleicht fiel ihnen in diesem Moment zum ersten Mal auf, dass sie exakt die gleiche Augenfarbe hatten – eine Art dunkles Stahlblau, ein Farbton, in dem sich kein normaler Mensch sein Wohnzimmer streichen würde. Marianne dachte, dass es ziemlich grässlich sein musste, seiner nicht mehr jungen Tochter ins Gesicht zu blicken. Noch dazu einer Tochter, die angezogen im Bett liegt und arbeitslos, einsam und obdachlos ist. Und die auch keinen Job mehr finden wird. Marianne hätte die Litanei fortsetzen können, befahl sich aber, damit aufzuhören. Sie staunte selbst immer wieder über ihre Fähigkeit zu bodenlosem Selbstmitleid.

Erst als Rita hinausging, fiel Marianne auf, dass ihre Mutter nicht über die Linie zwischen den Betten getreten war.

Marianne ließ sich wieder aufs Kissen sinken. Gedanken schossen ihr kreuz und quer durch den Kopf wie früher die zig E-Mails und Anrufe an ihrem Arbeitsplatz. Den Marianne so schmerzhaft vermisste, wie sie es nie für möglich gehalten hätte.

Jetzt sah sie plötzlich das hellblaue T-Shirt vor sich, das Brian damals an dem Tag getragen hatte, als sie sich kennenlernten. Es war einer dieser furchtbaren Freitage gewesen, an denen man in Freizeitkleidung im Büro erscheinen durfte. In dunkelblauer Schrift stand darauf: *Zahlen sind berechenbar. Menschen nicht.*

Das war exakt Mariannes Lebenshaltung.

Jetzt tauchte Georges Kopf neben ihr auf. Der Hund sah sie mit seinen bernsteingelben Augen so hoffnungsvoll an, als erwarte er irgendetwas von ihr.

Tante Pearl hatte wissen wollen, ob Marianne einen Plan hatte.

Nein, sie hatte keinen Plan.

George bellte und machte den Eindruck, als wolle er damit vorerst nicht wieder aufhören.

»Ist ja gut«, raunzte Marianne ihn an, schlug die Decke beiseite und stellte die Füße auf den Boden. Sogar durch die Socken war die Kälte ein Schock.

»Was willst du von mir?«, murmelte sie mürrisch. Der Hund setzte sich auf ihren linken Fuß und drängte sich dicht an ihr Bein. Dann leckte er ihr die Hand ab, trottete zur Tür und kratzte daran. Das Geräusch ging Marianne durch Mark und Bein.

»Ja, ja, ist ja gut«, knurrte sie. Die Vorstellung, sich auszuziehen und ihren Körper mit Wasser in Berührung zu bringen, war entsetzlich anstrengend. Stattdessen schlüpfte sie in die Strickjacke, die sie gestern Abend einfach hatte fallen lassen. Dabei dachte sie an die Einbauschränke, in denen jedes einzelne Kleidungsstück seinen festen Platz gehabt hatte. In dem Haus, das einmal ihr gehört hatte. Was war nur aus ihr geworden? Sie stopfte die Bündchen der Jogginghose in die Hausschuhsocken und tappte ins Bad.

In dem riesigen Badezimmer setzte sich Marianne zum Zähneputzen auf den Rand der Kupferbadewanne mit den Löwenfüßen, die im Laufe der Jahre stumpf und fleckig geworden war. Die Zahnpasta prickelte auf der Zunge, die sie ebenso heftig schrubbte wie die Zähne. Dabei versuchte sie, nicht in den Spiegel zu schauen, aber als sie aufstehen musste, um den sperrigen Wasserhahn zuzudrehen, ließ es sich nicht vermeiden. Ihr Gesicht sah knittrig und schlaff aus, wie eine uralte Tasche, die man irgendwo im Schrank vergessen hat.

Im hinteren Teil der Küche gab es einen Schrank voller Gummistiefel. Nachdem Marianne sich mit Anorak und Wollmütze ausgestattet hatte, suchte sie sich ein Paar in ihrer Größe heraus, zog sie an und öffnete die Hintertür für den ungeduldigen George. Der sofort mit fliegendem Fell und flatternden Ohren losraste, viel schneller, als Marianne erwartet hatte.

An eine Leine hatte sie nicht gedacht.

»George!«, schrie sie. »Hierher!« Der Hund hatte schon das Ende des Grundstücks erreicht und war im nächsten Moment verschwunden.

»Ach, verflucht!« Marianne rannte los. Sie hasste Rennen aus ganzer Seele und hatte noch nie verstanden, wieso das irgendjemand freiwillig machte. Schnaufen und Keuchen und Schwitzen, wie unangenehm. Genau das tat sie jetzt, und das alles wegen eines Hundes. Der von ihr aus gerne verschwunden bleiben konnte, aber das wollte sie Rita lieber nicht beichten müssen.

Deshalb sprintete Marianne auf das alte Gartentor zu, das sich nur mit lautem Quietschen öffnen ließ. Als sie es erbost hinter sich zuschlug, neigte sich der ohnehin schon schiefe Pfosten langsam zur Seite, und das von Wind und salziger Meeresluft verwitterte Holz splitterte und brach ab. Der Pfosten sank ins Gras. Gab es denn an diesem gottverlassenen Ort gar nichts, was nicht vor die Hunde ging?

Die Treppe zum Strand war mit Moos bewachsen und sah tückisch glitschig aus.

»George?«, schrie Marianne. Von unten war ein entferntes Bellen zu hören.

»Hierher, sofort!«, brüllte Marianne, kam aber mit der Stimme gegen die heulenden Windböen nicht an. Ihr blieb nichts anderes übrig, als den Abstieg auf der wenig vertrauenerweckenden Treppe zu wagen.

Weiter hinten am Strand hechtete George sich ins Wasser, bellte aufgeregt die Wellen an, lief dann vor ihnen davon, bellte wieder, wenn sie auf den Sand gischteten, und begann das ganze Spiel von vorne. Marianne schrie noch ein paarmal »Bei Fuß!«, gab es dann aber auf und trottete den Strand entlang, die Hände zu Fäusten geballt und in den Jackentaschen vergraben. Der Wind peitschte ihr ins Gesicht, und sie versuchte an nichts zu denken, was aber gründlich misslang. Sie dachte nämlich an Pläne und daran, dass sie keine hatte, und wurde diese Gedanken nicht los.

Deshalb versuchte sie, sich nur aufs Gehen zu konzentrieren, schaute abwechselnd auf ihre Füße und den Himmel. Dichte dunkle Wolken drängten sich vor die Sonne, die gerade über den Horizont spähte, sodass der Unterschied zwischen Nacht und Tag kaum zu bemerken war.

Als Marianne bei George ankam, gab er das Wellenfangen auf und heftete sich ohne einen Mucks an ihre Fersen. Am Ende des Strands lehnte sie sich an den ankerförmigen Felsen, und George legte die Pfote auf einen Stein und schaute erwartungsvoll zu ihr auf.

»Vergiss es. Ich werfe diesen Stein nicht«, sagte sie.

George beäugte sie unbeirrt. Nach einer Weile stupste er den Stein mit der Schnauze in Mariannes Richtung.

»Nein, hab ich gesagt.« Marianne vermied es, den Hund anzusehen, und blickte übers Meer. Worauf sie Georges Atem an ihren eiskalten Fingern spürte, als wolle er sie aufwärmen.

»Also gut! Ich werfe ihn einmal, und das war's dann, ist das klar?«

George legte den Kopf schief. Marianne hob den Stein auf und schleuderte ihn in hohem Bogen ins Wasser. Der Hund hechtete ins Meer, als sei es nicht düster und eiskalt und bedrohlich. Dann kam er zurückgerannt, legte Marianne den Stein zu Füßen und schüttelte sich ausgiebig. Sie lief hastig weg, um sich vor dem kalten Wasserschauer zu retten, aber George verfolgte sie mitsamt dem Stein und ließ ihn dann wieder vor ihr fallen.

»Nein! Kommt überhaupt nicht infrage!« Ihre Wollmütze triefte schon vor Feuchtigkeit, und Marianne fühlte sich so kläglich, als triefe sie selbst vor Selbstmitleid.

Jetzt bellte George auffordernd, und Marianne bückte sich, hob den Stein auf und warf ihn erneut. George peste los, spürte ihn auf, brachte ihn zurück.

So weit sie den Stein auch schleuderte, der Hund entdeckte ihn ein ums andere Mal.

Und Marianne warf ihn.

Wieder und wieder.

6

Als sie zurückkam, hielt sich niemand in der Küche auf. Rita rettete wahrscheinlich irgendwo Katzen, die nicht mehr vom Baum herunterkamen, und Tante Pearl betete sicher in der Kirche zum heiligen Judas – dem Schutzpatron für hoffnungslose Fälle –, dass er für Marianne ein Wunder wirken solle. Patrick befand sich zweifellos in seiner Werkstatt und fertigte etwas Schönes und Nützliches aus einem Baumstumpf an. Oder er bastelte in seiner Wohnung an einem Masterplan, um den Klimawandel zu stoppen. Vielleicht hatte aber auch Agnes bei ihm übernachtet, und er bereitete ein Eiweiß-Omelette mit Kräutern aus dem eigenen Garten für sie zu.

Marianne schnaubte missmutig. Sogar Patrick gelang es, eine Beziehung zu leben. Agnes war eine mädchenhafte Frau, genauso still und zurückhaltend wie Patrick und von Beruf Bibliothekarin, soweit Marianne informiert war. Sie hatte das Paar einmal bei einem Spaziergang auf dem Klippenweg beobachtet. Die beiden gingen in entspanntem Schweigen Seite an Seite, manchmal berührten sich ihre nackten Arme. Ein glückliches Paar, wie es schien, bei diesem Anblick konnte man sich einbilden, erfolgreiche Beziehungen seien einfach und mühelos.

Marianne wanderte durchs Haus, ging schließlich nach oben in ihr Zimmer. George verfolgte sie hartnäckig, so oft sie ihm auch sagte, er solle verschwinden.

Keinen Plan und keine Verpflichtungen zu haben fühlte sich in dem riesigen Haus besonders deprimierend an. Marianne setzte sich aufs Bett, der Hund hockte sich sofort neben sie und legte ihr den Kopf auf die Knie. Sie bewegte die Beine, aber das änderte auch nichts, George machte sich nur noch länger. Marianne rutschte auf dem Bett ganz nach hinten, George folgte ihr beharrlich.

Der wuchtige dunkle Mahagoni-Kleiderschrank stand wie früher am Fußende und war seit damals nicht bewegt worden. Die klobigen Füße hatten längst Dellen in den Boden gedrückt. Marianne stand auf und legte die Hand auf den Knauf.

»Mach dir keine Sorgen, wenn du mich nicht findest«, hatte Flo gesagt, wenn sie Bruno in den Schrank setzte, hinterherkroch und sich an die Rückwand lehnte. »Ich bin dann in Narnia.«

Marianne schloss die Augen und schüttelte den Kopf, um diese Erinnerung loszuwerden. Aber Ancaire schien sie mit Macht in die Vergangenheit zurückzuzerren.

Die Tür knarrte, als Marianne sie öffnete, und ein unangenehmer Geruch schlug ihr entgegen: feucht, muffig und staubig.

Die leeren Kleiderbügel stießen im Luftzug aneinander, erzeugten ein unheimliches Geräusch. Auf dem Boden ein weißes Söckchen mit Spitzenrand und einer aufgestickten gelben Rose. Marianne umklammerte den Rand der Schranktür, widerstand dem Impuls, sie aus den Angeln zu reißen.

Stattdessen machte sie den Schrank zu, lehnte die Stirn an das harte Holz. Wut war so anstrengend. Sie bevorzugte ruhigere Gefühle, wenn sie schon überhaupt Emotionen erdulden musste.

Aber die Wut ließ sich nicht verleugnen. Sie war spürbar im keuchenden Atem, im hämmernden Herzschlag, der in Mariannes Ohren dröhnte, in ihrer Brust und ihrer Kehle tobte. Im Blut, das durch ihren Körper zu wogen schien und sich nicht beruhigen ließ. So fühlte es sich jedenfalls an.

Sie lief hinaus, rannte den Flur entlang und schrie: »Rita!« Als keine Reaktion kam, brüllte Marianne nach unten: »RITA!«

»Was ist denn das hier für ein Krach?« Tante Pearl riss ihre Zimmertür auf und funkelte Marianne erbost an, die knochigen Hände in die knochigen Hüften gestützt.

»Ich suche Rita.« Marianne klang erstickt, wischte sich mit dem Handrücken Speichel vom Kinn.

»Das war ja wohl unüberhörbar«, erwiderte Pearl. »Und es scheint, als sei sie nicht zu Hause. Ich kann nur hoffen, dass du auch zu diesem Schluss kommst.« Sie zog die Augenbrauen fast bis zum Haaransatz hoch.

»Rita hat die …« Marianne unterbrach sich und deutete auf ihre Zimmertür. »Der Schrank ist leer.«

»Aber sicher. Es ist fünfundzwan…«

»Rita hätte das mit mir absprechen müssen.«

Tante Pearl seufzte und wirkte plötzlich weniger streng. Eher müde und alt. »Sie hat es dir gesagt. Vorher hat sie mich gefragt, ob sie das tun sollte, und ich habe bejaht, und dann hat sie eine Ewigkeit überlegt, ob sie dir schreiben soll. Oder dich anrufen. Oder unangekündigt bei dir auftauchen. Du weißt ja, dass sie gerne plötzlich bei Leuten vor der Tür steht, ohne jegliche Vorwarnung.«

Marianne nickte. Ihr Kopf fühlte sich bleischwer an.

»Sie hat dich dann schließlich angerufen«, fuhr Pearl fort. »Weißt du das nicht mehr?«

Marianne schüttelte wortlos den Kopf.

»Und du hast dein Okay gegeben. Du hast auch gesagt, du wolltest nichts aus dem Schrank behalten.« Pearl beäugte Marianne prüfend.

Die schüttelte erneut den Kopf. »Ich erinnere mich nicht daran.«

»Nun, so war es aber.« Pearl richtete sich entschlossen auf. »Komm mit.«

»Was?«

»Es heißt nicht *was*, sondern *wie bitte*«, sagte Pearl streng. »Ich brauche Hilfe.«

Sie drehte sich um und verschwand in ihrem Zimmer. Einen Moment lang erwog Marianne, ihr nicht zu folgen, sondern sich in dem Schlafzimmer mit dem leeren Kleiderschrank einzuschließen.

Tante Pearls Zimmer war ein gigantischer Raum, in etwa so behaglich wie ein Mausoleum. Er enthielt dieselben fünf Möbelstücke, die sich schon immer dort befunden hatten: ein Einzelbett mit dürren Beinchen, die denen von Pearl ähnelten. Am Fußende eine Holztruhe, verriegelt mit einem schweren rostigen Vorhängeschloss. Marianne und Flo hatten einmal versucht, das Schloss mit einer von Pearls langen Haarnadeln zu öffnen, während die Tante ein einziges Mal für einen längeren Zeitraum nicht zu Hause war. Sie hatte eine Herzoperation gehabt, musste sich einen Bypass legen lassen. Marianne wusste noch, wie sie sich damals darüber gewundert hatte, dass Pearl überhaupt ein Herz besaß, das man operieren konnte.

Ferner gab es in dem Zimmer ein Bücherregal. Ganz oben standen etliche der Lebensratgeber von Ruby und Archibald, darunter reihenweise kitschige Liebesromane.

Eine Kommode, auf der Fläche eine Pinzette, ein Tiegel Pond's-Gesichtscreme, ein Metallkamm, in dem ein einzelnes graues Haar hing.

Ein schwerer Ohrensessel.

In dem ein riesiger Plüschpanda saß. Ein Auge fehlte, aus einigen Rissen quoll Füllung heraus, das Fell war hart und verfilzt. Auf einem Jahrmarkt im Sommer 1966 hatte Pearls Verlobter dieses Plüschtier gewonnen, weil er die richtige Anzahl Murmeln in einem Glas erraten hatte.

Einhundertdreiundsechzig.

Im nächsten Sommer war Pearls Verlobter bereits mit einer anderen Frau verheiratet.

»Also«, begann Pearl, nachdem Marianne die Tür geschlossen hatte, »ich möchte das Bücherregal neben den Sessel rücken.«

»Wäre es nicht einfacher, den Sessel zum Bücherregal zu rücken?«, wandte Marianne ein.

Als Pearl den Kopf schüttelte, war das Knacken von Knochen zu hören. Marianne beäugte das schwere Eichenholzregal. »Das sieht ja ziemlich sperrig aus, ich glaube nicht, dass wir …«

»Wir nehmen die Bücher raus.«

»Aber dann kommen sie womöglich durcheinander. *Die Liebenden von Lagos* sollte doch nicht hinter *König meines Herzens* stehen, oder?«

Tante Pearl fixierte Marianne mit eisigem Blick. »Machst du dich etwa über mich lustig?«

Marianne setzte eine Pokermiene auf. »Nein, natürlich nicht.«

»Das ist auch besser so.« Pearl begann, die Bücher aus dem Regal zu nehmen. »Ich habe mich ohnehin entschlossen, sie anders zu sortieren. Nach dem Erscheinungsdatum.«

Diese Arbeit war zwar mühsam, aber Marianne fand sie trotz Pearls Anwesenheit erstaunlich entspannend. Man musste sich konzentrieren und ein gutes Arbeitsgedächtnis haben, was für sie beide galt. Es gab allerdings einen gruseligen Moment, in dem Marianne sich selbst in vierzig Jahren sah, wie sie ihre Sammlung an Naturkundelexika ordnete. Und zwar in ihrem Zimmer in Ancaire. Sie versuchte den Gedanken aus ihrem Kopf zu vertreiben, indem sie auf das Cover des Buchs starrte, das sie gerade in der Hand hielt, *Leidenschaft im Paradies*, und versuchte aus den Buchstaben andere Wörter zu bilden.

Pearl sah sie von der Seite an. »Wenn du nicht aufpasst, bleibt dein Gesicht so, das weißt du, oder?«

»Wie denn?«

»Sauertöpfisch.«

Ein hässlicheres Wort konnte einem kaum einfallen, fand Marianne.

Pearl setzte einen Stapel Bücher auf dem Boden ab und sah Marianne an. »Es ist Rita nicht leichtgefallen, weißt du. Den Schrank auszu…«

»Hier finde ich das Erscheinungsjahr nicht«, sagte Marianne und drückte Pearl ein zerlesenes Exemplar von *Rückkehr zur Liebesinsel* in die Hand.

»Oktober 1994«, sagte Pearl, ohne das Buch anzusehen. Als Marianne ihrem Blick auswich, wurde sie von Pearl am Arm geknufft – und schaute schließlich auf.

»Willst du so enden wie ich?«, fragte Pearl.

Das empfand Marianne als Fangfrage. Nein zu sagen wäre extrem unhöflich, die Frage zu bejahen aber auch. Schließlich antwortete Marianne gar nicht, sondern beschäftigte sich weiter schweigend mit den Büchern, ebenso wie Pearl. Das Schweigen war weder freundschaftlich noch belastend, es war einfach nur da.

So wie sie beide.

»Wenn du mich fragst«, sagte Pearl nach einer Weile, obwohl niemand eine Frage gestellt hatte, »ist das Unsinn. Dass Rita und Patrick bei diesem Wetter schwimmen gehen.« Sie wies mit dem Kopf Richtung Fenster. Die kahlen Äste der Kastanie draußen wurden vom

Wind gepeitscht und kratzten an der Scheibe wie Skelettfinger.

»Rita ist schwimmen gegangen?«

»Bei Flut macht sie das immer.«

Marianne schaute hinaus. Hohe dunkelgraue Wogen brandeten ans Ufer. »Gefährlich«, sagte sie, um nicht weiterhin stumm zu bleiben.

»Wenn der Junge sich wieder eine Lungenentzündung holt, soll er mir bloß nichts vorjammern.«

Marianne griff nach *Verführung nach Zahlen*. Laut Rückseitentext handelte der Roman von einer Sekretärin, die einen Job in der Buchprüfungsfirma eines einflussreichen Mannes mit tragischer Vergangenheit bekommt. Marianne schlug das Buch auf und hielt nach dem Erscheinungsjahr Ausschau. »Hatte Patrick mal Lungenentzündung? Kann mich nicht erinnern …«

»Da warst du im Internat.« Pearl betrachtete wohlgefällig das abgegriffene Cover eines Arztromans, auf dem ein Mann mit üppigem Haarschopf und kantigem Kinn eine zierliche, hübsche Krankenschwester an seinen OP-Kittel drückte. »Da war Patrick seit vier Monaten hier. Sprach den ganzen Tag kein Wort, aber nachts, sage ich dir, da stöhnte und schrie er im Schlaf. Rita bestand darauf, jeden Tag mit ihm schwimmen zu gehen, ohne Rücksicht auf Verluste, sogar als es Winter wurde. Kein Wunder, dass das Kind krank geworden ist. Und spindeldürr war er, so viel Rita auch für ihn gekocht hat.«

»Mich erstaunt ja, dass er nicht auch noch Lebensmittelvergiftung bekommen hat.«

»Nicht sehr christlich, diese Bemerkung.« Pearl schaute auf ihre Uhr. »Ich muss jetzt los, wenn ich pünktlich zu Beginn der Messe in der Kirche sein will.« Sie strich ihren Rock glatt, und Marianne fiel auf, dass sie beide ganz ähnliche Hände hatten: lange dünne Finger, schmale Nagelbetten, die Nägel kurz und gerade geschnitten.

»Deine Mutter wird nach dem Schwimmen sicher ihre Horde Missliebiger abholen, du wirst wohl warten müssen, bis du sie beschimpfen kannst.«

»Das will ich gar nicht.« Mariannes Wut war verraucht, es kostete zu viel Kraft, sie aufrechtzuerhalten. Oder überhaupt irgendetwas. »Hauptsächlich will ich ihr aus dem Weg gehen.«

»Also alles wie immer«, konstatierte Pearl und steuerte Richtung Tür. »Na, in diesem Haus gibt es viel Platz zum Verstecken. Das zumindest gehört zu seinen Vorzügen.«

7

Nachdem Tante Pearl in ihrem alten, aber tadellos gepflegten Peugeot 106 davongefahren war, streifte Marianne durchs Haus. Dabei kam es ihr vor, als lenke Ancaire gezielt ihren Blick auf Stellen, an denen Erinnerungen hochkamen, die lange verdrängt worden waren.

Die Delle in der Wandtäfelung, wo Rita und William gemeinsam betrunken ins Stolpern geraten und gegen die Paneele geknallt waren. Sie hatten den Schmerz erst am nächsten Tag gespürt, als die zwölfjährige Marianne ihnen wie verlangt Tee und Paracetamol brachte. Als sie ihnen erzählte, was passiert war, lachten die beiden. Sie fand es nicht komisch.

Der gezackte Riss in der Fensterscheibe am Ende des Flurs. »Du hättest mir damit ein Auge ausstechen können«, hatte William gebrüllt und den Stiletto aufgehoben, den Rita nach ihm geworfen hatte.

»Ein untreues Auge weniger«, hatte Rita zurückgeschrien.

Die rote Damast-Chaiselongue unterm Fenster, abgewetzt und durchgesessen, auf der die zwei vor und nach den heftigen Streitereien aufeinanderlagen.

Ihre Ehe war explosiv gewesen, mit Alkohol als Zündstoff. Nachdem Rita nicht mehr trank, verließ

William sie nach einer Weile, um seinen zwei Hobbys zu frönen: Trinken und Frauen. Beides betrieb er zunächst erfolgreich, als er noch sein schlaksiges Schlendern und das üppige stahlgraue Haar hatte und Geschichten von seinen Indienreisen erzählen konnte. Und von seinem Gemälde, das im Guggenheim Museum in New York hing, ein Bild von zwei staubigen Füßen in Sandalen neben einem Brunnen.

»Hab mich zu früh verbraucht«, sagte er einmal zu Marianne, als er mitten in der Nacht betrunken vor ihrer Wohnungstür stand und sich in rührseligen Tiraden erging. Sie ließ ihn auf ihrer Couch schlafen, am nächsten Morgen war er verschwunden.

Er hatte etliche Beziehungen, die Frauen wurden dabei immer älter. Seine letzte, eine Tanzlehrerin namens Simone, hatte gesagt, sie sei neunundfünfzig, war also vermutlich jenseits von fünfundsechzig.

Dann hatte William einen Schlaganfall. Nicht von der schlimmsten Sorte, aber doch immerhin so heftig, dass er den Frauen nicht mehr nachstellen konnte. Er erschien wieder in Ancaire und bat Rita, ihn aufzunehmen. Vermutlich hatte er nicht lange bitten müssen. Marianne hatte damals erwartet, dass das ganze furchtbare Theater wieder von vorne losgehen würde: ständige Streitereien, Geschrei, wilder Sex, herumfliegende Gegenstände. Sogar wenn die beiden lachten, machten sie einen Riesenradau, wie ein Krähenschwarm.

Aber so kam es nicht. Denn William sprach nicht mehr. Die Ärzte waren nicht sicher, ob es eine Folge des Schlaganfalls war oder ob er nicht mehr sprechen wollte.

Er sagte jedenfalls kein Wort mehr.

Trank aber weiter, jetzt eben mit der linken Hand.

Nach ein paar Monaten in Ancaire hatte er einen weiteren Schlaganfall, und an dem starb er.

Marianne hielt sich am Messinggeländer der breiten Treppe fest, als sie nach unten ging. Früher waren Flo und sie lachend darauf heruntergerutscht, Bruno war bellend nebenhergelaufen. Marianne ließ Flo immer absichtlich gewinnen, und sie war nie dahintergekommen.

Eigentlich war Marianne nicht hungrig, landete aber schließlich doch in der Küche. Was vermutlich an den Gerüchen lag. Rita sorgte irgendwie dafür, dass es im gesamten Haus, in allen Ecken und Winkeln, nach ihrem Backwerk roch. Und dieser Geruch, der durch alle Ritzen drang, hatte etwas Aufdringliches, Überlegenes, als brüste er sich damit, der allerbeste Backduft der ganzen Welt zu sein.

Die Küche strahlte noch einen gewissen nostalgischen Charme aus, war aber inzwischen auf jeden Fall eher shabby als chic. Die Kupfertöpfe und -pfannen, die neben dem betagten AGA-Herd hingen, schwankten im Durchzug, das eckige Keramikspülbecken war fleckig und hatte noch mehr Macken als früher.

Auf der Arbeitsfläche, in ein feuchtes Geschirrtuch gehüllt, die Quelle des Backgeruchs. Ein großer Laib Sodabrot, noch warm. Daneben ein Schälchen Butter, weich und gelb, von Rita selbst hergestellt, draußen in der Scheune in einem altertümlichen Butterfass.

Die Frau, die früher lieber betrunken war als zu essen, hatte sich zu einer Person entwickelt, die eigenhändig Butter machte.

Rita hatte einmal gesagt, sie hätte plötzlich so furchtbar viel Zeit gehabt, nachdem sie mit dem Trinken aufgehört hatte. Endlos viel Zeit, vorher hätte sie sich niemals vorstellen können, wie lang ein Tag sein kann.

Als sie mit dem Kochen loslegte, brannte zunächst so gut wie alles an. Sie warf es weg und fing von vorne an. Immer wieder, bis schließlich etwas gelang. Und sie probierte und experimentierte so lange herum, bis schmackhafte Mahlzeiten entstanden. Und so umwerfende Köstlichkeiten wie Zitronenkekse, die nicht nur auf der Zunge zergingen, sondern auch überwältigende Dankbarkeit erzeugten und auf der Stelle süchtig machten.

Gedankenverloren schnitt Marianne eine dicke Scheibe Brot ab, bestrich sie mit Butter und ließ sich auf einem der Polsterstühle am Küchentisch nieder. Sie lehnte eines ihrer Lieblingsbücher aus ihrer Kindheit, *Mein Sommerschloss*, an den Milchkarton und schmökerte darin, während sie genüsslich das Brot verspeiste. Für ihr Leben gern las Marianne Bücher, die sie schon kannte. Sie fand es beruhigend zu wissen, was als Nächstes passieren würde.

Als sie Ritas ächzenden und stotternden Jeep auf der Zufahrt hörte, griff Marianne nach einer Novene, die Tante Pearl aus der Zeitung ausgeschnitten hatte, und legte den Papierstreifen ins Buch. Mariannes geliebte Stofflesezeichen lagen noch in ihrem Koffer. Dann flüchtete sie schnellstens aus der Küche, bevor die Alles-wird-gut-Truppe das Haus stürmen würde.

Marianne verdrückte sich in Ritas Atelier an der Giebelseite des Hauses. Es hatte bodentiefe Fenster, durch die man nur die aufgewühlten grauen Wellen sah, als sei man mit einem Ruderboot auf dem Meer unterwegs. Außer Staffelei und Hocker gab es einen farbbekleckten Holztisch, auf dem reihenweise Tuben mit eingetrockneten Farben lagen. In einem Eiscremebehälter befanden sich alte Pinsel. Ritas Gemälde standen umgekehrt an der Wand, manchmal fünf übereinander. Marianne brauchte sie nicht umzudrehen, um die Motive zu sehen. Sie waren ihr bekannt.

Es handelte sich fast ausschließlich um Porträts.

Von Rita selbst.

Und nur von ihr.

Das Atelier war einer der kältesten Räume im Haus, weil die einfach verglasten Fenster nicht dicht waren. Aber Marianne hatte sich hier verkrochen, weil Rita den Raum seit dem Sommer, als sie das Trinken aufgegeben hatte, nicht mehr benutzte. Und vor den Blicken der Alles-wird-gut-Truppe wähnte sich Marianne hier auch geschützt.

Sie hörte sie jetzt allerdings unten im Salon. Das Gequassel und laute Lachen drangen durch die alten Böden, und Marianne konnte es nicht ausblenden, so fest sie sich auch die Ohren zuhielt.

Und am Ende auch noch diese schrecklichen Gesänge.

Alles wird gut.
Wie?
Trink nicht mehr, sing dieses Lied.
Wann?
Von heute an
wird täglich
alles besser.

Danach aßen alle in der Küche zu Mittag, mitsamt Tante Pearl, die inzwischen von der Messe zurückgekehrt war. Marianne hörte, wie Rita den Keksdosengong schlug.

Später das resolute Knirschen von Pearls Stock, als sie zu ihrem regulären Nachmittagsspaziergang aufbrach.

Das Stottern von Ritas Jeep, das sich wie Husten einer schwächlichen und uralten Person anhörte. Rita pflegte mit ihren hochhackigen Schuhen – weshalb auch vernünftiges Schuhwerk tragen? – ungeduldig aufs Gaspedal zu treten. Nach drei Versuchen sprang der Motor an, und alle johlten laut.

Schließlich das leise Zischen von Patricks Fahrradreifen, als er mit seinem Werkzeug Richtung Stadt aufbrach.

Danach war es wieder still in Ancaire. Bis auf das Knarren der Fensterrahmen, das Gurgeln in den Rohren und das kurzatmige Schnaufen und Ächzen der

Heizkörper, die man längst hätte entlüften müssen.

Marianne verzog sich ins Wohnzimmer, um in Ruhe zu lesen. Als es an der Tür klingelte, hatte sie das Buch schon zur Hälfte durch. George, der sich irgendwann zu ihren Füßen niedergelassen hatte, hob den Kopf und spitzte die Ohren. Pearl, Patrick und Rita konnten es nicht sein. Vermutlich irgendwelche Vertreter. Marianne las weiter, aber es klingelte erneut, diesmal länger.

Seufzend stand sie auf und spähte aus dem Fenster. Die Haustür konnte sie von hier aus nicht sehen, aber den flaschengrünen Jaguar, der auf der Zufahrt geparkt war. Kein Oldtimer, aber doch ein älteres Modell, das sichtlich liebevoll gepflegt wurde. Der Lack schimmerte, die künstlich gealterten braunen Ledersitze im Inneren wirkten makellos.

Es klingelte zum dritten Mal, diesmal besonders hartnäckig.

»Verflucht«, murmelte Marianne vor sich hin. Sie hatte nicht die geringste Lust auf irgendwelche unbekannten Menschen. Aber jetzt sprang George auf und begann zu bellen.

»Ja, ja, schon gut!« Aufgebracht marschierte Marianne zur Haustür und riss sie auf.

Ein Mann stand davor. Er war so groß und wuchtig, dass Marianne einen Schritt zurücktreten musste, um ihn überhaupt in Augenschein zu nehmen. Der Mann trug einen grün karierten Kilt, weshalb man freie Aussicht hatte auf knubbelige Knie, stramme muskulöse Waden und dicke orange Socken, die aus Doc-Martens-

Stiefeln herausschauten. Die schulterlangen, leicht welligen Haare waren so orange wie die Socken.

Als der Hüne sie fröhlich angrinste, entstanden Lachfältchen um seine leuchtend grünen Augen.

»Ja?«, sagte Marianne.

»Ah, du musst Ritas Tochter sein«, sagte der Mann mit breitem schottischen Akzent. »Marianne, richtig?«

Als sie nickte, streckte er ihr seine Pranke hin, und Marianne blieb nichts anderes übrig, als den Händedruck zu erwidern. Sie wappnete sich, aber entgegen ihrer Befürchtung wurde ihre Hand weder gequetscht noch anderweitig malträtiert.

»Deine Frisur gefällt mir«, verkündete der Mann, nachdem er ihre Hand losgelassen hatte.

»Soll das Ironie sein?«, erwiderte Marianne frostig.

»Schon möglich«, sagte der Mann vergnügt lächelnd.

»Also, ich glaube kaum, dass …«

»Ich bin nämlich von Beruf Friseur. Hugh McLeod mein Name.« Er kramte in dem Lederbeutel, die an seinem Gürtel hing, brachte eine Visitenkarte zum Vorschein und reichte sie Marianne. Auf der Karte stand in Großbuchstaben *Happy Hair*, darunter: *Ihr lasst wachsen, den Rest machen wir!*

»Wer ist *wir*?«, fragte Marianne.

»Nur ich und meine Azubi Shirley«, antwortete Hugh. »Wir haben einen Salon in Rush. Na ja, genauer gesagt: ein Blockhaus in meinem Garten. Das übrigens von deinem Patrick gebaut worden ist. Aber *Salon* klingt professioneller, oder?«

Marianne wollte die Karte zurückgeben, aber Hugh schüttelte den Kopf. »Behalte die mal. Für alle Fälle.«

»Welche Fälle?«

»Notfälle«, antwortete er, wieder mit breitem Grinsen. Marianne konnte kaum erwarten, dass er damit aufhören würde. »Rita ist nicht da«, sagte sie. »Sie bringt ihre … Leute nach Hause.« Eine andere Bezeichnung wollte ihr nicht einfallen.

Hugh nickte. »Zu diesen *Leuten* hab ich auch mal gehört, hat sie dir das erzählt?«

Marianne schüttelte den Kopf und hoffte, damit weitere Offenbarungen zu verhindern.

»Doch, ist so. Bin jetzt wohl einer der Fortgeschrittenen.« Er schob sich eine Haarsträhne aus der Stirn, den Blick unverwandt auf Marianne gerichtet.

»Das ist … natürlich gut«, sagte sie steif.

»Aber dazu hat deine Mutter ganz viel beigetragen, sie ist wirklich …«

Marianne zog ihre Strickjacke dichter um sich. »Ich möchte nicht unhöflich sein, aber …«

»Entschuldigung«, sagte Hugh. »Ich störe dich sicher bei … was machst du denn gerade?«

»Bist du immer so neugierig?«, fauchte Marianne.

»Bin ich, ja«, antwortete Hugh unbekümmert.

»Aha.« Weil es den Anschein hatte, dass Hugh sich nicht entfernen würde, ohne Antwort bekommen zu haben, fügte Marianne schließlich hinzu: »Ich lese.«

»Will dich gar nicht stören.« Hugh schüttelte seinen gewaltigen Schädel so heftig, dass die rotblonde Mähne herumflog. »Wollte nur das hier abgeben.« Er reichte ihr einen Führerschein. »Hat Rita verloren, als sie letztens bei mir war.« Er hob die Hand zum Gruß und marschierte dann Richtung Auto.

Marianne fühlte sich verpflichtet, ihm »Danke!« nachzurufen. Sie wünschte sich aber sofort, es nicht getan zu haben, weil Hugh stehen blieb und sich wieder umdrehte.

»Was liest du denn?«, erkundigte er sich.

Am liebsten hätte Marianne geantwortet: »Das geht dich ja wohl gar nichts an.« Stattdessen sagte sie: »*Mein Sommerschloss*.«

»Ha, so ist das bei mir auch.« Hugh grinste erfreut. »Ich lese auch immer die alten Klassiker, wenn ich Trost brauche.«

»Dass ich Trost brauche, hatte ich nicht gesagt. Ich … konnte nur gerade nichts anderes finden«, erwiderte Marianne.

Aber Hugh war inzwischen weitergegangen und stieg jetzt mit einem letzten Winken in seinen Jaguar.

Marianne machte die Haustür zu, lehnte sich dagegen und atmete tief durch. Zu anstrengend, diese vielen Menschen. Als sie noch zu Hause herumsaß und darauf wartete, dass die Bank ihr das Haus wegnehmen würde, war sie zumindest alleine gewesen.

Sie betrachtete den Führerschein ihrer Mutter. Das Foto war mindestens zehn Jahre alt und ein schrilles Farben-Potpourri: eigelbe Haare, grellrosa Rouge auf den Wangen, scharlachrotes Halstuch, himbeerroter Lippenstift, auch auf einem Schneidezahn.

Unten in der rechten Ecke ein Datum.

Das Ablaufdatum.

Der Führerschein war abgelaufen. Und zwar seit letztem Weihnachten. Vielleicht war es der alte, und ihre Mutter hatte den neuen in ihrer Brieftasche bei sich?

Aber Rita besaß gar keine Brieftasche.

Marianne neigte nicht zum Wetten, aber jetzt hätte sie gewettet, dass es keinen gültigen Führerschein gab.

Sie hastete zu ihrer Handtasche, fischte das Handy heraus, rief ihre Mutter an.

»Hallo?«

»Rita?«

»Ja?«

»Ich bin's, Marianne.«

»Lieb, dass du anrufst. Wie geht's dir?«

»Bist du am Steuer?«

»Ja.«

»Dann solltest du nicht telefonieren.«

»Aber du hast mich doch angerufen.«

»Halte mal irgendwo an.«

»Wieso?«

»Damit ich mit dir reden kann«, antwortete Marianne, um Geduld bemüht. Was nicht einfach war.

»Du musst jetzt aber nicht schreien, Schatz.«

»Hast du angehalten?«

»Okay, okay. Bleib dran. Ja, also, ja. Hab ich.«

Marianne hörte erbostes Hupen im Hintergrund.

»Ein Schotte – Hugh irgendwas – hat hier gerade deinen Führerschein abgegeben.«

»Ach, der liebe Hugh. Das ist ja so ein Gold…«

»Er ist abgelaufen.«

»Wer ist gelaufen?«

»Dein Führerschein.«

»Ach was.«

»Wusstest du das?«, fragte Marianne.

»Hm, da du so fragst … kann schon sein.«

»Wieso hast du ihn dann nicht erneuern lassen?«

»Habe ich. Also, ich meine, ich hatte es vor. Ich habe mir schon das Formular geholt und alles.«

»Und weshalb hast du es nicht ausgefüllt?«

»Hast du so was mal gesehen? Wie lang das ist? Wie viele Fragen man da beantworten muss?«

Marianne fiel keine zivilisierte Antwort ein.

»Sei nicht sauer, Schatz«, sagte Rita. »Ich verspreche dir, das Formular morgen abzuschicken. Oder zumindest Ende der Woche.«

»Du weißt aber schon, dass es gesetzeswidrig ist, ohne Führerschein zu fahren?«

»Auweia.« Rita kicherte. »Zwei Kriminelle in einer Familie.«

»Das finde ich nicht im Mindesten witzig«, sagte Marianne indigniert. Im Hintergrund hörte sie jetzt ein Martinshorn, und ihr Magen krampfte sich zusammen. Rita sagte noch etwas, was aber bei dem Lärm unverständlich war.

Als der Krach nachließ, fragte Marianne: »Du hast jetzt aber nicht auf der Busspur geparkt, oder? Oder im absoluten Halteverbot?«

»Bin ich auf einer Busspur, meine Süßen?«, trällerte Rita.

»Von welchem Bus denn genau, Liebes?«, erkundigte sich Ethel ernsthaft.

»Mit Bussen kenne ich mich nicht aus«, erklärte Bartholomew. »Ich fahre lieber Taxi.«

»Da stellt sich doch die Frage«, war Freddy zu hören, »weshalb du nicht ein Taxi zum Treffen nimmst, anstatt dich von alten Damen rumchauffieren zu lassen.«

»Was fällt dir ein, mich *alte Dame* zu nennen?«, rief Rita empört.

»Hör mir zu!«, drängte Marianne. »Du darfst jetzt nicht mehr fahren, bis dein Führerschein wieder gültig ist.«

»Muss ich aber, Liebling. Wie soll ich denn meine Klienten sonst nach Ancaire befördern?«

Marianne schloss die Augen und atmete mehrmals tief durch.

»Du stehst auf einer Busspur!«, schrie Shirley. »Wenn du nicht zu quatschen aufhörst und den Autoschlüssel bewegst, werden wir alle vom Siebenundzwanziger plattgefahren!«

Marianne hörte noch, wie Rita sagte: »Weiß jemand, wo der Warnblinker angeht?« Dann brach die Verbindung ab.

8

Marianne sah ihre Mutter erst abends wieder, durchs Küchenfenster, als sie Arm in Arm mit Patrick durch den Garten spazierte. Die beiden lachten vergnügt. Als Patrick Marianne entdeckte, löste er sich von Rita und ging zu seinem Haus.

»Mach dir bloß keine Sorgen, Marnie«, verkündete Rita munter, als sie durch die Hintertür die Küche betrat, worauf sofort feuchter eisiger Wind hineinfegte, der nach Schnee roch. Rita brauchte beide Hände, um die Tür wieder zuzudrücken. »Ich hatte eine fantastische Idee!«

Marianne war schlagartig voller Argwohn.

»Falls du zufällig auf die Idee gekommen bist, dass ich deine ... Leute herumchauffieren soll, lautet die Antwort nein«, erklärte sie entschieden.

»Nur für kurze Zeit«, erklärte Rita. »Bis mein Führerschein verlängert ist.«

»Das kann Monate dauern.«

»Ach, bestimmt nicht«, erwiderte Rita leichthin.

»Doch. Du brauchst eine ärztliche Untersuchung. Und du musst einen Sehtest machen.«

»So eine furchtbare Geldschneiderei«, sagte Rita mit dramatischem Seufzer. »Von Altersdiskriminierung ganz zu schweigen. Davon ist ja die ganze Gesellschaft durchsetzt.«

Marianne wandte sich wieder dem Spülbecken zu und konzentrierte sich darauf, die Henkelbecher zu schrubben. Sie hatte alle aus dem Regal genommen, um sie von der braunen Teefärbung zu befreien.

»Außerdem«, fuhr Rita fort, »wird es dir guttun.«

»Wie kommst du darauf?«

»Unter Menschen zu sein.«

»Ich hasse es, unter Menschen zu sein.«

»Weil du bisher nicht die richtigen gefunden hast«, erwiderte Rita unbeirrt.

»Sag die Treffen doch ab, bis dein Führerschein wieder gültig ist«, schlug Marianne vor.

Rita schüttelte energisch den Kopf. »Ausgeschlossen.«

»Wieso können deine Leute denn nicht selbst herkommen?«

»Es gehört zum Alles-wird-gut-Programm«, erklärte Rita, »dass sie an nichts denken müssen außer ihre Genesung.«

»Ich wüsste nicht, weshalb das mein Problem ist.«

»Ist es auch nicht.«

»Aber du gibst mir das Gefühl!«, fauchte Marianne. »Dass ich dafür verantwortlich bin! Was natürlich nichts Neues ist.« Ihre Bitterkeit überraschte sie selbst: so heftig, so scharf. Die Bitterkeit würgte im Hals, als steckte dort eine Fischgräte fest.

»Tut mir leid, Marnie«, sagte Rita, die jetzt schlagartig ernst klang. Die beiden sahen sich an, und ein lastendes Schweigen trat ein, angefüllt mit allem, was seit vielen Jahren unausgesprochen geblieben war.

Marianne zog den Stöpsel im Becken, sah zu, wie das Wasser Wirbel bildete und nach unten gesogen wurde. »Schau«, sagte sie schließlich, drehte den Hahn auf und wusch die Becher unter fließendem Wasser ab. »Ich kann dir schon deshalb nicht helfen, weil ich gar nicht Autofahren kann.«

»Aber du hast die Prüfung doch bestanden, oder nicht?«

»Ja, aber das liegt viele Jahre zurück, und seither bin ich nicht mehr gefahren. Ich hasse Autofahren.«

»Warum?«

»Wegen der anderen Autofahrer«, sagte Marianne laut, um die Gurgelgeräusche aus dem Wasserhahn zu übertönen.

»Aber du kannst es an sich?«, fragte Rita.

»Rein technisch betrachtet, ja«, gab Marianne zu. Den Führerschein hatte sie gemacht, als sie nach dem Studium ihre erste Stelle bekommen hatte. Sie sagte sich damals, als erwachsener Mensch müsse man wohl Autofahren können. Die Prüfung bestand sie auf Anhieb, danach fuhr sie nur noch mit öffentlichen Verkehrsmitteln. Und trug immer bequemes Schuhwerk, damit sie bei einem Streik, technischem Versagen oder einem Terroranschlag zu Fuß gehen konnte.

»Wieso fährt Patrick denn nicht?« Marianne drehte sich um und starrte ihre Mutter aufgebracht an.

»Ich habe ein paarmal versucht, es ihm beizubringen«, antwortete Rita kopfschüttelnd.

»Und überhaupt«, fügte Marianne hinzu, weil sie einen Fluchtweg witterte, »ich bin für den Jeep nicht versichert.«

»Ich habe eine Zusatzversicherung für andere Fahrer.« Rita hob ihren nassen Badeanzug auf und wrang ihn im Topf einer riesigen Yuccapalme in der Ecke aus. »Und es ist wie Radfahren, das vergisst man nie wieder.«

»Ich hatte Nein gesagt«, betonte Marianne, drehte das Wasser ab und legte den säuberlich gefalteten Spüllappen über den Hahn.

»Ist das ein finales Nein?«

Marianne nickte.

»Na gut, Schatz«, sagte Rita. »Ich kann das verstehen.«

Ihr schnelles Einlenken hätte Marianne eigentlich misstrauisch machen müssen. Doch sie verschwendete keinen Gedanken mehr daran, schützte Kopfschmerzen vor, legte sich ins Bett und zog das Kissen übers Gesicht, als der Essensgong ertönte.

Am nächsten Morgen quälte sie sich – spät – aus dem Bett und machte wieder einen Strandspaziergang mit George, der keine Ruhe gegeben hatte. Als sie zurückkamen, geleitete Rita die üblichen Verdächtigen gerade in den Salon.

Sie lächelte fröhlich, als sie Marianne sah. »Guten Morgen, Liebes. Sind die Kopfschmerzen besser?«

»Wie sind die hierhergekommen?«, fragte Marianne und deutete Richtung Salon.

Rita zuckte die Schultern. »So wie immer.«

»Du bist also widerrechtlich Auto gefahren?«

»Na ja«, sagte Rita und legte den Kopf schief, »ist das nicht eher eine Empfehlung als ein Gesetz? Ich habe ja nicht plötzlich das Fahren verlernt. Ist doch letztlich nur eine Formalität.«

»Nein. Es handelt sich um ein Gesetz.«

»Also, mach dir keine Sorgen. Hugh hat angeboten, nach dem Treffen alle abzuholen.«

»Und was ist mit morgen?«, insistierte Marianne.

»Kommt Zeit, kommt Rat.« Rita trat dichter zu ihrer Tochter und sagte leise: »Außerdem habe ich gerade ein dringenderes Problem.«

»Was, noch eins?« Marianne versuchte George wegzuschieben, der die entnervende Marotte entwickelt hatte, sich an ihre Beine zu lehnen, sobald sie auch nur eine Sekunde stillstand.

»Aber für dieses Problem bin ich nicht verantwortlich. Gerard ist schuld, er hat …«

»Der Gockel?«

»Nein, du Dummie.« Rita lächelte nachsichtig. »Gerard ist der Ziegenbock. Ich glaube auch nicht, dass Donal … hast du Donal überhaupt schon kennengelernt?«

»Ist das zufällig dieser räudige Esel?«

»Das ist ein bisschen gemein. Er ist ein Herzchen, aber etwas gefräßig, fürchte ich. Jedenfalls hat er mal wieder Gerards Frühstück verputzt. Weshalb Gerard dann sämtliche Teebeutel gefressen hat, und nun haben wir keine mehr für unseren Pausenimbiss.«

»Ziegen fressen keinen Tee.«

»Gerard schon.«

»Ist alles in Ordnung, Rita?«, war jetzt eine Männerstimme aus dem Wohnzimmer zu vernehmen.

»Alles bestens«, rief Rita und verzog die grellroten Lippen zu einem breiten Lächeln. Dann flüsterte sie Marianne zu: »Sag bitte Patrick Bescheid, er weiß, was zu tun ist.«

»Teebeutel kaufen?«, erwiderte Marianne sarkastisch.

Rita schüttelte ungeduldig den Kopf. »Es ist viel komplizierter, Marnie. Ethel braucht Pfefferminztee in einem Stoffbeutel mit Faden, weil sie ihn mehrfach benutzen will. Freddy und Bartholomew trinken beide nur Tee von PG Tips, obwohl sie sich ärgern, dass sie etwas gemeinsam haben. Shirley besteht auf Lyons.« Nach dem angestrengten Flüstern musste Rita tief Luft holen.

»Klingt wirklich schwierig«, räumte Marianne ein.

»Ich denke, dass Patrick für solche Fälle einen Notvorrat hat.« Rita faltete flehentlich die Hände. »Kannst du bitte zu ihm gehen und ihn fragen?«

»Darauf habe ich aber gar keine Lust.«

»Bitte, bitte, und es gibt auch ein köstliches Petit Four zur Belohnung?«

»Ach herrje, na gut.«

Marianne machte sich auf zur Werkstatt, wo Patrick gerade einen alten Schrank abschliff. Das Möbelstück sah reichlich mitgenommen aus, das Holz war an einigen Stellen gesplittert. Eine der Türen hing schief, und ein Griff fehlte.

»Ist das nicht vergeudete Liebesmüh?«, fragte Marianne.

Patrick strich über das Holz. »Die Substanz ist noch gut, er muss lediglich ein bisschen aufbereitet werden.«

Als Patrick mit dem Schleifen fortfuhr, räusperte sich Marianne. »Also …« Er schaute auf. »Willst du nicht fragen, weshalb ich hier bin?«

»Ich dachte, das sagst du schon, wenn dir danach ist«, antwortete er ruhig.

»Mir ist jetzt danach.«

Patrick legte das Schleifpapier ab und sah sie abwartend an.

»Es geht um Teebeutel …«, begann Marianne, »weil nämlich …«

»Hat Gerard sie wieder gefressen?«

»Ähm, ja. Genau.«

Patrick stand von dem Hocker auf und verschwand durch eine Tür im hinteren Teil der Werkstatt nach oben. Marianne sah sich um. Sägespäne bedeckten den Zementboden. An allen Wänden waren Haken angebracht, an denen Werkzeuge hingen, sehr ordentlich, wie Marianne einräumen musste. In einer Ecke war Brennholz aufgestapelt, das einen würzigen Duft verströmte.

Patrick kehrte mit einer Art Werkzeugkiste zurück. Marianne klappte sie auf und blickte auf ein reichhaltiges Sortiment der von Rita beschriebenen Teesorten. Auch die Kräuter für ihren Spezialtee lagen darin, noch mit Erdresten an den Wurzeln.

»Auf dich kann Rita sich verlassen.« Marianne schloss den Kasten.

»Ich konnte mich lange Zeit auch auf sie verlassen«, sagte Patrick leise.

»Glück gehabt.« Marianne fand es selbst unangenehm, wie grimmig und bitter sie klang. Patrick lief rot an und senkte den Kopf, als hätte sie ihn angeschrien.

Sie nahm die Teebox und ging zur Tür, blieb dann stehen. »Tut mir leid«, sagte sie ruhiger. »Ancaire ist für mich wie Lakritz. Bekommt mir einfach nicht.« Sie gab ein kurzes Lachen von sich.

Patrick stimmte nicht ein, sondern sagte: »Du brauchst dich nicht zu entschuldigen.« Seine Stimme klang so sanft und einfühlsam, dass Marianne einen Kloß im Hals spürte und mehrmals schlucken musste. Unter keinen Umständen wollte sie in Tränen ausbrechen.

Was war bloß los mit ihr?

Es war ihr zuwider, dass Patrick ihre Gefühle miterlebte. Aber als sie aufschaute, hatte er sich seiner Werkbank zugewandt und maß ein Stück Holz aus.

Rita hielt sich nicht in der Küche auf, aber im Kessel begann das Wasser zu sieden, und auf einem Tablett waren Tassen und Becher bereitgestellt. Eine zarte Porzellantasse mit Blumenmuster, sicher für die alte Dame, Ethel. Ein dicker schwarzer Becher mit der goldenen Aufschrift *#mefuckingtoo*. Der gehörte bestimmt der wütenden jungen Frau, Shirley. Die offenbar diesmal ihre Kinder mitgebracht hatte, denn daneben standen zwei kleine *Star-Wars*-Becher, bereits gefüllt mit heißer Schokolade.

Der *Gilda*-Becher mit dem Foto von Rita Hayworth gehörte zweifellos Rita. Die beiden PG-Teetrinker, Freddy und Bartholomew, waren demnach die Besitzer des schweren rosa Chippendales-Bechers und der zierlichen Tasse mit dem Aufdruck *Mister Ordentlich*.

Es dauerte eine gefühlte Ewigkeit, bis Marianne die unterschiedlichen Tees aufgebrüht hatte und das Tablett in den Salon trug.

Der große helle Raum hatte ein riesiges Erkerfenster, durch das man – wie fast überall in Ancaire – auf das ruhelose stahlgraue Meer blickte. Im Kamin flackerte ein Feuer, das zwar wenig gegen die Kälte ausrichten konnte, aber zumindest die Stimmung etwas behaglicher machte. Marianne fragte sich allerdings beim Anblick der züngelnden orangefarbenen Flammen besorgt, wann der Schornstein wohl zum letzten Mal gesäubert worden war.

Die Teilnehmer saßen in einem Stuhlkreis in der Mitte des Raums. Sie schienen zu meditieren oder eingedöst zu sein, jedenfalls bemerkte niemand Mariannes Eintreffen.

Auf der anderen Seite des Kamins hatte Rita etwas aufgebaut, was nach Spielplatz aussah. Eine Kiste mit Legosteinen. Ein Stapel Papier – offenbar alte Rechnungen – und ein Bierkrug voller Buntstifte. Zwei große Pappkartons bewegten und wölbten sich, woraus Marianne schloss, dass sie wohl Kinder enthielten. Das erwies sich als zutreffend, denn im nächsten Moment platzten mit einem Riesenradau zwei kleine Jungen heraus, die etwa sechs und acht sein mochten. Beide hatten dünne weiße Arme und Beine und trugen die gleichen Fußballtrikots und -socken. Die Augen waren schmal und dunkelblau wie die von Shirley, auf der Nase von beiden Kindern tummelten sich jede Menge Sommersprossen.

»Ist das unser heißer Kakao?«, fragte der Kleinere und stellte sich auf die Zehenspitzen, um aufs Tablett schauen zu können.

»Erst mal vorstellen, bevor ihr die Frau quält!«, raunzte Shirley, ohne die Augen zu öffnen.

»Sheldon«, sagte der Größere und deutete auf seine Brust. »Acht. *He/him.* Zweite Klasse. Das da ist Harrison. Fünf. Ist noch in der Vorschule.«

»Ich kann meinen Namen selbst sagen«, erklärte Harrison gekränkt.

»Ja, das ist euer Kakao«, antwortete Marianne und senkte das Tablett, bevor der Kleine mit geballter Faust auf den Arm seines Bruders hauen konnte. Die Jungen nahmen sich ihre Becher, hockten sich damit im Schneidersitz auf den Boden und zogen die Kartons über ihren Kopf.

»Ah, Marianne, wie wunderbar, dich wiederzusehen!«, rief Bartholomew und trat mit ausgebreiteten Armen auf sie zu. Marianne hielt ihm rasch den Chippendales-Becher hin. »Und du kennst sogar schon meinen Becher«, fügte Bartholomew strahlend hinzu.

»Gibt es auch fettarme Milch?«, erkundigte sich Freddy, der dürre Mann mit dem besorgten Gesicht. Er schob seine Nickelbrille zurecht und sah Marianne durch die kleinen runden Gläser an.

»Ich hole welche«, erklärte Rita.

»Und Kuchen?«, fragte Bartholomew hoffnungsvoll. »Die Meditation hat mich hungrig gemacht.«

»Das liegt bestimmt an deinem Lipgloss«, sagte Shirley und schnappte sich den schwarzen Becher. »Nicht böse gemeint.«

»Es müsste noch Zitronenkuchen da sein«, verkündete Rita, während sie zur Tür ging. »Den hat Gerard sicher nicht gefressen, weil er nämlich kein Gluten verträgt.«

»Trinkst du nicht auch ein Tässchen Tee, Liebes?«, erkundigte sich Ethel lächelnd, als sie ihre Tasse vom Tablett nahm.

»Nein.« Marianne wich zurück und trat dabei Shirley auf den Fuß, die sie erbost anfunkelte.

»Entschuldigung«, murmelte Marianne.

»Du siehst aus wie jemand, der Theoreme versteht«, sagte Shirley. »Nicht böse gemeint.«

»Ähm … kein Problem.«

»Rita hat gesagt, du bist Buchhalterin.«

»Das war ich mal, ja.«

»Kannst du mir vielleicht erklären, was sich dieser scheiß Pythagoras so gedacht hat?«

»Jetzt sofort, meinst du?«, fragte Marianne und kam sich dabei etwas belämmert vor.

»Im Juni hab ich meine Abschlussprüfung, vorher wäre super.«

»Ich helfe ihr bei Französisch«, erklärte Bartholomew stolz und ließ sich hastig auf dem Stuhl direkt am Kamin nieder.

»Ja«, sagte Freddy. »Er kennt die Vokabeln Portemonnaie und Chauffeur. Ach ja, und Champagner.«

»Ich weiß auch, was ein Kretin ist«, konterte Bartholomew.

»Bleibst du jetzt hier oder nicht?«, fragte Shirley und marschierte zum Kamin. »Mein Platz«, teilte sie Bartholomew mit.

»Ach, können wir nicht abwechseln?«, fragte er mit hoffnungsvollem Blick.

»Nee, können wir nicht.« Nachdem Bartholomew den Platz geräumt hatte, ließ Shirley sich nieder und überschlug die Beine. Ihr Minirock rutschte noch weiter hoch, ein Riss in ihrer Netzstrumpfhose wurde sichtbar.

»Nein!« Mariannes Antwort fiel lauter aus als geplant und klang eher wie ein Schrei. Oder ein Jaulen.

»Du bist aber herzlich willkommen«, erklärte Freddy. »Könnte hilfreich sein für diese Süchtigen hier, jemanden zu erleben, der unter dem Alkoholismus anderer gelitten hat.« Er wies in die Runde.

»Du hast ausnahmsweise mal etwas Sinnvolles von dir gegeben, Frederick«, verkündete Bartholomew, der die Stuhlvertreibung offenbar verkraftet hatte. »Und deine Fähigkeit zur Selbsttäuschung ist legendär, wenn ich das mal so sagen darf.«

»Wenn du jetzt auch noch sagst, ›Abstinenz macht Freude und tut dir gut‹, hau ich dich«, kündigte Freddy an und stand auf.

»Uuh, jetzt hab ich aber Angst.« Bartholomew sprang auf und stellte sich hinter Ethels Stuhl.

»Jungs, bitte«, sagte Ethel. »Was sollen Sheldon und Harrison denn denken?«

Doch die beiden waren zu beschäftigt damit, aus Lego eine Wohnsiedlung zu bauen, um auf die Erwachsenen zu achten. Die im Übrigen kindischer waren als die Kinder, beschloss Marianne.

»Ihr baut doch hoffentlich Sozialwohnungen?«, bellte Shirley zu ihren Söhnen hinüber.

»Ja, Mama«, antworteten die beiden wie aus einem Munde, ohne aufzuschauen.

Shirleys grimmige Miene wurde weich. »Seht euch nur diese Jungs an«, murmelte sie. »Die sind doch einfach Hammer.«

Die anderen schauten lächelnd zu den beiden hinüber. Am Rand der Spielfläche hockten eine Reihe Plüschtiere, die Flo und Marianne gehört hatten. Sie ging hinüber, hob die leeren Kakaobecher auf und griff nach der Eule. Sie war kleiner als in ihrer Erinnerung, und an einigen Stellen quoll die Füllung heraus. Die einstmals kuschelweichen goldenen Flügel fühlten sich hart an und waren zu einem fahlen Beige verblasst.

»Ich hasse Eulen.« Harrison war aufgesprungen und stützte kämpferisch die Hände in die Hüften.

»Warum denn?«, fragte Marianne verwundert.

»Weil sie Mäuse fressen«, antwortete Harrison trotzig.

»Er liebt Mäuse«, erklärte Sheldon, der jetzt wie ein Schachtelteufel aus einem der Kartons herausplatzte. Als der Junge kopfschüttelnd die Augen verdrehte, sah er seiner Mutter verblüffend ähnlich.

»Passt doch«, sagte Shirley. »Schließlich wimmelt's von denen in unserer Bude.«

Marianne stellte die Becher aufs Tablett und steckte die Eule in ihre Anoraktasche.

Rita kehrte mit dem Zitronenkuchen zurück, der noch fast vollständig zu sein schien, und verteilte ihn, was offenbar eine undankbare Aufgabe war.

»Wieso kriegt er ein größeres Stück?«, beklagte sich Freddy und deutete auf Bartholomews Teller.

»Ist doch gar nicht so.« Rasch vertilgte Bartholomew einen Riesenhappen.

»Dann sehen wir uns also morgen früh, meine Liebe«, sagte Ethel zu Marianne und stellte die leere Tasse auf das Tablett.

»Wieso das denn?«

Ethel lächelte. »Es ist wirklich reizend von dir, dass du uns chauffierst, bis Rita das wieder übernehmen kann.«

»Nein«, sagte Marianne und warf ihrer Mutter einen wütenden Blick zu. »Ich habe nicht …«

»Du willst doch nicht, dass ich gegen das Gesetz verstoße, oder?«, warf Rita ein.

»Nein, natürlich nicht«, murmelte Marianne erbost.

»Ist ja nur, bis ich wieder einen gültigen Führerschein habe«, fügte Rita munter hinzu.

»Kann nur ein paar Wochen dauern«, sagte Bartholomew. »Höchstens einen Monat.«

»Ein Monat?« Marianne zuckte zusammen, und das Tablett geriet in eine gefährliche Schieflage.

»Ist bestimmt gut für dich, beschäftigt zu sein«, äußerte Freddy.

»Ich bin beschäftigt«, knurrte Marianne.

»Selbstmitleid reicht aber nicht aus«, sagte Shirley und fügte eilig hinzu »Nicht böse gemeint«, als Marianne sie wütend anstarrte.

»Lass uns später über die Details reden«, sagte Rita, leerte ihre Tasse und stellte sie zu den anderen.

»Da gibt es nichts zu bereden.«

»Ach, und ich sag mal gleich, dass du mich nach den Treffen dienstags und donnerstags zu Hughs Salon fahren musst«, verkündete Shirley. »Ich bin nämlich seine Azubi.«

»Sie könnte dir ja auch einen neuen Haarschnitt machen, Marianne«, schlug Freddy vor und fügte hastig hinzu: »Natürlich nur, wenn du Lust darauf hättest.«

Marianne sah ihr Spiegelbild in Freddys Brille. Ihre dunklen Locken sahen aus wie ein Dschungel, in den noch nie ein Mensch seinen Fuß gesetzt hat.

Shirley blickte zweifelnd. »Dafür brauch ich noch mehr Übung, glaub ich.«

Marianne fühlte sich schlagartig erschöpft, hatte keine Kraft mehr, sich zu widersetzen. Wie hielten diese

Menschen es nur aus, sich täglich zu treffen? Wieso erwarteten sie ausgerechnet an diesem Ort Heilung für sich? Hier konnte man doch nur Kopfschmerzen kriegen, die man vorher noch nie hatte. Und sich statt einer Alkoholsucht eine Zuckersucht einhandeln.

9

Marianne ärgerte sich darüber, musste aber zugeben, dass Rita Recht behielt. Autofahren war in gewisser Weise wirklich wie Radfahren. Auf einem uralten Drahtesel mit plattem Reifen und rostiger Kette.

»Der Motor muss erst warm werden«, schrie Rita hinter einer gewaltigen Hortensie, wo sie sich zur Sicherheit verkrochen hatte.

Sie hatte darauf bestanden, morgens mit nach draußen zu kommen, bekleidet mit einem violetten Kimono und einem Turban in Orange, einer Farbmischung zum Erblinden. Als Marianne beim Frühstück erklärt hatte, sie würde die Fahrten mit dem Jeep übernehmen, hatte Rita sich hocherfreut gezeigt.

Beide hatten aber gewusst, dass es so kommen würde.

Rita brachte ihre E-Zigarette in Gang und begann zu qualmen. »Mit ein bisschen mehr Schmackes«, brüllte sie.

»Was meinst du damit?«, kreischte Marianne aus dem Fenster, das offen bleiben musste, damit die Scheiben nicht beschlugen.

»Gas geben!« Rauchwolken quollen aus Ritas Nase und Mund.

»Wieso sagst du das nicht gleich?«, schrie Marianne.

Als sie stärker aufs Gaspedal drückte, hustete und stotterte der Jeep zunächst, schien sich dann aber in sein Schicksal zu ergeben und bewegte sich ruckartig ungefähr in die Richtung, in die Marianne ihn steuerte.

Patrick, der aus seiner Werkstatt geeilt kam und sich rasch noch einen Meißel in den Werkzeuggurt steckte, lächelte Marianne zu. Rita sprang hinter der Hortensie hervor, jubelte und boxte mit der Faust in die Luft. Und Marianne stellte fest, dass sich ein kleines ungewohntes Erfolgsgefühl in ihr bemerkbar machte.

Sie fuhr Auto, wirklich und wahrhaftig.

Und es fühlte sich gut an, etwas kontrollieren zu können. Knöpfe zu drücken, auf die Pedale zu treten, etwas zu bewirken, wenn diese Karre auch noch so holprig und schwerfällig war. Nicht einmal der Anblick von George neben ihr, dessen Ohren flatterten wie Zöpfe, weil er den Kopf aus dem Fenster streckte, konnte sie verärgern. Obwohl George sich so störrisch geweigert hatte, den Wagen zu verlassen, dass Marianne schließlich aufgeben und den Hund anschnallen musste.

Nachdem sie einige Aufwärmrunden ums Haus gedreht hatte, wagte sie sich Richtung Straße. Sie hielt am schmiedeeisernen Tor an und spähte in beide Richtungen. Weit und breit kein weiteres Fahrzeug, und sie fuhr los.

Wenn sie an der Stelle mit dem Holzkreuz vorbeikam, hielt sie immer die Luft an. Oft standen Blumen dort. Marianne versuchte, nicht hinzuschauen, sah die Stelle am Straßenrand aber aus dem Augenwinkel.

Heute rosafarbene Lilien. Marianne hielt die Luft an und gab Gas.

George bellte.

»Sei still«, sagte Marianne, worauf der Hund ihr mit seiner langen Zunge den Handrücken ableckte.

»Lass das!« Marianne wischte sich die Hand an ihrer Jogginghose ab, und George spähte wieder aufgeregt aus dem Fenster, um nichts zu versäumen.

Ethel wohnte in einer Doppelhaushälfte am Rand von Skerries. Die Siedlung hieß »Bei den Zedern«, obwohl nirgendwo eine Zeder zu sehen war. Überhaupt nichts, das Blätter trug. Die Häuser sahen alle identisch aus, mit einem winzigen Rasenstück als Vorgarten und einer niedrigen Buchsbaumhecke zum Nachbargrundstück.

Marianne ging den schmalen Gartenweg zur Nummer 39 entlang und klingelte, worauf eine verzerrte Version von »God Save the Queen« zu hören war. Durch ein kleines Glasfenster in der Haustür sah Marianne die leicht verschwommene Gestalt von Ethel Abelforth, die sich langsam durch den Flur bewegte. Aus einer weiten Strickjacke förderte sie ein Schlüsselbund zutage und begann dann nach und nach etliche Schlösser aufzuschließen und zu entriegeln. Schließlich wurde die Tür ein Stück geöffnet, aber mit vorgelegter Kette, und Ethel spähte durch den schmalen Spalt nach draußen.

»Ja?«, sagte sie vorsichtig.

»Hallo, Ethel.«

»Hallo.« Ihre Stimme klang brüchig und misstrauisch.

Marianne zwang sich zur Geduld, was ihr schon unter normalen Umständen immer schwergefallen war. »Ich bin's, Marianne Cross. Ritas Tochter.«

»Ach so, ja.« Ein Lächeln trat auf Ethels Gesicht. »Tut mir leid, meine Liebe. Ich bin kürzlich Gaunern auf den Leim gegangen. Der nette Polizist sagte mir, ich solle künftig vorsichtig sein, wem ich öffne.«

Zu ihrem Entsetzen merkte Marianne, dass ihr Tränen in die Augen traten. Wenn sie blinzelte, würden sie herausquellen. Weshalb sie nur mehrmals schluckte und sich das Blinzeln verkniff.

»Du musst leider hinten sitzen«, erklärte sie Ethel auf dem Weg zum Auto. »George wollte unbedingt mit und weigert sich hartnäckig, den Beifahrersitz zu räumen.«

»Der gute George«, sagte Ethel, öffnete die Tür und kraulte dem Hund die Ohren. »Seit du in Ancaire bist, wirkt er viel ruhiger.«

»Er ist aber sehr bedürftig«, erwiderte Marianne seufzend.

»Sind wir das nicht alle?« Ethel kletterte auf die Rückbank, indem sie sich an der Kopfstütze festhielt.

Marianne fuhr los, hielt am Ende der Straße und schaute hektisch nach rechts und links.

»Alles in Ordnung, Liebes?« Ethel beugte sich vor.

»Ja.«

»Du machst einen etwas – verzeih, wenn ich das sage – nervösen Eindruck …«

Marianne umklammerte das Lenkrad. »Ich habe nicht mehr viel Fahrpraxis.«

»Du wirkst aber sehr kompetent«, sagte Ethel. »Obwohl … was weiß ich schon, bin selbst seit fünf Jahren nicht mehr gefahren.«

Marianne blieb stumm.

»Du fragst dich bestimmt, weshalb.«

»Nein, ich …«

»Ich hatte einen Unfall, und zwar leider betrunken«, fuhr Ethel fort. »An unserem Hochzeitstag. Dieses Jahr sind wir fünfzig Jahre verheiratet.« Sie hielt inne. Marianne fragte sich, ob eine Gratulation erwartet wurde, sagte aber nichts.

»Der Fahrer des anderen Wagens wird deshalb für den Rest seines Lebens an den Rollstuhl gefesselt sein. Ich hatte das Glück, ein mildes Urteil zu bekommen: eine Geldstrafe und Fahrverbot für den Rest meines Lebens.«

Marianne spürte, dass Ethel sie im Rückspiegel ansah, und konzentrierte sich auf die Straße. »So habe ich Rita kennengelernt. Als ich Gavin im Krankenhaus besuchte, gab sie dort gerade Malunterricht für Patienten. So heißt der Mann, Gavin Enright. Kennst du ihn?«

»Ist er so bekannt?«, fragte Marianne.

»Nein, aber ich habe immer das Gefühl, dass sich viele Menschen in Irland kennen. Jedenfalls war seine Familie gerade dort, und es kam zu einer Szene. Ich hatte auch noch ausgerechnet Trauben für Gavin mitgebracht. Rita hat den Krawall gehört und mich gerettet. Hat mich nach Ancaire mitgenommen.«

»Hast du … dann irgendwann noch mit Gavin gesprochen?«, fragte Marianne.

Ethel lächelte. »Oh ja, natürlich. Rita fährt mich einmal im Monat zu ihm. Wir besuchen ihn nur, wenn er alleine ist. Er hat mir vergeben, aber seine Familie nicht. Was ich irgendwie auch verstehen kann.« Sie schaute aus dem Fenster. »Die nächste links nach Balbriggan, da wohnt Bartholomew.«

Die Ampel wurde gelb, Marianne fuhr langsamer.

»Unseren Hochzeitstag feiern wir immer beim Kirchenfest, Stanley und ich«, berichtete Ethel.

»Aber ich dachte …«

»Der Liebe sendet mir jedes Jahr ein Zeichen, darauf kann ich mich verlassen.« Ethel strahlte.

»Ein Zeichen?«

»Aus dem Jenseits, Liebes.«

»Oh.«

»Bestimmt vermisst du deinen jungen Mann, oder?« Ethel lehnte sich zurück.

»Ich glaube, Brian war niemals jung«, sagte Marianne und hielt an der Ampel. »Hat die Kindheit ausgelassen, war gleich erwachsen.«

»Das ist aber schade.«

»Kann sein, dass ich sogar das am meisten an ihm mochte.« Diese Erkenntnis überraschte Marianne ebenso sehr wie die Tatsache, dass sie sich Ethel anvertraute. Bislang hatte sie nämlich nie richtig verstanden, weshalb sie mit Brian zusammengekommen war, zumal sie sich bereits mit dem Single-Dasein arrangiert hatte.

»Er hat dir das Gefühl von Geborgenheit gegeben«, murmelte Ethel.

Als Marianne in den Rückspiegel schaute, sah sie, dass die alte Dame die Augen geschlossen hatte. Vielleicht war sie eingenickt.

Bartholomew wartete vor einem Reihenhaus in einer stillen Seitenstraße. Das Haus sah mit seinen verwitterten Fensterrahmen und vergilbten Netzvorhängen recht marode aus. Und auch Bartholomew selbst wirkte heute deutlich weniger munter als am Vortag. Die verdächtig kohlschwarze Tolle saß nicht tadellos, und unter dem Sakko des Dreiteilers hing ein Zipfel des hellblauen Hemds so schlaff heraus wie eine Flagge an einem windstillen Tag.

»Danke fürs Abholen«, sagte Bartholomew, während er vergeblich versuchte, George vom Beifahrersitz zu verdrängen. »Und nur damit du es weißt«, Bartholomew sah Marianne an und seufzte, »dieses Haus hier ist nur eine Übergangslösung. Bis ich mich wieder auf die Reihe gekriegt habe.« Dramatisch flüsternd fügte er hinzu: »Ich bin gerade zwischen Beziehungen und Jobs. Ein bisschen wie du auch.«

Dann verfrachtete er sich auf den Rücksitz, spannte den Gurt über seinen Bauch und stieß einen weiteren tiefen Seufzer aus, der wohl als Aufforderung zum Nachfragen gemeint war.

Marianne setzte den Blinker und fuhr los.

»Was ist denn passiert, mein Lieber?«, fragte Ethel auch prompt.

»Ich habe mich für diesen Job als Platzanweiser im Theater beworben«, antwortete Bartholomew. »Wozu ihr mir alle geraten habt.«

»Und?«, fragte Ethel, als er nicht weitersprach.

»Und ich habe bislang nichts von denen gehört. Kein. Einziges. Wort.«

»Aber du hast doch erst vor ein paar Tagen geschrieben«, gab Ethel zu bedenken. »Vermutlich haben die noch gar nicht alle Bewerbungen lesen können.«

Bartholomew stöhnte. »Das sind bestimmt Tausende, oder? Welche Chance habe ich dann schon?«

»Das Theater wird großes Glück haben, wenn es dich bekommt, mein Lieber.« Ethel tätschelte ihm die Schulter.

»Aber in meinem Lebenslauf sind Lücken, so groß wie Donegal …« Er hielt inne und beugte sich vor. »Donegal ist eine große Stadt, oder, Marianne?«

Sie nickte, den Blick auf die Straße gerichtet.

»Also jedenfalls riesige Lücken«, fuhr Bartholomew fort. »Ich kann ja schlecht ›trunksüchtiger Toyboy‹ reinschreiben, wie?« Da er die fünfzig sichtlich hinter sich gelassen hatte, fand Marianne den Begriff etwas verfehlt.

»Und bei allen richtigen Jobs, die ich früher hatte – auf dem Karibik-Kreuzfahrtschiff, als Schaufensterdekorateur in London oder in den Cocktailbars in Manhattan –, bin ich wegen meines Alkoholproblems gefeuert worden.«

»Das hast du ja jetzt nicht mehr«, sagte Ethel tröstend.

»Aber ich habe seit fast einem Jahr nicht mehr gearbeitet!«, erwiderte Bartholomew mit panischem Unterton. »Rita meinte, ich soll mich erst mal auf den Entzug konzentrieren. Was ich ja auch gemacht habe, aber das kann ich beim Vorstellungsgespräch schließlich nicht erwähnen. Falls die mich überhaupt einladen, was sie bestimmt nicht tun, oder? Wenn sie erst mal meinen Lebenslauf gelesen haben …«

»Du wärst ein toller Platzanweiser«, sagte Ethel und streichelte ihm den Arm. »Und vor dem Gespräch kann Rita die Atemübungen mit dir machen. Du schaffst das.«

Bartholomew schüttelte den Kopf. »Die wollen jemanden mit Erfahrung. Der gelassen und fröhlich wirkt.«

»Das tust du doch«, sagte Ethel nach kurzem Zögern. Bartholomew ließ den Kopf hängen, und die alte Dame tastete nach seiner dicklichen Hand und drückte sie.

Marianne fuhr nach Rush, wo Freddy wohnte.

»Genau hier, Liebes«, rief Ethel schließlich an der Hauptstraße, und Marianne bremste vor einem kleinen Geschäft zwischen einem leer stehenden China-Imbiss und einem heruntergekommenen Wettbüro. Über der Tür des Ladens hing ein Schild mit der Aufschrift »Kostümverleih« in glitzernden Pailletten. Die Fassade war sehr gepflegt, im Schaufenster stand eine lebensgroße Dorothy-Figur aus *Der Zauberer von Oz* in blauweiß kariertem Latzkleid mit weißem Spitzenbesatz, schimmernde rote Schuhe an den Füßen. Neben ihr die

Vogelscheuche, liebevoll gestaltet aus einem Holzpfahl, Säcken, aus denen Stroh herausquoll, Flickenkittel und Pluderhose. Der Blechmann daneben trug eine Ritterrüstung, so auf Hochglanz poliert, dass man sie als Spiegel benutzen konnte.

Nur der Feige Löwe fehlte.

Marianne zog gerade die Handbremse an, als ein langes, schmales Gesicht mit gigantischer Sonnenbrille am Fahrerfenster auftauchte. Vor Schreck drückte sie auf die Hupe, und der Mann zuckte ebenso entsetzt zusammen wie sie selbst.

»Das ist nur Freddy, Liebes«, war Ethel von hinten zu vernehmen.

»Bedauerlicherweise«, murmelte Bartholomew verdrossen.

Der Mann nahm die Sonnenbrille ab, unter der nun seine wässrigen grauen Augen hinter der Nickelbrille zum Vorschein kamen. Zweifellos der dürre unscheinbare Mann undefinierbaren Alters, dem Marianne in Ancaire bereits begegnet war.

Sie kurbelte das Fenster herunter, und Freddy trat einen Schritt zurück. Er trug eine lange Strickjacke im selben fahlen Grau wie sein schütteres Haar, ein verwaschenes *Hairspray*-T-Shirt und eine braune Stoffhose, glänzend durch häufiges Reinigen. An den Füßen eine Modesünde, die nicht einmal Marianne entging: braune Ledersandalen und weiße Socken.

»Entschuldige bitte das Hupen«, sagte Marianne. »Ich hatte dich erst nicht bemerkt.«

»Das passiert dem dauernd«, posaunte Bartholomew von hinten.

Freddy beäugte ihn erbost durchs offene Fenster. »Was man von dir leider nicht behaupten kann, alter Fettkloß.«

»Ich kann dir mitteilen, dass ich diese Woche mit meinem Abnehm-Club zwei Kilo abgespeckt habe.«

»Aber bestimmt nicht an deinem dicken Hintern.« Freddy lächelte Marianne entschuldigend an. »Verzeih bitte mein Benehmen.« Als Ethel ausstieg, zwängte sich Freddy zwischen sie und Bartholomew.

»Solltest du nicht der Mama zum Abschied winken?«, sagte Bartholomew und deutete zum Laden. Eine hagere alte Frau stand kerzengerade im Eingang. Sie trug ein klassisches schwarzes Kostüm, eine gestärkte weiße Bluse, blickdichte schwarze Strümpfe und schwarze Pumps. Ihr feines weißes Haar hing über ihren Schultern wie ein Umhang. Ausdruckslos starrte sie zu ihnen hinüber.

»Ja, winke ihr lieber«, äußerte auch Ethel. »Du weißt doch, dass sie sonst nicht reingeht.« Als Freddy winkte, trat die Frau ein paar Schritte zurück und verschwand im Haus, ohne die Geste zu erwidern.

Freddy beugte sich vor, um George den Kopf zu tätscheln, dann hielt er Ethel die Wange hin und empfing einen Kuss. Bartholomew wurde demonstrativ ignoriert, was wohl zum üblichen Prozedere gehörte, vermutete Marianne. Als er jedoch keinerlei Reaktion zeigte, betrachtete ihn Freddy von der Seite und fragte einigermaßen freundlich: »Welche Laus ist dir denn über die Leber gelaufen?«

Als Bartholomew nur mit den Schultern zuckte, erklärte Ethel die Lage.

»Na ja«, meinte Freddy, »aussehen tust du jedenfalls wie ein Platzanweiser, falls es dich tröstet.«

»Was soll das denn heißen?«, explodierte Bartholomew.

»Ich meine nur, du siehst … flott aus«, antwortete Freddy und lief rot an.

»Oh.« Bartholomew versuchte, nicht geschmeichelt zu wirken.

Marianne entdeckte eine Lücke, legte den Gang ein und fuhr los.

»Wie viele Tage hast du schon geschafft?«, fragte Ethel.

»Fünfundzwanzig«, antwortete Freddy mit dumpfer Stimme.

»Das ist großartig.«

»Und Beweis dafür, dass ich Ritas Programm gar nicht brauche. Ich könnte auch aussteigen.«

Darauf reagierte niemand.

»Shirley wohnt in Swords«, sagte Ethel zu Marianne.

»Ich kann dir den Weg sagen«, meldete sich Bartholomew zu Wort.

»Ethel kann das genauso gut«, erwiderte Freddy streng. »Marnie braucht kein Mansplaining.«

Bartholomew wurde rot. »Ich wollte doch nur …«

»Gleich da vorne rechts abbiegen, Liebes«, sagte Ethel milde.

Marianne versuchte angestrengt, nicht daran zu denken, dass Brian auch nach Swords gezogen war. Mit Helen.

Shirley wohnte in einem zweistöckigen Reihenhaus mit Kieselrauputz. Unkraut wucherte aus der Regenrinne und den Rissen auf dem asphaltierten schmalen Parkplatz. Der Vorgarten bestand aus einer schlammigen Fläche mit vereinzelten Grasflecken.

Die Haustür wurde aufgerissen, und Shirley marschierte heraus. Sie trug Ripped Jeans und ein schwarzes T-Shirt, auf dem eine Frauenhand mit grellrosa Nägeln zu sehen war, die den Mittelfinger zeigte. Shirley blickte finster Richtung Auto und spuckte einen Kaugummi in den Gully.

»Da ist sie ja«, sagte Ethel strahlend.

»Unser Sonnenschein.« Freddy winkte.

»Guten Morgen, Süße!« Bartholomew warf ihr durchs offene Fenster eine Kusshand zu.

Shirley brüllte »SHELDON! HARRISON!«, worauf ihre Söhne aus dem Haus geschossen kamen und vor dem Jeep abrupt abbremsten.

Marianne fragte sich, weshalb sie nicht in der Schule waren. Ferien? Oder Wochenende? Richtig, heute war Samstag. Nein, Sonntag.

Shirley, die eher wirkte wie die rebellische große Schwester der beiden, trat zu ihren Söhnen und legte ihnen behutsam die Hand auf den Kopf, ohne die Irokesenfrisur zu zerstören.

»Oh, schau, da ist George!«, rief Harrison. »Dürfen wir ihn streicheln?«, fragte er Marianne, die zu ihrem eigenen Erstaunen den Hund sofort beschützen wollte.

»Aber nur ganz vorsichtig«, sagte sie schließlich.

Die zwei liefen auf die Straße raus zur Beifahrerseite, aber erst nachdem sie vorschriftsmäßig mehrmals nach links und rechts geschaut hatten. Dann rissen sie die Tür auf und kraxelten ins Auto. George machte bereitwillig Platz und leckte ihnen die Gesichter ab, worauf die Jungs begeistert kreischten und quietschten. Die anderen lachten lauthals. Shirley schüttelte den Kopf und funkelte Marianne erbost an, die hastig erklärte: »Keine Sorge, George beißt nicht.«

»Aber ich«, knurrte Shirley und hängte sich den Schulrucksack um, den sie in der Hand hielt. Dann beorderte sie die Jungs ganz nach hinten auf die zweite Sitzbank, schnallte die beiden an und marschierte wieder nach vorn. »Raus mit dir«, bellte sie, und George verzog sich ohne einen Mucks nach hinten und quetschte sich zwischen die Kinder. Sheldon schnallte den Hund an, und Harrison legte den Arm um ihn, kuschelte sich an Georges struppiges Fell und begann am Daumen zu nuckeln.

Nachdem Shirley sich den Gurt umgelegt hatte, klappte sie die Sonnenblende herunter und inspizierte ihr Gesicht. Als sie einen Pickel entdeckte, drückte sie ihn zwischen ihren abgekauten Fingernägeln aus. Marianne bemühte sich, das Geschehen zu übersehen, während sie losfuhr.

»Diese Woche brauch ich dich übrigens nicht«, verkündete Shirley, klappte die Blende wieder hoch und lehnte sich zurück. »Erst mal ist irische Lyrik dran.«

»Ähm … wie bitte?«, fragte Marianne verständnislos.

Shirley betrachtete sie von der Seite. »Meine Prüfungen. Du hast doch gesagt, du hilfst mir bei Mathe.«

»Ach ja?« Marianne versuchte sich zu erinnern.

»Ich brauch dich also erst nächste Woche, weil ich mich diese Woche mit Gedichten rumschlagen muss.«

»Aha.«

Shirley fixierte Marianne mit scharfem Blick. »Ey, du bist aber keine Alki, oder?«

»Shirley!«, sagte Freddy. »So was kannst du doch nicht fragen!«

»Und wieso nicht?«

»Kinder von Alkoholikern sind entweder selbst süchtig oder Abstinenzler«, erklärte Bartholomew im Brustton der Überzeugung.

»Wo hast du das denn aufgeschnappt?«, fragte Shirley. »Kalenderspruch, oder was?«

Bartholomew antwortete nicht, sondern hielt die Hand hoch. »Lass uns wetten.«

»Glücksspiel ist auch verboten«, erwiderte Shirley. »Als Nächstes landest du in der Gosse und bist völlig am Arsch. Nicht böse gemeint.«

»Glücksspiel ist es nur, wenn Geld im Spiel ist«, sagte Bartholomew. »Hat Rita gesagt …«

»Ich tippe auf Abstinenzlerin«, warf Freddy ein.

»Ich auch«, sagte Bartholomew und sah Freddy finster an, weil er einer Meinung mit ihm sein musste.

»Ich dito«, erklärte Shirley.

Alle blickten auffordernd Ethel an. »Ich mache nicht gerne solche …«

»Du musst aber«, verlangte Shirley.

»Abstinenzlerin«, murmelte Ethel, während zwei rosa Flecken auf ihren Wangen erschienen.

Jetzt starrten alle erwartungsvoll auf Marianne, die hartnäckig geradeaus schaute, obwohl sie die Blicke spürte. Nachdem klar war, dass sie um eine Antwort nicht herumkommen würde, nickte sie. »Ja. Ihr habt alle recht.«

»Wusste ich's doch!«, rief Bartholomew triumphierend.

»Klugscheißer«, sagte Freddy.

»Wie schön für dich, Liebes«, sagte Ethel.

»Ich hab noch nie so jemanden kennengelernt«, sagte Shirley leise und lächelte. Als Marianne ihr einen Blick zuwarf, sah Shirley auf einmal sehr jung und hübsch aus. Da sie aber bestimmt beides nicht hören wollte, verlor Marianne kein Wort darüber.

10

Marianne war komplett erledigt vor Anstrengung und Erleichterung, als sie die gesamte Alles-wird-gut-Truppe wohlbehalten in Ancaire absetzen konnte.

Alle spazierten schnurstracks in den Salon, Rita allerdings war nirgendwo zu sehen.

In der Küche stand Patrick an der Spüle und wusch frisch geerntete Karotten ab. Er trug seine übliche Montur, bestehend aus enger Lederhose und ärmellosem Fan-T-Shirt von irgendeiner Metal-Band. Als Marianne hereinkam, drehte er sich um und lächelte, sanft wie immer.

»Musst du nicht arbeiten?«, fragte sie unwirsch.

»Tue ich ja«, antwortete Patrick und wies mit dem Kopf auf die Möhren. »Die sind fürs Abendessen.«

»Ich meinte … in deiner Werkstatt.«

»Ich erledige alles Mögliche«, sagte Patrick. Bei ihm hörte sich ständig alles so einfach an, obwohl absolut gar nichts einfach war. Marianne merkte, dass die Wut, die sie vor zwei Tagen beim Öffnen des Kleiderschranks gespürt hatte, keineswegs verflogen war. Wie ein Sturm, der nur kurz nachließ, dann aber mit voller Kraft weitertobte.

»Wo ist Rita?«, fragte sie.

»Ist nicht hier«, antwortete Patrick und legte die Möhren behutsam in den Gemüsekorb.

»Aber ihre ›Klienten‹ sind hier«, sagte Marianne und deutete demonstrativ Anführungszeichen mit den Fingern an.

»Rita hat den Salon schon vorbereitet.« Patrick wischte sich die nassen Hände an seinem T-Shirt ab. »Sie malen heute.« Er ging zur Tür, schien es plötzlich eilig zu haben wegzukommen, was Marianne durchaus verstehen konnte.

»Sie hat doch gesagt, sie sei immer zu Hause.« Marianne hängte die Autoschlüssel an den Haken neben der Hintertür. »Wo steckt sie denn?«

Patrick blieb an der Tür stehen und zuckte mit den Schultern. »Hat nur gesagt, sie käme später wieder.«

Die Alles-wird-gut-Truppe nahm die Nachricht von Ritas Abwesenheit erstaunlich gelassen. Vielleicht spürten alle, dass Marianne mit ihrer Geduld am Ende war. Sie setzten sich artig an die Staffeleien, die Rita vorbereitet hatte, und machten sich ans Werk.

Marianne marschierte so entschlossen zur Tür, als habe sie ein konkretes Ziel. Dann drehte sie sich noch einmal um. »Kommt ihr zurecht?«, fragte sie. Ihre Wut flaute ab, vielleicht aus Kraftgründen. Oder beim Anblick von Freddy und Bartholomew, die fast rührend wirkten, wie sie Seite an Seite saßen und versuchten, das Stillleben darzustellen, das Rita arrangiert hatte: ein Knäuel Algen, eine fleckige Silbergabel, eine Rolle Klopapier, eine halbe Mango und ein Korsett. Beide klemmten konzentriert die Zungenspitze zwischen die Zähne und wirkten regelrecht friedlich.

»Das würde Harrison mit links besser hinkriegen«, murmelte Shirley verdrossen, während sie mit dem Pinsel Farbe auf die Leinwand klatschte.

»Ach, so schlecht sieht das doch gar nicht aus«, sagte Freddy und beäugte Shirleys Farbattacken über den Rand seiner Brille hinweg.

»Ich meine dein Bild und das von Bartholomew.«

»Ich gehe jetzt mal raus«, kündigte Marianne an.

»Hat Rita uns vielleicht was zum Schnabulieren vorbereitet?«, fragte Bartholomew. »Ich frage nur, weil Ethel immer irgendwann unterzuckert ist.«

»Hier will sich wieder jemand mit Windbeuteln vollstopfen, wie?«, äußerte Freddy.

»Sieh dich besser vor, Frederick«, zischte Bartholomew.

»Was willst du denn mit mir machen? Auf mich hocken und mich zerquetschen?«

Ethel lächelte Marianne an. »Keine Sorge, ich habe alles im Griff.« Sie machte eine ausladende Handbewegung und stieß dabei an die Staffelei, die in sich zusammenfiel wie ein Kartenhaus.

Shirley stellte sie wieder auf und sagte zu Marianne: »Geh nur. Ich kümmere mich um die Bande.«

Marianne kam nur bis zum oberen Treppenabsatz. »Ob du mir wohl ein Taxi rufen könntest?«, rief Tante Pearl aus ihrem Zimmer.

Das ging nun endgültig zu weit, fand Marianne.

Sollte sie für jeden als Handlangerin fungieren, während andere hier herumsaßen und Klopapier und halbe Früchte malten oder Möhren aus dem Garten wuschen? Als gäbe es nicht normale Dinge wie feste Jobs, Steuererklärungen und Müllentsorgung. Wieso konnte Tante Pearl sich nicht selbst ein Taxi rufen?

»Ich traue diesem Telefon nicht über den Weg«, ergänzte Pearl, als könne sie Gedanken lesen. Was Marianne ihr sogar abnahm.

Jetzt ging die Zimmertür auf, und Pearl spähte heraus. »Ich sehe Leute lieber, wenn ich mit ihnen spreche«, erklärte sie.

Marianne stapfte die Treppe hinunter und marschierte in die Küche. An der Innenseite der Tür hing ein Korkbrett, auf dem ein Zettel mit der Nummer des ortsansässigen Taxiunternehmens steckte. Marianne wählte die Nummer, aber niemand ging dran. Um die Wartezeit zu überbrücken, begann Marianne von tausend abwärts zu zählen.

»Hallo, hallo, hallo«, hörte sie schließlich eine Stimme mit starkem schottischen Akzent.

»Hallo?«, fragte Marianne vorsichtig.

»Hallo«, sagte der Mann.

Marianne wusste nicht weiter.

»Jetzt sind Sie dran mit Sprechen«, sagte der Mann.

»Spreche ich mit der Taxifirma?«

»Jawohl.«

»Warum haben Sie sich nicht gleich so gemeldet?«

»Hab ich das nicht?«

»Nein«, antwortete Marianne. »Sie haben nur ›Hallo, hallo, hallo‹ gesagt.«

»Manchmal braucht man ein bisschen Abwechslung, finden Sie nicht?«

»Das ist verwirrend für die Kundschaft.«

»Stimmt auch wieder. Dann noch mal von vorne, ja? Drücken Sie einfach die Wiederwahltaste, wenn ich auflege.«

»Nein, warten Sie, ich …«

Es wurde aufgelegt.

»Hallo? Hal…? Ach, verflucht.« Sie drückte die Wiederwahltaste. Diesmal kam Marianne nicht zum Zählen, beim ersten Ton wurde abgenommen.

»Taxizentrale, guten Tag, Hugh McLeod am Apparat. Was kann ich für Sie tun?«

»Hugh McLeod?«

»Zu Ihren Diensten«, bemerkte er mit professionellem Tonfall, aber Marianne hörte, dass er lächelte.

»Du hast gesagt, du seist Friseur«, erwiderte sie steif.

»Ich muss mich beschäftigen. Spricht dort *Mein Sommerschloss*?«

»Marianne Cross.«

»Welches ist deine Lieblingsstelle?«

»Wie bitte?«

»Meine ist, als sie nachts im Schlossgraben schwimmen.«

Tatsächlich liebte Marianne diese Szene auch am meisten, hatte aber nicht die Absicht, das zuzugeben. »Ich brauche ein Taxi.«

»Da bist du bei mir richtig«, erwiderte Hugh, ohne auf Mariannes gereizten Tonfall einzugehen. »Ist es für dich selbst?«

»Nein.«

Er wartete ab.

»Für Pearl.«

»Ah, wie geht es denn unserer Miss Havisham?«

»Das ist aber ganz schön grob.« Marianne war froh, dass Hugh sie nicht sehen konnte. Sie musste nämlich breit grinsen über diese Anspielung auf die Figur der alten Jungfer in *Große Erwartungen*.

»Sie weiß, dass ich sie so nenne«, erwiderte Hugh.

»Wie, sprichst du sie wirklich so an?«

»Pearl ist ganz meiner Meinung. Dass nämlich Miss Havisham eindeutig eine der gelungensten Figuren von Charles Dickens ist.«

»Na ja, du wirst schon wissen, wie du mit deinen Kunden umgehst.« Marianne räusperte sich und fügte hinzu: »Wann kann das Taxi denn hier sein? Pearl will nach Swords.«

»Zu Halfords?«

»Weiß ich nicht.«

»Diese Frau kennt sich super mit Automotoren aus.«

»Wieso auch nicht?«, sagte Marianne indigniert. »Weil sie eine Frau ist?«

»Ich finde es eben einfach eindrucksvoll«, antwortete Hugh. »Sie hilft uns manchmal mit den Taxen. Niemand bereitet die Wagen so gründlich auf die Pflichtinspektion vor wie Pearl.«

»Wann kann jemand hier sein?«, fragte Marianne, um die Plauderei zu beenden.

»Sind fünf Minuten okay?«

»Muss ja wohl …« Hastig legte sie auf.

11

Nachdem Marianne die Alles-wird-gut-Leute wieder zu Hause abgesetzt hatte, lag noch fast der gesamte Nachmittag vor ihr. Sogar als sie ihren Job verloren hatte, war es ihr gelungen, einen festen Tagesrhythmus zu bewahren. Sie hatte den Haushalt in Ordnung gehalten, alte Ausgaben einer Fachzeitschrift über Rechnungswesen erneut gelesen und weiterhin ihre Tabellen über Ausgaben geführt. Was der Finanzlage am Ende dann auch nicht geholfen hatte, aber zumindest war es ein Zeitvertreib gewesen.

Hier, in Ancaire, erschien ihr der Rest des Tages leer und endlos.

Rita war noch immer nicht zurückgekehrt, und den Geräuschen aus dem Wohnzimmer nach zu schließen, sah sich Pearl dort ihre Lieblings-Quizshow an, nach der sie süchtig war, was sie jedoch strikt leugnete.

Ansonsten war nur das schwerfällige Ticken der Standuhr aus dem Flur zu vernehmen. Sogar die Küche wirkte riesig und verlassen, wenn Rita dort nicht beim Kochen und Backen chaotisch herumwirbelte und sämtliche Arbeitsflächen in Beschlag nahm.

Von draußen hörte Marianne das Rauschen der Wellen und das Heulen des Windes sowie gelegentlich das heisere Geschrei von Donal, dem räudigen Esel, wenn Hahn und Ziegenbock ihm wieder auf die Pelle rückten.

Alles fühlte sich fremd und zugleich schrecklich vertraut an. Vor fünfundzwanzig Jahren hatte Marianne Ancaire verlassen, aber jetzt kam es ihr plötzlich wieder vor, als sei sie fünfzehn, schlagartig zurückversetzt in die Vergangenheit.

Da half nur eines: aus dem Haus gehen. Sie schlüpfte in ihren Anorak und zog eine Wollmütze über ihren Lockenwust. Sobald Marianne nach draußen trat, schlug ihr der herbe Geruch von verrottenden Algen und der etwas süßliche Gestank von Fell und Tierkot entgegen. Als sie an der Menagerie vorbeiging, steckte sie die Hände in die Jackentaschen, um nicht den Eindruck zu erwecken, dass sie Naschereien, schmackhafte Möhren zum Beispiel, dabeihatte. Sie machte einen großen Bogen um die Tiere, und als sie durch das hohe Gras oberhalb des Gemüsegartens wanderte, sah sie durch das Gewächshaus Patrick in seiner Werkstatt. Die Türen standen offen wie immer, und er sägte gerade ein Brett durch.

Marianne ging nicht zum Strand hinunter, sondern schlug den Weg in das Wäldchen hinter dem Grundstück ein. Jenseits davon gab es einen Küstenpfad Richtung Rush. Als sie das Waldstück hinter sich ließ, war ihr durch den Marsch warm geworden, und sie nahm die Mütze ab. Der Wind pustete ihr das Haar aus dem Gesicht, und sie hatte kilometerweit freie Sicht auf den gewundenen Pfad, der sich bis zum Horizont erstreckte. In der Ferne konnte sie Schiffe erkennen.

Eigentlich hatte Marianne nicht vorgehabt, bis zum Friedhof zu gehen, sie merkte es erst, als sie sich plötzlich dort wiederfand. Es kam ihr beinahe vor, als hätte der Wind sie an diesen Ort geweht, und sie stellte fest, dass der Friedhof hinter der Ruine einer längst verfallenen Kirche inzwischen ziemlich verwildert war.

Der rostige Riegel quietschte, als Marianne das kleine Tor öffnete. Sie war seit dem Begräbnis, an das sie kaum noch Erinnerungen hatte, nicht mehr hier gewesen und wusste auch nicht, wo sich das Grab befand. Es war nicht neben der Ruhestätte der Großeltern gleich am Eingang. Deren Namen waren inzwischen unter den Flechten auf dem Stein kaum noch zu erkennen. Vielleicht war das Grab auch gar nicht hier, sondern auf einem anderen Friedhof?

Doch dann löste der Anblick eines Ahornbaums am Zaun eine Erinnerung aus. Der Baum war natürlich jetzt viel größer, nach fünfundzwanzig Jahren. Fünfundzwanzig Jahre, am dreißigsten April. Die kindische Zeichnung im Kalender ihrer Mutter, an dem Tag, an dem Shirley ihre Wohnung räumen musste. Als hätte Rita den Todestag vergessen. Oder als sei er ihr gleichgültig.

Für gewöhnlich beging Marianne ihn auf ihre Weise, machte irgendetwas, das Flo gefallen hätte. Sie aß im Eiscafé Bananensplit, schaute sich im Kino einen Disney-Film an oder ging in den Zoo. Marianne hasste die scharfen Tiergerüche dort, und das Wetter war um diese Jahreszeit oft scheußlich. Das hatte aber zumindest den

Vorteil, dass sie fast alleine dort war, wodurch es erträglicher wurde.

Dieses Jahr würde sie hier sein.

In Ancaire.

Weil sie keine andere Bleibe mehr hatte.

Marianne lehnte sich an den Ahornbaum und ließ den Blick über den Friedhof schweifen. Als sie das Grab entdeckte, wunderte sie sich, warum es ihr nicht gleich aufgefallen war. Williams Name auf dem rötlichen Grabstein, der von Flo darunter.

Flo Cross
1982–1992

Davor eine rechteckige Grasfläche, am Rand dornige kahle Rosensträucher. Nirgendwo Unkraut, das Gras grün und üppig. In einer kleinen Glasvase vor dem Grabstein frische Stiefmütterchen.

Die Grabstätte wirkte durch die Farbigkeit beinahe heiter: der rötliche Sandstein, das leuchtend grüne Gras, die gelb-violetten Blumen.

Und sie machte einen gepflegten Eindruck. Jemand betreute sie mit Sorgfalt.

Marianne tippte auf Patrick. Würde ihm ähnlichsehen – sich so intensiv mit etwas zu befassen, was ihn letztlich nichts anging. Sie ging in die Hocke und legte die Hand auf den Stein, auf das F. Wartete ab, ob sich Gefühle einstellen würden.

Und kam sich idiotisch dabei vor.

Außerdem war ihr kalt.

Marianne fragte sich, warum sie das machte. Sie fühlte sich Flo nicht näher. Sondern so wie immer: schuldig. Angstvoll. Ja, und selbstmitleidig, musste sie sich beschämt eingestehen. Sie schämte sich für alles, was sie seit Jahren versäumt hatte. Und für das, was aus ihr geworden war. Flo hatte ihre ältere Schwester bewundert und zu ihr aufgeschaut. Marianne hatte keinen Gedanken darauf verschwendet. Und in welchem erbärmlichen Zustand war sie jetzt?

Sie wischte sich mit beiden Händen übers Gesicht und legte sie dann auf das Gras. Es fühlte sich eiskalt an, und Marianne wischte sich hastig die Hände an ihrer Jogginghose ab. Wünschte sich, das nicht gespürt zu haben. Das kalte Gras, die harte Erde.

Ein Quietschen. Der Riegel am Tor. Marianne schaute sich um und sah Rita, die gerade das Tor wieder schloss, dann eine Stofftasche vom Boden hochnahm und sie über die Schulter hängte. Marianne zog den Kopf ein, huschte davon und versteckte sich hinter Grabsteinen. Die Vorstellung, hier mit Rita zu sprechen, war unerträglich. Worüber sollten sie an diesem Ort reden, außer über Flo? Und das hatten sie nach ihrem Tod niemals getan.

Zuletzt kauerte sich Marianne hinter den Grabstein eines Thomas Dunne, der im Jahre 1876 verstorben war.

Rita steuerte auf das Grab zu. Sie trug einen offenen kirschroten Trenchcoat, dessen Schöße hinter ihr flatterten, und ein rosa Kleid. Vor Flos Grab setzte sich Rita auf den Boden, als sei der nicht kalt und hart, und nahm einen frischen Blumenstrauß aus der Umhängetasche. Marianne reckte den Hals, um ihn zu erkennen. Blumen in einem leuchtenden Orange, die jetzt gegen die Stiefmütterchen ausgetauscht wurden. Dabei begann Rita zu reden. Und zu lachen, mit ihrem Cartoon-Lachen, hiihiihii. Dann schnitt sie das Gras mit etwas … war das wahrhaftig eine Nagelschere?

Marianne schmerzte der Rücken, sie musste unbedingt aus diesem Versteck heraus. Als sie wieder hinter dem Grabstein hervorspähte, klingelte ihr Handy. Rita verstummte und drehte sich um. Marianne duckte sich wieder, riss ihr Handy heraus und tippte wie wild darauf herum, damit es Ruhe gab. Der Anrufer war Brian, sah sie noch.

Sie machte sich ganz klein, hielt die Luft an. Hörte das Klacken von Ritas Pumps auf dem Kopfsteinpflaster der Wege und das leise Klappern ihrer langen Bambusohrringe. Dann ihre Stimme, unsicherer als sonst, erhoben gegen den pfeifenden Wind. »Hallo? Ist da jemand?«

Marianne kniff die Augen zusammen. Sie wusste, dass sie sich aufrichten, sich zeigen sollte, um ihre Mutter zu beruhigen.

Doch stattdessen begann Marianne auf allen vieren zur Pforte zu krabbeln. Scharfe Kanten schnitten ihr schmerzhaft in die Hände, was ihr recht war, weil es sie von den möglichen Gründen für Brians Anruf ablenkte. Sie stellte sich vor, dass er sie jetzt sehen konnte. Wie sie über einen Friedhof kroch, um nicht von ihrer Mutter bemerkt zu werden.

Vielleicht würde ihn das gar nicht erstaunen.

Marianne hielt durch, bis sie am Tor ankam. Sie riss es auf und rannte gebückt hindurch, ohne es hinter sich zu schließen. Hastete davon wie ein Dieb in der Nacht und fragte sich, ob Rita sie sehen konnte.

An der Straße oberhalb des Friedhofs war Hughs Taxi geparkt. Es schien unbemannt zu sein, doch als Marianne näher kam, sah sie, dass Hugh sich zurückgelehnt hatte, eine Beanie über die Augen gezogen, *Mein Sommerschloss* aufgeklappt auf der Brust.

Marianne wich zurück, aber in diesem Moment setzte sich Hugh auf, schob die Mütze in die Stirn und grinste so breit, dass seine Augen fast zu Schlitzen wurden. Dann kurbelte er das Fenster herunter.

»Hallo, Marnie.«

»Mein Name ist Marianne«, sagte sie frostig.

»Ich war gerade in der Nähe.« Er machte ein großes Eselsohr in das Buch und warf es auf den Beifahrersitz. Als er Mariannes Blick bemerkte, sagte er: »Unser Gespräch hat mich darauf gebracht. Ich dachte mir, ich lese es mal wieder. Tolle Geschichte.«

»Besitzt du kein Lesezeichen?«

»Wärst du dann netter zu mir?« Er beugte sich aus dem Fenster und beäugte sie mit schiefgelegtem Kopf. Seine Haare fielen ihm ins Gesicht, seidig und rotorange glänzend im fahlen Licht. Marianne zerrte ihre Mütze heraus und verbarg ihre Mähne darunter.

»Nein«, antwortete sie verdrossen.

»Ich werde mir trotzdem eines besorgen. Für alle Fälle.«

»Wartest du auf Rita?«

»Ja. Ich hab ihr gesagt, sie soll doch heute mal nicht hingehen, weil ihr nicht so gut ist. Aber sie besteht darauf, bei jedem Wetter. Du kennst sie ja.«

Davon konnte nicht die Rede sein. Und dass es Rita heute nicht gut ging, hatte Marianne auch nicht gewusst. Sie wusste gar nichts.

Sie beugte sich zu Hugh hinunter. »Ich wäre dir sehr verbunden, wenn du Rita nicht sagst, dass du mich hier getroffen hast.«

»Na klar«, sagte Hugh.

»Versprichst du's mir?«, drängte Marianne.

Hugh deutete mit dem Zeigefinger ein Kreuz über seinem Herzen an. »Großes Ehrenwort. Ich schwöre. Reicht dir das?«

»Muss wohl.« Sie richtete sich auf.

»Gern geschehen«, sagte Hugh.

»Oh. Ja, danke.« Marianne eilte davon.

12

Als Marianne sich von Hughs Taxi entfernte, schien das Handy in ihrer Tasche Tonnen zu wiegen. Es hatte gepiept, was bedeutete, dass Brian eine Nachricht hinterlassen hatte.

Sie hatte nicht vor, sie abzuhören.

Musste aber ständig daran denken, was er wohl gesagt hatte.

Marianne hatte zuletzt mit Brian gesprochen, als er sie verlassen hatte. An diesem Tag hatte sie im Büro eine E-Mail von ihm bekommen.

> Marianne,
> können wir uns heute Abend im Haus treffen, um halb sieben?
> Grüße
> Brian

Der Stil der E-Mail war wie immer, aber »im Haus« statt »zu Hause« klang irgendwie beunruhigend.

Geradezu alarmierend.

Auf dem Heimweg stahl Marianne in einem Luxuskaufhaus eine teure Gesichtscrème. Die sie kurz darauf einer Frau überreichte, die in einem Hauseingang auf einem Schlafsack hockte und Passanten einen ramponierten Pappbecher hinhielt.

»Wofür ist das?«, fragte die Frau argwöhnisch.

Marianne studierte die Verpackung. »Hier steht, dass die Crème Feuchtigkeit spendet, die Haut verjüngt und Fältchen vorbeugt.«

Die Frau starrte Marianne ärgerlich an. »Stimmt was nicht mit meinem Gesicht?«

»Wollen Sie die nun oder nicht?«

»Das ist die Crème de la Mer«, sagte die Frau mürrisch. »Natürlich will ich die.«

Zu Hause zog Marianne ein blaues T-Shirt an, das Brian sehr an ihr mochte. »Genau die Farbe deiner Augen«, hatte er immer gesagt.

Später war es ihr dann unsäglich peinlich, wenn sie an ihre Vorbereitungen für dieses Gespräch dachte. Wie sie ihre Zähne im Badezimmerspiegel beäugte. Ihre Locken mit Haaröl zu glätten versuchte. Als würde Brian sie nicht verlassen, wenn ihre Haare weniger unbändig waren.

Denn seit Marianne die E-Mail gelesen hatte, befürchtete sie genau das.

Das Schlimmste.

»Du siehst sehr hübsch aus«, sagte Brian, als er hereinkam. Es hörte sich beinahe vorwurfsvoll an. Als hätte sie sich unrechtmäßig einen Vorteil verschafft, indem sie das verdammte Haaröl benutzte.

»Möchtest du einen Tee?«, fragte sie. »Bevor wir reden?«

Brian sank so abrupt auf den Stuhl, als seien ihm die Knie weich geworden. Legte beide Hände flach auf den Tisch, als müsse er sich wappnen. Atmete ein. Tief und lang, um alles zu äußern, was er loswerden musste. Und Marianne wusste jetzt genau, was er sagen würde. Weil sie ihn liebte? Oder weil er ihr so vertraut war?

So oder so war alles vorbei.

»Willst du nichts sagen?«, fragte er nach seiner Rede.

Ihr fiel nichts ein.

Brian strich sich mit beiden Händen übers Gesicht. Er sah müde aus, hatte in letzter Zeit häufig schlecht geschlafen. Marianne hatte seine Arbeit als Grund vermutet, eine bevorstehende Wirtschaftsprüfung bei einem seiner wichtigsten Kunden. Dass so etwas zu Schlafstörungen führte, war ja nur allzu verständlich.

»Du musst doch zugeben, Marianne, dass unser Verhältnis inzwischen eher eine Zweckgemeinschaft als eine Liebesbeziehung ist.«

Das fand sie grausam ungerecht.

Nach einer Weile sagte sie: »Wir waren uns einig. Keine Dramen. Ein ganz normales, ruhiges Leben. Du hast gesagt, das wolltest du auch.«

Brian schüttelte den Kopf. »Tut mir leid, Marianne«, murmelte er.

Seither hatte er sich nur zweimal per E-Mail gemeldet. In der ersten hatte er seine neue Adresse und den Namen seiner Freundin kundgetan. Er bezeichnete Helen allerdings nicht als seine Freundin, sondern als seine »Partnerin«. Was irgendwie noch ominöser klang.

In der zweiten Mail schrieb er, dass »sie« ein Baby erwarteten.

Zwei Babys, genauer gesagt.

Zwillinge.

Als Marianne diese Nachricht las, war sie einfach nur ungeheuer erleichtert. Dass es Brian nicht gelungen war, sie umzustimmen, was das Thema Kinder anging. Dass sie keine Verantwortung für diese Babys tragen würde, sondern nur er ganz allein. Und Helen. Marianne erinnerte sich noch lebhaft daran, wie sie sich als Fünfjährige bei der Vorstellung von Flos Fontanelle gegraust hatte. Tante Pearl hatte sie ihr so detailreich geschildert, dass Marianne glaubte, sie könne durch ein Loch in Flos Schädeldecke ihr Babygehirn pulsieren sehen wie eine Qualle.

Nach der E-Mail dachte sie, dass Brian sich künftig Sorgen um zwei Fontanellen machen musste.

Er ließ sich auch noch darüber aus, dass er unsicher gewesen war, ob er sich überhaupt melden sollte. Weil sie inzwischen doch bestimmt ein neues Leben begonnen habe. Aber er wollte nicht, dass sie es von jemand anderem erfuhr.

Nachdem Marianne etliche Reaktionen erwogen hatte, löschte sie am Ende sämtliche Entwürfe und beantwortete die Mail gar nicht.

Und jetzt hatte Brian auf ihr Handy gesprochen. Als sie in Ancaire ankam, beschloss Marianne, das Telefon ganz einfach zu vernichten. Das schien ihr die naheliegendste Lösung zu sein. Sie marschierte in den Gartenschuppen und hielt nach einem geeigneten Werkzeug Ausschau. Da der Schuppen weitgehend Patricks Domäne war, herrschte dort perfekte Ordnung. Auf Schildern an Schubladen war vermerkt, welche Samen und Blumenzwiebeln darin aufbewahrt wurden. Heckenscheren, Harken und Schaufeln hingen an Haken, der Rasenmäher – den Gerard mittlerweile ersetzte – war mit einer Plane abgedeckt.

Marianne musste zugeben, dass sie durch Patricks Ordnungssystem sehr schnell einen Hammer entdeckte, der stabil und schwer genug wirkte. Sie legte ihr Handy auf den Boden, kniete daneben und hob das schwere Werkzeug. Dann fiel ihr allerdings auf, dass der ganze Vorgang eher zu Rita passen würde. Er würde unweigerlich furchtbares Getöse und Tohuwabohu zur Folge haben. Brians Nachricht würde zwar tatsächlich zerstört sein, aber Marianne würde auch keine Updates über neue Entwicklungen zum Thema Buchhaltung mehr erhalten. Oder Mitteilungen von ihrer Bank, falls jemand sich widerrechtlich Zugang zu ihrem Konto verschaffte.

Auf dem es allerdings ohnehin nichts zu holen gab.

»Alles hat sein Gutes«, hätte Rita bestimmt gesagt. Marianne umklammerte fest den Hammer und hob ihn höher.

Die Tür wurde aufgerissen, und Rita selbst kam hereinspaziert.

»Marnie!«, sagte sie so erfreut, als habe sie eine Ewigkeit nach ihr gesucht.

Rita hatte sich umgezogen, trug jetzt ein trägerloses, wadenlanges weißes Kleid mit einer Schärpe im selben Grün wie ihr Turban. Ihr Make-up war üppig wie üblich, aber ihr Gesicht wirkte dennoch müde, fand Marianne.

Sie ließ den Hammer sinken. »Was machst du denn hier?«

»Oh, ähm …« Rita sah sich im Schuppen um. »Ich brauche einen Schraubenzieher.« Als sie einen entdeckt hatte, deutete sie darauf.

»Glaube ich dir nicht.«

»Was hast du vor?« Rita beäugte den Hammer.

»Ich habe zuerst gefragt«, sagte Marianne.

»Also gut.« Ihre Mutter hob ergeben die Hände. »Ich wollte schauen, was du hier machst, offen gestanden.«

Eine riesige Hausspinne sorgte für Ablenkung, indem sie sich an Ritas Kleid hinaufhangelte. Rita bückte sich, fing die Spinne behutsam und setzte sie ganz hinten im Schuppen in eine Ecke.

»Brauchst du irgendwie Hilfe?«, erkundigte sich Rita, als sie zurückkam.

»Nein.« Marianne versteckte den Hammer hinter ihrem Rücken.

»Du wolltest gerade dein Handy zertrümmern, oder?«

»Nein, natürlich nicht.«

Rita hob das Handy auf und erklärte nach einem Blick aufs Display: »Du hast eine Sprachnachricht.«

»Das weiß ich.«

Rita nickte, als sei damit alles erklärt. »Ich könnte sie für dich abhören. Wenn du möchtest.«

»Weshalb?«, fragte Marianne.

»Um zu erfahren, worum es geht.«

»Und was willst du dann machen?«

»Was wäre dir denn recht?«, fragte Rita.

»Kommt ganz darauf an.«

Rita nickte erneut, als sei diese Antwort ausreichend, und drückte auf eine Taste.

»Halt!« Marianne sprang auf.

Ihre Mutter sah sie abwartend an.

»Willst du mich nicht fragen, worauf es ankommt?«

Rita überlegte und sagte schließlich: »Wenn es um Leben und Tod geht, würde ich es dir erzählen, oder?« Sie sah Marianne abwartend an.

»Und wenn er nun sagt, er …«, begann Marianne.

»Wie wär's denn«, schlug Rita vor, »wenn ich es mir anhöre und dir dann eine Zusammenfassung liefere. Oder, wenn du es gar nicht wissen willst, könnte ich die Nachricht auch einfach löschen. Ich könnte dir natürlich auch dabei behilflich sein, das Handy zu zertrümmern.« Rita lächelte. »Okay?« Sie zog fragend ihre weitgehend aufgemalten Augenbrauen hoch.

Marianne legte den Hammer beiseite und nickte. Rita drückte weitere Tasten und hielt dann das Handy ans Ohr. Während sie mit ausdruckslosem Gesicht lauschte, lehnte Marianne sich an die Wand und versuchte, die Hände nicht zu Fäusten zu ballen, als sie aus der Entfernung Brians monotone Stimme hörte.

Schließlich ließ Rita das Handy sinken.

»Hast du die Nachricht gelöscht?«, fragte Marianne.

»Hab ich.«

»Und?«

Rita holte tief Luft. »Die Zwillinge sind geboren.«

»Oh.«

»Alles okay mit dir?«

»Warum hat er angerufen? Um mir das zu sagen?«

»Vielleicht wollte er nicht, dass du es von jemand anderem erfährst.«

»Von wem denn?«

»Weiß nicht«, antwortete Rita achselzuckend. »Von Arbeitskollegen vielleicht?«

»Ich hatte keine Arbeitskollegen.«

»Warst du nie mit jemandem in der Kantine?«, fragte Rita.

»Ich habe immer an meinem Schreibtisch gegessen.«

Danach trat ein Schweigen ein. Marianne hatte nie einen Gedanken darauf verschwendet, dass sie ihr Mittagessen grundsätzlich alleine einnahm. Jetzt fiel ihr auf, dass sich das womöglich bedauernswert anhörte.

Sie räusperte sich. »Geht es ihnen gut?«

»Wem?«

»Den Babys.«

Rita überlegte kurz, bevor sie sagte: »Er hat nicht gesagt, dass etwas nicht stimmt, also geht es ihnen wohl gut.«

»Da ist noch irgendetwas, oder?« Marianne beäugte ihre Mutter argwöhnisch.

Rita schaute beiseite und trat von einem Fuß auf den anderen.

»Sag es mir«, verlangte Marianne.

Ihre Mutter holte tief Luft und atmete dann langsam aus. »Er hat was von deinem Haus gesagt. Es steht ein Zu-verkaufen-Schild davor. Und er fragt sich, ob es dir gut geht. Er hofft, dass es dir gut geht.«

»Was jetzt, fragt er es sich oder hofft er es?«

»Spielt das eine Rolle?«

»Ja.«

Rita überlegte wieder. »Er hofft es.«

»Bist du ganz sicher?«

»›Und noch was‹«, sagte Rita, verblüffend echt Brians Tonfall imitierend. »›Bin vorhin durch die Carling Road gefahren und habe gesehen, dass dein Haus zum Verkauf steht. Ich hoffe nur … also bestimmt ist es so …‹«

»Was denn?«, zischte Marianne.

»… ›also ich hoffe, dass es dir gut geht‹«, fuhr Rita unbeirrt mit ihrer Darstellung fort. »Am Ende kommt eine ziemlich lange Pause, dann sagt er: ›Okay, muss jetzt los. Tschüss, tschüss-tschüss, tschüss, tschüss.‹«

Marianne war unwillkürlich beeindruckt von der Aufmerksamkeit ihrer Mutter. Brian sagte tatsächlich fünfmal *Tschüss* hintereinander.

»Konntest du die Babys im Hintergrund hören?«, fragte sie.

»Nein.«

»Ein Verkaufsschild vor dem Haus also.«

Rita nickte. »Es war früher unser Haus«, murmelte

Marianne und bereute das sofort, als sie den Blick ihrer Mutter sah. Der ziemlich mitleidig geriet, was ja irgendwie auch verständlich war.

»Du hast auch eine Nachricht von Shirley«, fuhr Rita jetzt fort. »Morgen passt ihr gut.«

»Für was?«

»Hat sie nicht gesagt. Aber ich glaube, es geht um Mathe. Sie sagte, sie hätte im Internet für Infinitesimalrechnung den Ausdruck ›legalisierte Folter‹ gefunden.«

Marianne nickte, obwohl sie das nicht nachvollziehen konnte. Infinitesimalrechnung ergab wesentlich mehr Sinn als vieles andere.

Rita hielt ihrer Tochter das Handy hin. »Willst du es wiederhaben?«

Marianne lief rot an. »Du hältst mich jetzt bestimmt für total kindisch.«

Rita schüttelte den Kopf. »Das habe ich nie über dich gedacht.«

Marianne nahm das Handy und steckte es in die Tasche. »Danke.«

»Gerne.« Rita berührte ihre Tochter kurz am Arm, öffnete dann die Schuppentür und stöckelte hinaus.

13

Nachdem Brian aus Mariannes Leben verschwunden war, änderte sich eigentlich gar nicht so viel. Marianne ging zur Arbeit, machte Abendessen, wenn sie nach Hause kam, schaute sich Natursendungen im Fernsehen an und legte sich schlafen.

An den Wochenenden kümmerte sie sich um den Haushalt, erledigte den Einkauf für die nächste Woche, machte einen Spaziergang durch den Park und restaurierte vielleicht ein Möbelstück, was sie auf einem Flohmarkt ergattert hatte.

»Wie kommst du zurecht?«, fragte Rita damals, als Marianne ihr schließlich berichtete, dass Brian sie verlassen hatte. Sie traf sich – sehr selten – in einem Café weit entfernt von ihrem Haus mit ihrer Mutter.

»Gut«, antwortete Marianne.

»Wirklich?«

»Ja.« Das war durchaus nicht gelogen. Sie hatte den Riss, den Brian in der Wand ihres Lebens hinterlassen hatte, verspachtelt und übertapeziert. Im Großen und Ganzen kam sie zurecht. Abgesehen von wenigen Ladendiebstählen kleiner Dinge. Und dann natürlich diesem einen, bei dem sie nicht aufmerksam genug gewesen war. Jedenfalls viel weniger als der Securitymann.

Und auch jetzt machte ihr die Geburt der Zwillinge viel weniger zu schaffen als der Verkauf des Hauses.

Denn es war ihr Zuhause gewesen, ihr Zufluchtsort.

Aber diesen Riss würde sie langfristig vielleicht auch verspachteln und überkleben können.

Am nächsten Morgen wurde Marianne vom Krähen des Hahns aus dem Schlaf gerissen, das sich so krächzend und mühsam anhörte, als habe Declan gar keine Lust dazu. Es dauerte einen Moment, bis Marianne klar wurde, dass sie wieder in Ancaire in ihrem alten Zimmer war, ohne Pläne und Zukunftsperspektiven. Und ohne die Hoffnung, dass sich daran in absehbarer Zeit etwas ändern würde.

George war neben ihrem Bett aufgetaucht und bearbeitete hartnäckig mit den Vorderpfoten alle Teile von Marianne, die er erreichen konnte, bis sie schließlich keinen Widerstand mehr leistete und aufstand. Sie verpackte sich in mehrere Kleiderschichten, bestehend aus T-Shirt, Jogginghose und Fleecejacke, und ging mit dem Hund nach draußen. Kaum hatte sie die Hintertür geöffnet, flitzte George los und sauste wie üblich die rutschige vermooste Treppe zum Strand hinunter. Immer wieder hatte Marianne Menschen von der Seeluft schwärmen hören, die angeblich so »erfrischend« und »anregend« sei. Ein nervöser Mitarbeiter der Firma hatte sie sogar einmal als »lebenserhaltend« bezeichnet. Marianne dagegen empfand die Meeresluft nur als feucht, salzig, anstrengend und wie üblich im Januar eiskalt. Nicht zu vergessen ohrenbetäubend laut durch das Donnern der Wogen, den heulenden Wind und das Kreischen der Silbermöwen, die sich in die stahlgrauen Wellen hechteten.

Bei ihrer Rückkehr zum Haus versuchte sich Marianne unter dem Küchenfenster hinweg zu ducken, weil sie Rita drinnen mit Töpfen und Pfannen klappern hörte. Aber da der Morgen sich zusehends um Helligkeit bemühte, wurde sie doch von Rita gesichtet, die energisch ans Fenster klopfte und Marianne hereinwinkte.

»Bürste dir doch rasch die Haare. Ich mach dir einen Käse-Tomaten-Toast, bevor wir meine Leute abholen«, sagte Rita, als ihre Tochter in die Küche kam.

Ritas Käsetoasts waren himmlisch. Sie wurden mit Butter in der Pfanne geröstet. Das Brot war gerade richtig knusprig, der geschmolzene Käse befand sich in perfekter Harmonie mit den Strauchtomaten. Die ganze Kreation entfaltete Geschmäcker im Mund, die so herrlich und tröstlich waren, dass man darüber alles andere vergessen konnte. Für ein paar Momente jedenfalls.

Marianne kam der Gedanke, dass ihre Mutter sie womöglich bemitleidete. Wegen der Unterhaltung gestern. Das wurmte Marianne furchtbar.

»Ich habe keinen Hunger«, sagte sie und fügte hinzu: »Du musst auch nicht mitfahren, ich kann die Truppe alleine abholen.«

»Das weiß ich«, erwiderte Rita.

Pearl rauschte in die Küche und äußerte ein knappes »Guten Morgen«, ohne dabei jemanden anzusehen.

Kurz darauf traf Patrick mit den Eiern ein, noch warm vom Legen. Rita bedankte sich bei ihrem »Goldschatz«, küsste ihn auf beide Wangen und ließ ihn vom Kochlöffel irgendein Gericht probieren, in dem sie gerade rührte. Er aß gehorsam und genüsslich, und diese penetrante Familienidylle machte Marianne so aggressiv, dass sie am liebsten etwas kaputtgemacht hätte. Wütend starrte sie auf die Kaffeekanne, worauf Patrick sofort danach griff und fragte: »Soll ich Kaffee kochen?«

»Nein«, antwortete Marianne und marschierte zur Tür.

»Es heißt ›Nein, danke‹«, sagte Pearl hinter der Zeitung hervor, bevor Marianne hinausstapfte.

Oben in ihrem Zimmer roch sie den verlockenden aromatischen Kaffeeduft, bei dem ihr förmlich das Wasser im Mund zusammenlief.

Sie bändigte mit einem Haargummi notdürftig ihre Mähne und verspeiste eine Banane, die sie von der Obstschale im Flur gemopst hatte. Über dem Tischchen dort hing ein großes gerahmtes Foto von Ritas Eltern, Ruby und Archibald. Die beiden standen eng umschlungen vor Ancaire und lächelten nicht nur in die Kamera, sondern sie lachten beide fröhlich und wirkten so unbeschwert und glücklich, als sei das ihr Normalzustand.

Später versuchte Marianne möglichst geräuschlos die Autoschlüssel von dem Haken im Flur zu nehmen, wo sie gerade hingen, aber Rita hörte es trotzdem.

»Warte auf mich!«, rief sie, goss ihren Kräutertee in einen Reisebecher und stöckelte auf ihren hochhackigen Snake-Print-Stiefeletten hinter Marianne her. Dazu trug Rita heute einen knöchellangen beigen Kunstnerz mit einem Turban in der gleichen Farbe. Am Auto angekommen, quetschte sie sich neben George, der ihr wohl oder übel auf dem Beifahrersitz Platz machen musste. Bei Rita musste sogar er klein beigeben.

»Wie geht es dir heute Morgen?«, fragte Rita, während Marianne an der Ausfahrt warten musste, bis ein Traktor vorbeigezockelt war.

»Gut.«

»Und jetzt musst du mich fragen, wie es mir geht.«

Marianne warf ihrer Mutter einen Blick zu. Rita nickte bekräftigend.

»Wie geht's dir?«, fragte Marianne.

»Würde mir viel besser gehen, wenn ich im Auto rauchen dürfte«, antwortete Rita.

»Das wirst du nicht tun.«

»Weiß ich. Ich hab ja nur gesagt, dass es mir dann besser ginge.« Rita nahm ihre E-Zigarette aus der Samthandtasche, deren Rot in wüstem Kontrast zu ihrem grellrosa Schürzenkleid stand. In großen Zügen saugte sie den Dampf ein und pustete ihn dann aus. Im Nu war der Jeep von Qualm erfüllt, der durchdringend nach Johannisbeere roch.

»Großer Gott, Rita, ich kann nicht mehr sehen, wo ich hinfahre!«, rief Marianne.

»Im Moment fährst du besser gar nicht«, erwiderte Rita und deutete durch die Dampfwolken auf die rote Ampel.

»Danke für den Hinweis«, erwiderte Marianne trocken.

Die beiden Frauen sahen sich an. Ihre Gesichter ähnelten einander: Beide hatten eine kleine Kerbe im Kinn und den gleichen breiten Mund mit den vollen Lippen, der ihr blasses rundes Gesicht dominierte.

Die Ampel sprang auf Grün.

Marianne fuhr los, aber nach ein paar Metern gab der Jeep den Geist auf. Der Fahrer hinter ihr hupte wütend, worauf Marianne die Warnblinker einschaltete und versuchte, den Wagen erneut zu starten. Der Typ hinter ihr ging zum Dauerhupen über.

Aufgebracht starrte sie in den Rückspiegel. »Sieht der Kerl nicht, dass ich hier ein Problem habe?«

»Blöder Arsch«, äußerte Rita und verstellte den Rückspiegel, um das Objekt ihres Abscheus in Augenschein zu nehmen.

»Würdest du bitte mal den Spiegel wieder richtig justieren?«

»Halt mal.« Rita drückte ihrer Tochter die E-Zigarette in die Hand und kurbelte das Fenster herunter.

»Was machst du?«, fragte Marianne nervös.

Rita schnallte sich ab, kniete sich auf ihren Sitz und beugte sich zum Fenster hinaus. Sie wartete, bis sie sicher war, gesehen zu werden. Dann reckte sie den Mittelfinger in die Luft.

»Hör sofort damit auf, der bringt uns noch um«, zischte Marianne, drehte panisch den Schlüssel und trat aufs Gaspedal. Der Motor blieb stumm. Inzwischen beugte sich der Typ hinter ihr aus dem Fenster und brüllte Schimpfwörter, während Rita keinerlei Anstalten machte, ihre Position aufzugeben.

»Zentralverriegelung gibt's hier wohl nicht?« Marianne betätigte probehalber einige Schalter.

Als der Mann schließlich an ihnen vorbeimanövrierte, war er purpurrot im Gesicht. Er warf Marianne noch einen letzten empörten Blick zu. Sie senkte den Kopf, sah aber trotzdem aus dem Augenwinkel, wie der Typ ihr mit der Faust drohte. Der nächste Wagen hielt hinter ihnen und kam nicht weiter.

»Du musst ihm gut zureden«, erklärte Rita, kraxelte vom Sitz und nahm ihren Platz neben George wieder ein. Dann beugte sie sich vor und tätschelte das Armaturenbrett. »Mein lieber guter Jeep, jetzt sei schön brav, ja?«

»Ich glaube, der Motor ist abgesoffen«, sagte Marianne, versuchte erneut zu starten und trat behutsam aufs Gaspedal. Der Motor stotterte und ächzte, dann sprang er an.

»Siehst du!«, sagte Rita.

Marianne fuhr los.

Zuerst holten sie Ethel ab, dann Bartholomew, der schon vor dem Haus wartete. Kaum hatte Marianne angehalten, kam er angestürzt, riss die Fahrertür auf und sprang ein paarmal auf und ab. Dabei wedelte er mit beiden Händen über dem Kopf und schwenkte einen weißen Briefumschlag.

Ethel beugte sich vor und beäugte ihn, während Marianne wartete, bis Bartholomew die Puste ausging. Was nicht lange dauerte.

»Ihr werdet es nicht glauben«, keuchte er und hielt Marianne den Umschlag unter die Nase. »Ratet mal! Du wirst es nicht glauben!«

»Du bist zum Vorstellungsgespräch im Theater eingeladen?«, mutmaßte Ethel.

»Woher weißt du das?«

»Mein lieber Bartholomew.« Ethel klatschte in die Hände. »Wusste ich doch, dass du es schaffst!«

»Ich kann nur hoffen, dass die noch keine Nachforschungen über mich angestellt haben.« Schlagartig wirkte er wieder mutlos.

»Kannst du bitte einsteigen?«, sagte Marianne nervös, weil sie im absoluten Halteverbot stand.

Freddy kam aus dem Kostümladen geschossen, sobald der Jeep sich röhrend näherte, sprintete auf den Wagen zu, riss die Tür auf und warf sich hinein. »Fahr los, schnell, schnell«, zischte er, während er hastig die Tür zuknallte. Marianne sah im Rückspiegel, wie Freddys Mutter schnellen Schrittes auf den Jeep zumarschierte.

»Was ist denn los, mein Lieber?«, erkundigte sich Ethel.

»Bitte, können wir einfach nur fahren?«, flehte Freddy und schob seine verrutschte Brille zurecht. »Bevor sie hier ist?«

Marianne gab Gas, worauf schwarzer Rauch aus dem Auspuff quoll. »Komm schon, komm schon«, knurrte sie und schlug mit beiden Händen aufs Lenkrad. Rita sah sie mit hochgezogenen Augenbrauen an.

»Lieber guter Jeep«, sagte Marianne so sanftmütig wie möglich. Ein kurzes Stöhnen war zu vernehmen, dann sprang der Motor an, und wenn der Jeep auch noch ein bisschen bockte und ruckelte, machte er doch Anstalten, sich in Bewegung zu setzen.

»Könnt ihr bitte alle lächeln und winken?«, bat Freddy. »Damit sie nicht denkt, dass wir vor ihr flüchten?«

»Aber machen wir das nicht?«, wandte Ethel ein.

»Ich flüchte vor niemandem«, verkündete Bartholomew.

»Bitte?« Freddy klang so kläglich, dass alle sofort ein Lächeln aufsetzten und der zurückbleibenden Mrs Montgomery zuwinkten.

Sogar Bartholomew.

Mrs Montgomery erwiderte das Winken nicht.

»Was hat sie denn heute wieder?«, fragte Bartholomew. »Ein weiterer Anfall von Homophobie vielleicht?«

»Sie ist nicht homophob«, sagte Freddy. »Es gibt da nur gewisse homosexuelle Menschen, die sie nicht leiden kann.«

»Wie kann man nur einen hinreißenden Politiker wie David Norris nicht mögen?«, bemerkte Bartholomew kopfschüttelnd.

»Auch einer von deinen Lovern, oder wie?«, fauchte Freddy.

»Über so etwas schweigt ein Gentleman«, antwortete Bartholomew. »Ich gebe jedoch zu, dass David und ich uns während seiner Kampagne für die Schwulenrechte sehr nahegekommen sind. Man könnte tatsächlich auch behaupten, dass ich seine Muse war.«

»Was wolltest du noch von deiner Mutter erzählen?«, fragte Rita jetzt, worüber Marianne erleichtert war, denn sie fürchtete, dass Freddy gleich tätlich werden würde.

»Na ja«, Freddy seufzte, »sie hat mitbekommen, dass Marianne getrennt ist.«

»Was?«, entfuhr es Marianne.

»Tut mir wirklich leid, Marnie. Mutter hat einfach so eine Art, mir Sachen zu entlocken. Und ich fürchte, sie hat beschlossen, dass du eine ideale Partie wärst. Weil du ja einen Beruf hast und … na ja, jetzt verfügbar bist.«

»Und eine Frau«, ergänzte Bartholomew trocken.

»Nur weil ich getrennt lebe, heißt das noch lange nicht, dass ich verfügbar bin«, sagte Marianne empört.

»Nein, ich meine …« Freddy lief rot an. »Ach, ich fürchte, Mutter hat recht. Ich sage immer das Falsche.«

»Sie weiß ja, wie man Selbstvertrauen stärkt«, bemerkte Bartholomew sarkastisch.

»Mutter meint es nur gut. Sie wünscht sich eben nur, dass ich nicht so ein Loser bin wie mein Vater.«

Ethel tätschelte ihm den Arm. »Dein Vater ist doch ganz bestimmt kein Loser.«

Freddy zuckte mit den Schultern. »Mutter behauptet,

dass er Trinker war, aber viel mehr weiß ich auch gar nicht über ihn. Er hat meine Mutter vor meiner Geburt verlassen.«

»Und zwar, um mit einem Mann zusammen zu sein«, warf Bartholomew ein.

»Sie waren nur gut befreundet«, erwiderte Freddy abwehrend und lehnte sich zurück. »Können wir jetzt bitte mal eine Weile nicht reden?«

Hervorragende Idee, fand Marianne.

Shirley hatte wieder ihre beiden Jungs im Schlepptau. »Scheißfortbildung an der Schule«, erklärte sie beim Einsteigen und verdrehte genervt die Augen.

»Scheißschule«, sagte Sheldon grinsend.

»Du darfst nicht ›Scheiße‹ sagen«, raunzte Shirley ihn an.

»Machst du doch auch.«

»Das ist was anderes.«

Heute trug Shirley einen weiten blauen Overall, die Hosenbeine über ihren Doc Martens aufgerollt, in Kombi mit einem breiten Regenbogengürtel. Ihr Gesicht war größtenteils hinter einer riesigen Sonnenbrille mit weißem Gestell verborgen, das Gepäck bestand aus einem *Star-Wars*-Schulranzen.

»Also«, sagte Shirley, nachdem sie sich angeschnallt hatte, und stupste Marianne von hinten am Arm. »Heute Mathenachhilfe, ja?«

»Ähm … ich …«

»Ich bezahl auch dafür. Erwarte das nicht für lau.«

»Darum geht's nicht, es ist nur …«

»Oder ich mach dir stattdessen die Augenbrauen. Kannst du selbst entscheiden. An deiner Stelle würde ich die Augenbrauen nehmen. Nicht böse gemeint.«

»Wenn ich groß bin, werd ich Lokführer und Schiedsrichter«, schrie Harrison von hinten.

»Man kann nicht zwei Jobs haben«, sagte Sheldon.

»Doch, kann man wohl«, widersprach Harrison. »Oder, Mami?«

»Du wirst der beste Lokführer-Schiedsrichter der Welt werden, mein Schatz«, antwortete seine Mutter.

Harrison grinste Sheldon triumphierend an, der seinem Bruder daraufhin die Zunge rausstreckte.

Marianne lud die ganze Truppe in Ancaire ab und begab sich dann ohne Aufforderung in die Küche zum Teekochen.

Wahrscheinlich betrachtete sie sich unbewusst schon als Hausangestellte.

Diesmal nahm sie ein Maßband für Ritas Backwerk zu Hilfe, um Streitereien bei der kindischen Bande vorzubeugen. Heute gab es die unglaublich süßen und allseits beliebten Millionärsschnitten, die Rita in »Sozialistenschnitten« umbenannt hatte, da ihrer Meinung nach Gebäck – ebenso wie alles andere im Leben – für die Allgemeinheit bestimmt war.

Freddy und Bartholomew beäugten mit scharfem Blick die Portionen, die Marianne ihnen reichte, und machten sich dann unverzüglich über die Nascherei her. Das Karamell tropfte von der Biskuitschicht, und beide Männer fingen es kundig mit der Zunge auf.

Das ganze Prozedere des Teeservierens war nicht unbedingt die sinnvolle Tätigkeit, die Marianne sich erhofft hatte, aber immerhin eine Beschäftigung, die sie ablenkte.

Von Brian und Helen.

Den Zwillingsbabys.

Dem Haus, das Marianne mit einer Liebe und Sorgfalt ausgestattet hatte, die in einer Zeit, in der alles schnell ersetzbar war, kaum noch verstanden wurde. In einer Zeit, in der nichts mehr Bestand hatte.

Es lenkte sie ab von der Vorstellung, wie wildfremde Menschen durch ihr Haus geführt wurden, es kritisch beäugten und sich bereits vornahmen, alles zu verändern, was sie mit so viel Mühe gestaltet hatte.

14

Marianne entschied sich dann doch, Shirley nach dem Alles-wird-gut-Treffen Mathenachhilfe zu geben.

Wobei die Entscheidung eigentlich keine war, denn Marianne wollte einfach keine Ausrede einfallen, mit der sie bei Shirley durchgekommen wäre.

Außerdem liebte Marianne Mathe und sagte sich, auch das wäre eine prima Ablenkung.

Nachdem sie die anderen abgesetzt hatte, fuhr Marianne zu Shirleys Haus. Die Jungs hopsten aus dem Auto, und Shirley rief ihnen zu: »Und keinen von Mrs Hegarthys Porzellanhunden zerbrechen, habt ihr gehört?«

»Wir haben nur zwei kaputtgemacht«, sagte Harrison und hielt seine kleine dicke Hand hoch, faltete dann aber drei Finger nach unten, die Zungenspitze vor Anstrengung rausgestreckt.

»Sie hat Millionen von denen«, fügte sein Bruder hinzu.

»Ihr schaut die nicht mal an, ist das klar?«, befahl Shirley. »Ihr atmet nicht mal in die Richtung von den Hunden, verstanden?«

Die Jungen nickten feierlich und rannten dann zum Nachbarhaus, wo die Tür aufging und eine rundliche

Frau mit weit ausgebreiteten Armen erschien. Die Jungs warfen sich in die Umarmung, und die Frau drückte die beiden liebevoll an ihren voluminösen Busen.

»Ich bin rechtzeitig fürs Abendessen zurück, okay, Mrs Hegarthy?«, rief Shirley hinüber.

Die Nachbarin nickte, winkte Shirley zu und verschwand mit den Kindern im Haus. Marianne fielen Mrs Hegarthys Augenbrauen auf, die in ihrem ansonsten recht fahlen Gesicht sehr üppig und dunkel wirkten.

»Bezahlst du sie mit Augenbrauen?«, erkundigte sich Marianne.

Shirley nickte. »Meistens, ja.«

Marianne stellte den Motor ab, aber Shirley machte keine Anstalten auszusteigen. »Hugh hat gesagt, wir können bei ihm lernen«, erklärte sie. »Ich arbeite später in seinem Salon, der ist bei ihm im Garten.«

»Wir können aber auch bei dir lernen, und ich setze dich danach bei Hugh ab«, schlug Marianne vor. Sie stellte sich Hughs Haus kolossal unaufgeräumt vor, wusste aber eigentlich nicht, warum.

Shirley warf einen Blick auf ihr Haus und schüttelte den Kopf. »Früher hab ich es geliebt. Bin da eingezogen, als ich es endlich geschafft hatte, meinen Ex zu verlassen und mit dem Trinken aufzuhören. Ist schon eine Rumpelbude, aber es war meine Rumpelbude, verstehst du? Die mir und den Jungs gehört.«

Marianne nickte. Das verstand sie nur allzu gut.

»Aber jetzt, wo ich weiß, dass wir rausmüssen, will ich gar nicht mehr dort sein.«

»Das steht doch noch gar nicht fest«, wandte Marianne ein. »Rita denkt, dass die Protestaktion …«

»Komm schon, Marianne«, sagte Shirley. »Du scheinst doch eine recht schlaue Frau zu sein. Nicht böse gemeint.«

»Schon klar.«

»Ein Haufen Ex-Alkis, die Slogans brüllen und selbst gebastelte Schilder hochhalten? Das kommt doch nirgendwo auf die Titelseite.«

Marianne musste sich eingestehen, dass die Einschätzung wohl realistisch war.

»Und der Vermieter ist gleichzeitig Bauunternehmer«, fuhr Shirley fort, »dem gehört die ganze Häuserzeile. Die will er räumen, plattmachen und Apartmenthäuser da bauen. Hat überall die Finger drin und schmeißt mit Geld um sich, bei Politikern und Großunternehmern – stecken ja alle unter einer Decke –, um seine Ziele durchzusetzen. So sieht's aus.« Sie hielt inne und fügte dann hinzu: »Was Mathe angeht, hoffe ich nur, dass du mehr Geduld hast als ich.«

»Geduld ist überhaupt nicht meine Stärke«, erwiderte Marianne.

Shirley warf ihr einen Seitenblick zu. »Machst du dich lustig über mich?«

»Eigentlich nicht.«

Shirley zuckte mit den Schultern. »Ist ja auch egal. Solange du eine gute Lehrerin bist …«

»Ich habe noch nie jemandem außer mir selbst Infinitesimalrechnung beigebracht.«

»Aber du kapierst die jedenfalls?«

»Ich liebe sie«, entfuhr es Marianne unwillkürlich.

»Ach du Scheiße«, war alles, was Shirley darauf zu erwidern wusste.

Hugh wohnte in einem kleinen Cottage in Rush am Ende der Sandy Lane. Das Häuschen erinnerte an Kinderzeichnungen, mit einer roten Haustür, flankiert von zwei kleinen Fenstern, innen fast komplett mit Büchern zugestellt. Als Marianne auf das Haus zuging, fiel ihr auf, dass der Putz mit Muscheln verziert war. Der Garten wirkte ziemlich verwildert, hohe Gräser schwankten im Wind, dazwischen leuchteten Heidepflanzen, lila, grün und gelb. Auf einer robusten Holzbank hockte ein dicker Kater, der Marianne anstarrte und dann mit der Schwanzspitze zuckte und wegschaute, als habe er genug gesehen.

Shirley tastete den oberen Türrahmen ab, bis sie einen Schlüssel gefunden hatte, mit dem sie aufschloss.

»Fort Knox ist das ja nicht gerade«, bemerkte Marianne.

»Hier gibt's nichts zu klauen«, erklärte Shirley, als sie ins Haus ging. »Nur Bücher.«

Marianne folgte ihr in ein kleines rechteckiges Wohnzimmer mit einer riesigen braunen Ledercouch, auf der Kissen verstreut waren. Eine Tartan-Wolldecke lag auf der Lehne. In einem Alkoven stand ein schwarzer Holzofen, in dem ein Feuer loderte. Eine der schmaleren Wände war vollkommen verdeckt von einem Regal voller Bücher, überwiegend Klassiker, wie Marianne feststellte. In der Mitte des Raums ein wunderschöner schlichter Tisch – Buchenholz, vermutete Marianne – mit zwei Sitzbänken.

Wahrscheinlich Patricks Werk.

»Möchtest du Tee?«, fragte Shirley.

»Lass uns lieber anfangen.« Marianne stellte ihre Handtasche auf den Tisch, nahm ein Notizbuch von Tante Pearl heraus – »Nur als Leihgabe, damit das klar ist«, hatte Pearl erklärt – und den Füller, den Marianne Brian zum dritten Hochzeitstag geschenkt hatte. Sie hatte immer geglaubt, er habe den Füller gemocht, ihn dann aber nach Brians Auszug unter der Kommode gefunden.

Marianne nahm die Kappe des Füllers ab. Sie würde ihn jedenfalls benutzen.

Sie setzte sich und rückte ein Stück weg, als Shirley sich dicht neben ihr niederließ. Der Rücken des Notizbuchs knackte, als Marianne es aufschlug. Sie räusperte sich und begann: »Also, Infinitesimalrechnung macht großen Spaß, weil …«

»Im Ernst, hörst du eigentlich, was du da redest?«, fiel Shirley ihr ins Wort.

»Ich …«

»Egal, kümmer dich nicht um mich«, sagte Shirley und berührte Mariannes Ellbogen mit ihrem. »Wenn ich in der Schule geglaubt hätte, dass das Spaß macht, wäre vielleicht alles besser gelaufen.«

»Spaß ist vielleicht das falsche Wort«, gab Marianne zu und zog ihren Ellbogen weg. »Wäre passender zu sagen: Sie ist faszinierend.«

»Okay.« Shirley klang zweifelnd.

Marianne versuchte eine andere Taktik. »Bei der Infinitesimalrechnung geht es eigentlich nur um Veränderung«, sagte sie.

»Ähm … Veränderung?«

Marianne nickte. »Es ist die Rechenart, mit der man Veränderungen erfasst. Und Wachstum. Deine Jungs zum Beispiel.«

»O… kay…«

»Die wachsen doch ständig, nicht?«

»Ist auch besser so, bei den Unmengen Cheerios, die die in sich reinstopfen.«

»Misst du die beiden regelmäßig? An der Wand zum Beispiel?«

»Na klar.« Shirley griff nach ihrem Handy, das immer in Reichweite war, tippte auf ein paar Tasten und zeigte das Display dann Marianne.

»Super. Mit der Infinitesimalrechnung können wir das Wachstum der Jungs und die dafür notwendige Zeit auf einer Tabelle erfassen. Schau.« Marianne begann ein Raster zu zeichnen. Shirley zeigte Anzeichen von Interesse, als sie zusah.

»Dieser Tabelle können wir dann diverse Informationen entnehmen«, fuhr Marianne fort. »Zum Beispiel, welcher der beiden Jungs schneller wächst.«

»Bestimmt Sheldon, oder? Der hat überall die Nase vorn, das Kerlchen.«

»Nein, es ist Harrison.«

»Auweia, dann gibt's Stress bei den beiden«, sagte

Shirley unheilverkündend. »Und sag mal, kann man durch die Tabelle auch erfahren, ob die sich jemals die Zähne putzen werden, ohne dass ich mit dem Holzlöffel drohen muss?«

»Infinitesimalrechnung ist großartig, hat aber auch ihre Grenzen«, musste Marianne zugeben.

Sie arbeiteten etwa eine Stunde, danach stellte Marianne Shirley eine Aufgabe, bei der sie einen Raum für die Legosteine der Jungs in deren Schlafzimmer errechnen musste. Während Shirley rechnete, lehnte Marianne sich entspannt zurück. Nur das Kratzen der Füllerfeder auf dem Papier, das Knistern der Holzscheite im Feuer und das Schnurren des Katers war zu hören, der auf Mariannes Füßen eingeschlafen war. Sie hatte ein paarmal erfolglos versucht, ihn wegzuschieben, musste jetzt aber zugeben, dass sich ihre Füße, die wegen mangelhafter Durchblutung oft kalt waren, mollig warm anfühlten.

»Tada!«, rief Shirley schließlich und schob Marianne das Notizbuch hin. »Hab's gewuppt!«

Shirleys Handschrift wirkte so kindlich, dass Marianne einen unangenehmen Stich im Herzen verspürte. Die runden ordentlichen Buchstaben und Zahlen schienen Hoffnung auszustrahlen, Vertrauen in Mariannes Fähigkeit, die Lage zu retten.

Vielleicht konnte das wirklich gelingen? Zumindest was Mathematik betraf?

»Du hast es tatsächlich … gewuppt«, sagte Marianne, worauf Shirley übers ganze Gesicht strahlte. »Was wollen wir uns als Nächstes vornehmen?«

»Teepause«, antwortete Shirley. »Haha, alberne Antwort. Apropos albern: Shakespeare find ich nur albern und überhaupt nicht witzig.«

»Du magst Shakespeare nicht?«

»Hugh meint, vieles sei lustig in seinen Stücken, aber ich musste kein einziges Mal lachen, als ich *Hamlet* gelesen habe. Humor sei eben zu allen Zeiten anders, sagt Hugh. Aber ganz ehrlich, ich finde: Entweder irgendwas ist witzig oder eben nicht. Egal in welchem Jahrhundert.«

»Hugh mag Shakespeare also?«, fragte Marianne.

Shirley nickte. »War aber auch nicht immer so. Als er noch in der Schule war, fand er den furzlangweilig.« Sie marschierte in die Küche, um Tee zu kochen.

»Soll ich mir Hausaufgaben für dich überlegen?«, rief Marianne ihr nach.

»Wär super, ja«, kam die Antwort, die Marianne ziemlich erstaunte. Das Wort »super« war für Shirley außergewöhnlich enthusiastisch.

Als habe sie gespürt, dass noch eine Erklärung nötig war, spähte sie jetzt aus der Küche. »Wenn die Jungs im Bett sind, bin ich froh, wenn ich was zu tun habe. Ist so still im Haus, wenn die beiden nicht mehr überall rumtoben.« Sie verschwand wieder, und Marianne hörte, wie Schränke geöffnet wurden.

»Hab Schokolade gefunden«, verkündete Shirley dann. »Aber nur dunkle mit … ach du Scheiße, Chili! Magst du so was?«

»Ähm, aber müssten wir Hugh nicht fragen?«

Shirley spähte wieder durch die Tür, breit grinsend. »Nö. Er sagt, ich sei der Hauptgrund, warum er nicht fett wird. Ich sei so was wie eine Darmspülung.« Sie warf Marianne ein großes Stück zu, und die fing es mit einer Hand.

»Hammer«, sagte Shirley. »Hätte dich nicht für sportlich gehalten.«

»In der Schule sollte ich in der Lacrosse-Mannschaft mitspielen«, sagte Marianne nicht ohne einen gewissen Stolz. »Habe es dann aber doch nicht gemacht.«

»Warum nicht?«

»Die Technik habe ich perfekt beherrscht, ich konnte gut werfen und fangen und alles. Aber … ich bin kein Mannschaftstyp, verstehst du?«

Shirley nickte. »Den Tee ohne Milch und Zucker, stimmt's?«, fragte sie.

»Ja, danke.«

Als Shirley mit zwei Bechern Tee wieder aus der Küche erschien, kam Hugh durch eine Hintertür herein, worauf das Wohnzimmer sofort kleiner wirkte. Er grinste Marianne an, die versuchte, schnell die Schokolade zu zerkauen, die sie sich gerade in den Mund gestopft hatte.

»Ihr seid ja beide noch heil«, stellte Hugh fest.

»Infinitesimalrechnung ist gar nicht so übel«, erklärte Shirley und ließ sich im Schneidersitz vor dem Ofen nieder.

»Hört, hört. Und das aus dem Mund einer Person, die letzte Woche noch gedroht hat, die Büste von Isaac

Newton im altehrwürdigen Trinity College zu zerstören«, erwiderte Hugh. Inzwischen war es Marianne gelungen, ihren Mund zu leeren, und sie fragte mit Blick auf Hughs Kilt: »Ist dir nicht kalt?« Heute trug er weder Socken noch Stiefel, sondern rosa Flip-Flops. Marianne fiel auf, dass sie sich peinlicherweise fast wie Tante Pearl anhörte.

»Ich spüre Kälte nicht so«, antwortete Hugh. »Außerdem zerren Hosen immer so an meinen Beinhaaren.«

Marianne wagte einen genaueren Blick auf Hughs Beine, die wohlgeformt und muskulös und reichlich mit geringelten rotblonden Haaren bedeckt waren.

»Hab dir doch Wachsentfernung angeboten«, äußerte Shirley.

»Und ich habe das liebenswürdige Angebot abgelehnt«, erwiderte Hugh und wich zurück.

»Angsthase«, kommentierte Shirley.

»Schon möglich.« Er strich sich eine Haarsträhne aus dem Gesicht. »Wollte dir nur sagen, dass Mrs O'Driscoll da ist und darauf besteht, dass du ihr die Haare machst. Ich hatte mich angeboten, aber sie lässt sich nicht umstimmen.«

»Die will nur ihre blöde lila Haarfarbe«, sagte Shirley seufzend. »Das könnte sogar Harrison.«

»Wir sind auch fast fertig«, erklärte Marianne und stand vom Tisch auf.

»Lasst euch ruhig Zeit«, sagte Hugh und sah sie mit einem Blick an, der Wegschauen unmöglich machte. Vielleicht lag es an Hughs Augenfarbe. Grün wie

Katzenaugen und irgendwie hypnotisch. »Ich habe Mrs O'Driscoll einen Tee versprochen und ihr ein Sonderheft über die Royals in die Hand gedrückt, jetzt ist sie erst mal für ein Weilchen beschäftigt.«

Hughs Blick richtete sich auf Mariannes Lippen, die er so eingehend betrachtete, dass ihr unbehaglich wurde. »Ah, Shirley hat wieder meinen Schokovorrat entdeckt«, sagte er.

»Oh.« Marianne wischte sich hastig über den Mund, der offenbar verräterische Flecken aufwies.

»Köstliche Kombi, oder? Schokolade und Chili?«

»Ich … ersetze sie dir«, stotterte Marianne.

»Nicht nötig«, erwiderte Hugh und wandte sich zur Tür. »Du darfst mich stattdessen mal zum Eiskaffee einladen.«

»Ich trinke keinen kalten Kaffee.«

»Dann lassen wir deinen aufwärmen.« Er lächelte Marianne noch einmal an, bevor er hinausging.

»Dicke Luft, ey, Pheromone ohne Ende hier«, sagte Shirley und wedelte mit den Händen, als müsse sie Gerüche vertreiben. Dann sah sie Marianne grinsend an. »Obwohl – seid ihr nicht ein bisschen zu alt für so was? Nicht böse gemeint.«

»Ich auf jeden Fall«, antwortete Marianne, in der Hoffnung, das Thema damit zu beenden.

»Und Hugh auch, der ist schon achtunddreißig.« Sie zog bedeutsam die Augenbrauen hoch.

Marianne riss eine Seite aus dem Notizbuch, auf der sie mit ihrer akkuraten Schrift eine Liste vermerkt hatte.

»Hier, deine Hausaufgaben«, verkündete sie entschieden und hielt das Blatt Shirley hin.

»Obwohl man ja sagen muss«, fuhr Shirley so ungerührt fort, als hätte sie den versuchten Themawechsel nicht bemerkt, »dass unsere Kundschaft hauptsächlich Frauen sind, und die flirten ständig mit Hugh und geben hohe Trinkgelder. Weil er die mit mir teilt, sag ich auch nichts wegen der schamlosen Objektifizierung von ihm.«

»Falls es Probleme mit den Aufgaben gibt, kannst du …«

»Eine Frau – also, die muss schon mindestens fünfunddreißig sein – hat ihn ganz direkt gefragt. Ich war zwar grade hinten, hab es aber deutlich gehört.« Shirley schauderte. »Und Hugh war total nett zu ihr, der Blödel. Hat aber trotzdem eindeutig abgelehnt. Ich hab zu Anfang gedacht, er sei schwul, weißt du, wegen dem Kilt und so. Aber nee, er liest einfach gern und will ständig was Neues lernen.« Shirley fixierte Marianne finster, damit sie zuhörte. Was sie auch tat, etwas anderes hätte sie gar nicht gewagt. »Ich meine, der liest Gedichte und Theaterstücke und so ein Zeug. Einfach aus Spaß.«

Shirley wirkte so fassungslos, dass Marianne zuerst nichts zu erwidern wusste. Schließlich sagte sie: »Na ja, weißt du, wenn du erst deine Prüfung geschafft hast, hast du vielleicht auch ein anderes Verhältnis zum Lernen.«

Shirley warf ihr einen vernichtenden Blick zu.

»Wieso willst du eigentlich überhaupt den höheren Schulabschluss machen?«, fragte Marianne. »Du willst doch ohnehin Friseurin werden, oder?«

Shirley zuckte mit den Schultern. »Einfach um mir zu beweisen, dass ich es schaffen kann. Hab in der Schule keinen Finger gerührt. Hatte nichts als Jungs im Kopf. Und hab gesoffen. Nur bescheuert.«

»Bist du denn gern Friseurin?«, fragte Marianne.

Shirley nickte. »Ich mach die Arbeit total gern. Und kann auch gut mit Leuten umgehen ... also das passt schon.«

Marianne nickte.

Shirley grinste unvermittelt. »Wart's nur ab, bis die mitkriegen, dass er ein Date mit dir will.«

»Das hat er nicht gesagt!«, wehrte Marianne empört ab.

»Schon gut, schon gut, reg dich ab.« Shirley hob abwehrend die Hände.

»Und ich lasse mich ohnehin nicht auf Dates ein. Hab ich noch nie gemacht.«

»Wie, ich dachte, du warst verheiratet?«, fragte Shirley.

»Ich *bin* verheiratet.« Marianne hatte keine Ahnung, weshalb sie auf dieser Korrektur bestand. Ihre Ehe gehörte ebenso der Vergangenheit an wie die Selbsthilfebücher ihrer Großeltern.

»Und du hattest keine Dates mit deinem späteren Mann?«, fragte Shirley fassungslos.

Marianne schüttelte den Kopf.

»Nicht mal kurz vor eurer Hochzeit?«

»Nein. Wir haben uns in der Firma unterhalten und manchmal zusammen zu Mittag gegessen. Oder sind spazieren gegangen.«

»Hör bloß auf, mir wird ganz übel von dem schmalzigen Kitsch«, sagte Shirley.

»Es ging aber gut«, erwiderte Marianne. »Also … dachte ich jedenfalls.«

»Und da hab ich geglaubt, unser Traumpärchen hätte eine dysfunktionale Beziehung.« Shirley verdrehte die Augen. »Dagegen sind die beiden ja die reinsten Turteltauben, wenn ich mir deine Geschichte so anhöre.«

»Wen meinst du?«, fragte Marianne.

»Freddy und Bartholomew.« Shirley griff nach den leeren Bechern, und Marianne folgte ihr in die Küche.

»Sind die beiden denn ein Paar?«

Shirley drehte den Wasserhahn auf und wusch die beiden Becher ab. »Ja, waren sie schon. Jedenfalls als Freddy noch getrunken hat.« Sie stellte die Becher aufs Abtropfbrett. »Haben sich kennengelernt, als Bartholomew mit seiner Laientheatergruppe Kostüme in Freddys Laden ausgeliehen hat. Die beiden waren total süß zusammen – solange Freddy reichlich was intus hatte. Und dann: BUMM.« Shirley klatschte in die Hände, und Marianne zuckte zusammen. »Eines Abends ist Freddy sturzbesoffen im Laden, qualmt wie ein Schlot, schmeißt ein Streichholz auf den Boden und steckt damit das Kostüm vom Feigen Löwen in Brand.«

»Absichtlich?« Marianne war wider Willen fasziniert von der Geschichte.

Shirley verdrehte die Augen. »Nee, du Dummie, wieso sollte er so was tun. Der hat total Angst vor seiner Mutter.«

»Ach so.« Marianne kam sich ziemlich dämlich vor.

»Du hast ja Glück mit deiner Mama«, sagte Shirley leise. »Rita ist so gut für Freddy. Für uns alle.«

»*Glück* würde ich das nicht nennen«, murmelte Marianne mürrisch.

»Danach jedenfalls«, fuhr Shirley fort und ging ins Wohnzimmer zurück, »hat Freddys Mutter einen Aufstand gemacht. Hat gedroht, ihn zu enterben, wenn er nicht mit dem Trinken aufhört. Bartholomew hat ihn in die Gruppe mitgenommen, aber seit Freddy nüchtern ist, kommt er nicht mehr mit ihm klar. Jetzt müssen wir die beiden Streithähne eben ertragen. Führen sich auf wie in den kitschigen Liebesromanen. Wenn zwei sich immer versuchen einzureden, dass sie sich hassen, weißt du?«

Marianne schüttelte den Kopf. »Solche Romane kenne ich nicht.«

»Und da behauptet Hugh, du seist belesen«, erwiderte Shirley grinsend. Sie trat zum Tisch und packte das Mathebuch und ihr Federmäppchen in den *Star-Wars*-Schulranzen. »Wenn du dir mal Liebesromane gegönnt hättest, wüsstest du auch, dass man erst mal mit seinem Typen Dates hat.« Sie setzte den Schulranzen auf, nahm ihre Jacke und öffnete die Haustür. »Du musst jetzt gehen.«

»Oh.« Marianne stand hastig auf und griff nach ihrer Tasche. »Willst du noch mal so ein Treffen? Irgendwann?«

»Nur wenn du versprichst, dass es so viel Spaß macht wie heute.« Shirley sah sie abwartend an, die Augenbrauen hochgezogen.

Marianne zögerte kurz. »Du machst dich jetzt über mich lustig, oder?«

»Ein bisschen. Aber nein, im Ernst: gerne. Wenn es okay für dich ist?«

»Ist es.«

»Cool.« Shirley ballte die Faust und boxte Marianne auf den Oberarm. Weil sie den Eindruck hatte, dass etwas von ihr erwartet wurde, schlug sie Shirley auch mit der Faust auf den Oberarm.

»Aua!«, schrie Shirley. »Das hat richtig wehgetan!«

»Entschuldige bitte, ich …« Dann verstummte Marianne, weil sie nicht wusste, was sie sagen sollte. Oder tun. Sie wusste es eigentlich nie. Das strengte sie furchtbar an, dieses ewige Ausprobieren und Scheitern.

Shirley grinste. »Hoffentlich schmerzt der Arm jetzt nicht so, dass ich die lila Farbe vermassle.« Sie wies mit dem Kopf auf die Hintertür. »Willst du den Salon mal sehen? Ist im Garten.«

Marianne schüttelte den Kopf. »Ich geh jetzt lieber.«

»Und übrigens«, fügte Shirley hinzu, »kann ich Infinitesimalrechnung immer noch nicht leiden. Aber sie macht mich nicht mehr so wahnsinnig wütend.«

»Das ist doch schon mal ein guter Anfang«, sagte Marianne lächelnd.

Als sie rausgegangen war, schlug Shirley mit einem Knall die Tür hinter ihr zu. Aber inzwischen wusste Marianne, dass Shirley das nicht machte, weil sie wütend auf Mathematik oder irgendetwas anderes war.

Es war einfach ihre Art, Türen zu schließen.

15

Den Kleiderschrank im Schlafzimmer öffnete Marianne kein zweites Mal.

Stattdessen stellte sie ihre beiden Koffer offen links und rechts neben die Zimmertür und nahm ihre Sachen heraus, bis der eine komplett leer war und der andere nur noch die kleine Eule enthielt, jetzt nicht mehr in Küchenpapier, Strumpf, Pantoffel, Handtuch und Strickjacke gehüllt, sondern nur noch in Seidenpapier. Es raschelte leicht, als Marianne die Figur an diesem Morgen auspackte. »Ist das ein Eulenbaby?«, hatte Flo gefragt, als sie die Figur zum zehnten Geburtstag von Marianne bekommen hatte. Nein, hatte sie geantwortet, das sei eine große, erwachsene Eule.

Das hatte Flo gefallen. Sie hatte auch immer groß und erwachsen sein wollen, hatte es gehasst, ständig als die Kleine, das Nesthäkchen, zu gelten. Manchmal hatte sie sich beklagt und gesagt, Marianne behandle sie wie ein Baby. Womit sie vielleicht sogar ein bisschen recht gehabt hatte.

Flo war ein ausgeglichenes und zufriedenes Baby gewesen, hatte selten geweint. Wenn es dann vorkam, hatte Marianne immer mitgeweint, obwohl sie damals schon sechs war. Das hatte vielleicht etwas mit Flos Tränen zu tun gehabt, die viel zu groß für so ein kleines Wesen zu sein schienen.

»Wie soll sie heißen?«, fragte Marianne damals, als Flo die Eule am Morgen ihres zehnten Geburtstags auspackte.

»Weiß ich noch nicht«, antwortete Flo und hielt die Figur Bruno vors Gesicht, der sie ableckte.

Die Eule hatte nie einen Namen bekommen. Marianne stellte sie auf ihren Nachttisch, drehte sie dann aber um, weil sie so einen melancholischen Blick hatte.

In der Waschküche stopfte Marianne ihre Kleidung in den antiquierten Toplader und gab einen Messlöffel Waschpulver dazu. Sicherheitshalber fügte sie noch eine zweite Portion hinzu, weil ihre Sachen – hauptsächlich Jogginghosen und Fleecejacken – komplett verschmutzt waren mit Sand, Schlamm, Hundehaaren und Sabber von George. Sie rochen auch unangenehm, feucht und salzig. Dann schaltete sie das Gerät ein, das sich mühsam ächzend und ruckelnd in Bewegung setzte.

In der Küche schüttete Rita gerade Mehl auf den Tisch und begann schwungvoll einen großen Teigklumpen zu kneten.

»Guten Morgen, Marnie!«, rief sie und hielt inne, um ihre E-Zigarette aus der Schürzentasche zu nehmen und geräuschvoll daran zu saugen.

Marianne tastete sich durch den Nebel, schlug am Tisch Tante Pearls Zeitung auf und suchte nach den Stellenanzeigen. Dann nahm sie einen Stift und begann zu lesen, obwohl sie niemals etwas anderes als Buchhaltung gemacht hatte. Sollte sie sich für einen Job als Rezeptionistin bewerben? Nein, da gehörte »Kommunikationsstärke« zu den Voraussetzungen. Marianne strich die Anzeige durch. Ein Café suchte eine »Servicekraft mit Gastronomieerfahrung«. Auch ein Fall zum Durchstreichen.

»Du hast erst mal keine Zeit für einen Job, Marnie«, verkündete Rita und rieb eine alte Whiskeyflasche mit Mehl ein. Marianne strich ein Angebot für Dogwalking aus. George auszuführen war schon gefährlich genug. »Was meinst du damit?«, fragte sie und blickte argwöhnisch auf.

»Ich brauche deine Hilfe«, erklärte Rita keuchend, während sie sich auf die Flasche stemmte, um den Teig auszurollen.

»Ich helfe doch schon«, erwiderte Marianne. »Ich chauffiere deine Truppe durch die Gegend. Shirley spannt mich für Mathenachhilfe ein. George verlangt ständig irgendwas von mir. Ganz zu schweigen von Pearl, die Möbel umstellen will und …«

»Du musst diese Woche mitmachen bei den Alles-wird-gut-Treffen.« Rita hob die kreisrunde Teigplatte hoch und drückte sie in eine Pie-Backform.

»Nein«, sagte Marianne. »Und dieses Nein bedeutet wirklich: nein, unter gar keinen Umständen.«

Rita reckte den Kopf hoch. »Könntest du mich bitte mal an der Nase kratzen, Schätzchen? Ich habe Mehl an den Händen.«

»Ach herrje«, murrte Marianne und strich mit den Fingerspitzen über Ritas Nasenrücken. Aus dieser Nähe sah sie die dicken Mascara-Schichten auf den Wimpern ihrer Mutter.

»Nur für ein paar Tage«, sagte Rita munter. »Wir brauchen Hilfe bei den Vorbereitungen für die Demo wegen Shirleys Haus.«

»Nein.«

»Wir wollen Plakate machen«, fuhr Rita fort, als hätte sich Marianne interessiert erkundigt. »Und meine Leutchen sind zauberhaft, aber künstlerisch und handwerklich sind sie nicht so versiert.«

»Ich auch nicht.«

Rita sah ihre Tochter an. »Aber du machst immer alles so … akkurat.«

»Kommt nicht infrage.« Marianne verschränkte entschieden die Arme vor der Brust.

»Aber du suchst doch einen Job«, wandte Rita ein und nickte Richtung Zeitung. »Das ist einer.«

»Ich suche nach einem bezahlten Job.«

»Okay, du wirst nicht bezahlt«, räumte Rita ein. »Aber dafür brauchst du auch keine Vorerfahrung. Und ich bin bereit, deine kriminelle Vergangenheit zu übersehen.«

»Das ist nicht witzig«, knurrte Marianne.

»Doch, ein klein bisschen schon, finde ich.«

Marianne seufzte.

»Also, machst du es?« Rita nahm drei riesige, bizarr geformte Kochäpfel aus einer Schale.

»Was soll sie machen?«, fragte Tante Pearl, die plötzlich neben Marianne stand. Worauf sie so erschrak, dass sie sich den Ellbogen am Kühlschrank stieß.

»Marianne hat eingewilligt, an den Alles-wird-gut-Treffen teilzunehmen.«

»Nur für zwei Tage«, betonte Marianne.

»Oder eine Woche vielleicht«, ergänzte Rita.

Marianne wollte das gerade richtigstellen, als Pearl beinahe begeistert flötete: »Das ist gut!« Beide Frauen starrten sie verblüfft an, worauf Pearl eilig hinzufügte: »Müßiggang ist aller Laster Anfang.«

16

Es stellte sich heraus, dass Rita recht hatte: Marianne erwies sich beim Anfertigen der Protestschilder als sehr geschickt. Das wunderte sie selbst, da sie sich schon in der Grundschule verweigert und verkündet hatte, Malen und Basteln seien langweilig. Aber jetzt gelang es ihr recht passabel, den Auftrag zu erfüllen, den Sheldon ihr am Samstagmorgen erteilte: das Papier zwischen den Zeilen zu kolorieren.

Sheldon agierte als selbst ernannter Plakatmaler und schrieb die Buchstaben in »Blubberschrift«, wie er erklärte. Harrison bestand darauf, jeden Buchstaben in einer anderen Farbe zu gestalten. Marianne fand, das sähe kindisch aus, behielt ihre Meinung aber für sich, da ihre engen Mitarbeiter tatsächlich Kinder waren.

Bartholomew zeigte sich dankbar für die Beschäftigung, weil sie ihn von dem Vorstellungsgespräch ablenkte, dem er zunehmend pessimistisch entgegensah.

»Sei einfach du selbst, mein Lieber«, riet Ethel.

»Wieso sollte ich das tun, um Himmels willen?«, fragte Bartholomew entsetzt.

»Marianne hat Erfahrung mit Vorstellungsgesprächen«, ließ Rita sich vernehmen. »Nicht wahr, Liebling?«

»Hast du nicht gesagt, du warst Buchhalterin?«, fragte Shirley misstrauisch.

»Bin ich immer noch«, erwiderte Marianne gereizt.

»Wie viele Leute hast du denn befragt?«, wollte Bartholomew wissen.

»Nur zwei. Und das in einem Zeitraum von fünfundzwanzig Jahren. Ich habe versucht, so was zu vermeiden.«

»Hast du schon mal jemanden gefeuert?«, fragte Freddy und betrachtete Marianne forschend.

»Natürlich nicht«, verkündete Ethel entrüstet, und Marianne fragte sich, woher sie das wissen wollte.

»Könntest du mir vielleicht … ein paar Tipps geben?«, fragte Bartholomew jetzt mit hoffnungsvollem Blick.

Marianne schüttelte den Kopf. »Ich bin wirklich keine Expertin für interpersonale Kompetenz, Bartholomew.«

»Mag ja sein, aber du bist der einzige Mensch mit Erfahrung, den ich kenne. Also, hau rein!«

Freddy schnaubte. »Uh, so peinlich, wenn du versuchst Jugendsprache zu sprechen. Und auch noch falsch!«

»Ein paar Sachen könnten wir schon bereden«, sagte Marianne schnell, bevor Bartholomew reagieren konnte. »Vorerfahrung zum Beispiel. Alle Zusatzqualifikationen, die nützlich …«

»Als Platzanweiser braucht man so was nicht«, fiel Freddy ihr ins Wort. »Da muss man nur lächeln und auf den Sitz deuten können.«

»Das stimmt überhaupt nicht!«, zischte Bartholomew. »Ich wäre das Bindeglied zwischen Theater, Ensemble und Publikum, das ist eine ganz wichtige Rolle!«

»*Das* ist auch eine wichtige Rolle.« Shirley drückte ihm Papier und Karton in die Hand.

Bartholomew seufzte, zog sein Sakko aus und hängte es sorgfältig über eine Stuhllehne. Danach legte er seine Manschettenknöpfe aufs Fensterbrett, rollte die Ärmel hoch und machte sich daran, die bemalten Blätter auf den Karton zu kleben.

Patricks Aufgabe bestand darin, die Stangen an den Plakaten zu befestigen.

Und Marianne hatte sich selbst eine weitere Tätigkeit zugeteilt: Sheldons Rechtschreibfehler zu korrigieren, ohne dass er es merkte.

Dafür hatte sie gemeinsam mit Bartholomew eine Taktik entwickelt. Wenn Sheldon ihm ein fertiges Blatt mit Fehler brachte, reichte Bartholomew es unter dem Tisch an Marianne weiter, die es in ihrem Hoodie verschwinden ließ und dann munter erklärte: »Bin gleich wieder da, muss nur mal rasch zum Klo.«

»Du musst aber oft«, bemerkte Sheldon.

»Ähm, ja.«

»Zum Glück muss ich nicht so oft«, erklärte Harrison. »Dann müsste ich mir ja Millionen Mal die Hände waschen.«

Auf der Toilette machte Marianne sich mit Tipp-Ex ans Werk und überpinselte die Fehler. Sobald das Tipp-

Ex getrocknet war, ersetzte Marianne die Buchstaben fein säuberlich mit Blubberschrift, damit Sheldon keinen Verdacht schöpfte.

»Danke übrigens«, sagte Shirley am nächsten Tag, als Marianne sie nach Hause fuhr. Die Mathestunde hatte diesmal in der Küche von Ancaire stattgefunden, wo es noch nach den Macarons duftete, die beim Treffen zum Zankapfel geworden waren. Die vorhandene Menge hatte sich nämlich nicht gerecht durch die Anzahl der Interessenten teilen lassen.

Marianne zuckte mit den Schultern. »Ich mag Mathe eben gern.«

»Ich rede nicht von Mathe«, erwiderte Shirley.

»Ach so?«

»Sondern von den Jungs. Du bist so nett zu denen«, sagte Shirley und schaute aus dem Fenster, als rede sie mit sich selbst. »Sheldon ist Legastheniker und ... ich hab gesehen, wie du gestern mit ihm umgegangen bist.«

»Sind ja auch nette Jungs«, erwiderte Marianne nur.

Shirley nickte grinsend. »Nicht immer, aber meistens schon, ja.«

Sobald Marianne vor Mrs Hegarthys Haus hielt, wurde die Tür aufgerissen, und die beiden Jungs stürmten heraus. Hinter ihnen kam die recht erschöpft wirkende Nachbarin in Sicht. Sheldon und Harrison, in identischen Fußballtrikots, rasten auf den Jeep zu. Shirley warf Marianne einen Blick zu.

»Sehen wir uns morgen wieder?«

Marianne nickte. »Abgemacht.«

Shirley stieg aus und versuchte im Gleichgewicht zu bleiben, als sich beide Jungs mit Karacho auf sie hechteten und sie umklammerten. George zwängte sich nach vorne auf den Beifahrersitz und kratzte am Fenster, was bedeutete, dass Marianne es öffnen sollte. Als der Hund den Kopf hinausstreckte, ließen die Jungs von ihrer Mutter ab und kraulten begeistert mit ihren klebrigen Händen Georges Fell.

»Morgen bring ich ihm bei, die Hand zu geben«, verkündete Harrison.

»Er hat keine Hände, du Dummie«, erwiderte sein Bruder. »Ein Hund hat *Pfoten*.«

»Sind doch genauso wie Hände«, sagte Harrison gekränkt. »Stimmt's, Marnie?«

Marianne stockte der Atem, weil sie plötzlich im Rückspiegel Flo hinten sitzen sah, auf einem dicken Kissen vom Sessel aus dem Wohnzimmer. Marianne hatte es gemopst, damit Flo aus dem Fenster schauen konnte, denn sie war klein gewesen für ihr Alter. Ihre Schwester dagegen war wegen ihrer Größe immer für älter geschätzt worden. Flo hatte eine Butterblume in der Hand und hielt sie hoch. »Guck mal, so gelb wie Butter, Marnie!«, rief sie.

»Stimmt's, Marnie?«, wiederholte Harrison.

»Marnie?«

»Alles okay, Marianne?«

Shirley beugte sich an George vorbei durchs Fenster und legte Marianne die Hand auf den Arm.

Marianne atmete tief ein und nickte. »Ja, alles okay.« Dann schaute sie auf Harrison. »Ja, sind genauso wie Hände«, sagte sie zu dem Jungen, auch wenn dieser Sachverhalt strittig war.

Als der Kleine strahlte, sagte Marianne zu Shirley: »Wenn er lächelt, ist er dir wie aus dem Gesicht geschnitten.«

»Pech gehabt«, murmelte Shirley, bevor sie sich abwandte. Dann pustete sie Marianne ein Küsschen zu und nahm die Jungen an der Hand. Marianne winkte und kam sich dabei furchtbar unbeholfen vor. Aber sie spürte unwillkürlich Freude in sich bei der Vorstellung, dass Shirley und sie vielleicht Freundinnen werden könnten.

Obwohl Shirley zu dem Thema sicher so etwas gesagt hätte wie: »Du bist echt total bescheuert, Marianne. Nicht böse gemeint.«

17

Der Tag der großen Protestaktion vor Shirleys Haus begann erst einmal genau so wie alle anderen Tage, seit Marianne nach Ancaire zurückgekehrt war.

Als sie mit George nach dem Morgenausflug in die Küche kam, herrschte dort hektische Betriebsamkeit. Alle freien Flächen waren mit Brotscheiben bedeckt, die Rita im Akkord mit Butter bestrich.

»Ich bereite ein Picknick zum Lunch vor«, erklärte Rita, während sie behutsam Eierscheiben, Salatblätter und Cheddar auf die Brote legte. Darauf kam eine weitere Scheibe Brot, die mit Chutney, roten Zwiebelscheiben, Paprikastreifen und Knoblauchstücken bedeckt wurde. Ein weiteres Brot vervollständigte das Gebilde, das Rita dann mit beiden Händen zusammenquetschte und anschließend vierteilte.

Im Nachhinein war Marianne ungemein dankbar, dass Flo und ihr solche Ungetüme erspart geblieben waren, da Marianne ihren Schulimbiss selbst zubereitet hatte.

Heute war Rita in einen jadegrünen Kaschmirpulli mit U-Boot-Ausschnitt und einen Glockenrock in etlichen Rotschattierungen gewandet. Um die Taille trug sie einen breiten violetten Gürtel, der mit Strasssteinen gespickt war. Rita in diesem Outfit zu übersehen war schlechterdings unmöglich, was für die Protestaktion sicher von Vorteil war.

Jetzt wischte sich Rita die Hände an ihrer Schürze ab und trat einen Schritt zurück, um ihr kulinarisches Werk zu bewundern. »Und, was meinst du?«, fragte sie.

»Also, wenn die Demo nichts bringt, kannst du immer noch nach dem Lunch den Vermieter aufsuchen und ihn anhauchen. Das reicht sicher, um ihn zu erledigen«, antwortete Marianne.

Patrick kam herein, die Arme voller Tupperdosen. Er stellte sie ab und begann, die Sandwiches hineinzulegen. »Ich habe mehrere Thermoskannen mit Kaffee eingepackt«, erklärte er. »Und Obst und Nüsse, falls uns die Sandwiches ausgehen.«

»Und was ist mit Nachtisch?«, fragte Rita besorgt.

Patrick nickte. »Kein Problem, ich habe die Brownies dabei, die ich gestern gebacken habe.«

»Meinst du, wir haben insgesamt genug?«, fragte Rita und legte weitere Eier zum Kochen in einen Topf.

Marianne stand vom Tisch auf. »Leute, wir fahren nach Swords, nicht in die Antarktis.«

»Lässt du das da an?«, fragte Rita mit Blick auf die Kleidung ihrer Tochter.

Marianne schaute an sich herunter. Sie trug ihren dunkelblauen fleecegefütterten Anorak, der ebenso praktisch wie bequem war. Die Beine ihrer dunkelblauen Jogginghose hatte sie in dicke Wollsocken gestopft, die in Gummistiefeln für warme Füße sorgten.

»Was genau meinst du?«, fragte Marianne.

»Na ja … eigentlich alles.«

»Ja, ich lasse das da an«, antwortete Marianne gereizt. »Warum?«

»Nur so«, sagte Rita leichthin.

Patrick – dessen Kleidung natürlich nicht kommentiert wurde – wankte hinaus, beladen mit Tupperdosen, und Marianne war ihm behilflich, sie im Jeep zu verstauen. Als Patrick zum Haus zurückging, machte er einen weiten Bogen um Tante Pearl, die an der Vordertür erschienen war, gefolgt von Rita.

»Und ich muss jetzt wohl für mich selbst sorgen?«, sagte Pearl säuerlich und sah Rita und Marianne noch missbilligender an als gewöhnlich.

»Ich habe dir gesagt, dass du sehr gerne mitkommen kannst, Pearl«, erwiderte Rita, erhielt jedoch keine Antwort. »Im Kühlschrank steht ein Kartoffelomelette, das brauchst du nur kurz im Ofen …«

»Ich weiß sehr genau, wie lange man eine Tortilla aufwärmen muss«, raunzte Pearl.

Patrick kehrte mit den Protestschildern zurück, die er wie Kunstwerke in Luftpolsterfolie verpackt hatte.

»Danke, mein Goldstück!«, rief Rita, nahm sein Gesicht in beide Hände und küsste ihn auf beide Wangen.

Als Marianne erbost die Zähne zusammenbiss, stupste sie etwas am Oberschenkel. George, der mit seinen bernsteingelben Augen so ernsthaft zu ihr aufblickte, als versuche er ihre Gedanken zu erraten.

»Ich denke nichts Gutes, George«, raunte sie und legte dem Hund unvorsichtigerweise die Hand auf den Kopf. »Nein, nicht ablecken, George, lass das! Ich hab dir doch gesagt, dass ich das nicht ausstehen kann!« Sie wischte sich die Hand an der Jogginghose ab und war dankbar für das saugfähige Material. Andere Kleidungsstücke nahmen nicht so viel Flüssigkeit auf.

Der Hund sprang jetzt im Nu in den Jeep, bevor Marianne protestieren konnte. »Nein, George, raus mit dir!«, schrie sie. »Heute kannst du nicht mitkommen, wir haben nicht genug Platz!«

»Ach, er darf schon«, widersprach Rita und beugte sich zu George, der ihr den Mund ableckte.

»Du weißt aber schon, dass er sich mit derselben Zunge die Hoden säubert, oder?«, bemerkte Marianne.

Rita lachte, als hätte ihre Tochter einen guten Witz erzählt. »Ich nehme ihn auf den Schoß.«

Als alle im Jeep verstaut waren, fuhr Marianne zum Tor. Dort hielt sie an, setzte den Blinker und schaute in beide Richtungen, bevor sie auf die Straße fuhr. An der bestimmten Stelle hielt Marianne die Luft an und gab Gas, um schneller vorbeizukommen. Niemand sagte, sie solle langsamer fahren. Überhaupt sprach niemand. Es schien fast, als ob alle die Luft anhielten.

18

Nachdem Marianne zunächst Ethel, dann Bartholomew und Freddy abgeholt hatte, fuhr sie zu Shirley. Vor dem Haus stiegen alle aus und stellten sich auf dem Gartenweg auf. Shirley kam anmarschiert wie ein Feldwebel, inspizierte die Truppe und begrüßte alle nacheinander auf ihre spezielle Art. Sie lächelte Ethel an, boxte Patrick, Bartholomew und Freddy auf den Oberarm, kraulte George, zupfte Marianne an einer Haarsträhne und küsste Rita auf die Wange.

»Wo sind denn die Jungs heute?«, wollte Ethel wissen.

»In der Schule, zum Glück.«

»Okay«, sagte Marianne und ging zum Jeep zurück. »Ich hole euch dann … was meint ihr, um welche Uhrzeit seid ihr fertig?«

»Wo willst du hin?«, fragte Rita.

»Bleibst du denn nicht?«, erkundigte sich Ethel.

»Du kannst doch jetzt nicht verschwinden!«, protestierte Bartholomew, der sich mit einem königsblauen Anzug, weißem Hemd und gepunkteter Krawatte herausgeputzt hatte.

»Er hat recht«, pflichtete Freddy ihm bei und bemerkte erst an Bartholomews Grinsen, dass er ihm versehentlich zugestimmt hatte.

Sogar George blickte irgendwie flehentlich.

»Aber ich bin nur eure Chauffeurin!«, erklärte Marianne abwehrend.

»Ich hab Lunch für dich eingepackt«, sagte Rita.

»Hättest du nicht tun müssen.«

»Du musst bleiben«, erklärte jetzt Shirley. »Weil du die Einzige bist, die halbwegs normal aussieht.« Sie wandte sich mit einem Schulterzucken zu den anderen. »Nicht böse gemeint.«

»Ich mache nicht bei Demos mit«, sagte Marianne.

»Ach herrje«, äußerte Ethel besorgt. »Ich dachte, es solle ein Sitzstreik sein. Deshalb habe ich den hier angeschafft.« Aus ihrem Einkaufstrolley brachte sie einen Klapphocker zum Vorschein. »Ich wollte mir nicht die Nieren verkühlen, indem ich um diese Jahreszeit auf dem Boden sitze«, fügte sie hinzu. »Stanley hatte sich bei einem Picknick im Hampstead Heath nämlich einmal eine furchtbare Nierenentzündung geholt.«

Rita legte Ethel beruhigend die Hand auf den Arm. »Der Sitzstreik ist erst für den Tag der Räumung geplant. Für den unwahrscheinlichen Fall, dass unser Protest heute nicht ausreicht.«

»Ja, für den unwahrscheinlichen Fall«, wiederholte Shirley trocken.

»Aber dich, Marianne«, fuhr Rita fort, »brauchen wir so oder so bei beiden Aktionen.«

»Genau«, bekräftigte Freddy. »Deine wohlklingende Stimme wird den Slogans erst die richtige Kraft verleihen.«

»Ach ja, nach den Slogans wollte ich auch fragen«, sagte Bartholomew. »Was rufen wir denn?«

Rita überlegte kurz. »Also, ich wäre für ›Wir lassen uns nicht vertreiben‹. Das kann man sowohl gut rufen als auch singen.«

»Oh, ich habe auch einen Song vorbereitet«, verkündete Freddy eifrig und rückte seine Brille zurecht. Er förderte Karteikarten zutage und verteilte sie. »Er heißt ›Power To The People‹.«

»Deine Mutter hat wirklich recht«, raunte er Marianne dabei verschwörerisch zu. »Wir brauchen dich.«

Sie schüttelte hartnäckig den Kopf. »Ich kann nicht singen.«

»Kannst du nicht, oder willst du nicht?«, fragte Freddy.

»Beides.«

»Ist aber wirklich ein schöner Song«, sagte Rita und hielt Marianne ein Plakat an einer Holzstange hin, auf dem zu lesen war: »Wohnen ist Menschenrecht«.

»Nein«, sagte Marianne störrisch. »Ich … kann so was einfach nicht.«

»Ich kann's verstehen«, äußerte Shirley. »Wenn ich nicht müsste, würd ich mich mit der Truppe da auch nicht in der Öffentlichkeit blicken lassen.« Sie schaute alle nacheinander an, worauf sie im Chor riefen: »Nicht böse gemeint!«

Ethel trat vor. »Ich nehme eines«, erklärte sie feierlich und griff mit ihrem dünnen Ärmchen nach der Stange. Dabei geriet sie leicht ins Schwanken, und ihr Arm zitterte vor Anstrengung.

»Ach verflixt, gut, dann bleibe ich eben«, erklärte Marianne und nahm Ethel das Plakat ab, bevor sie unter der Last kollabierte. »Aber vielleicht könntest du dafür die Slogans rufen, Ethel, während ich das Ding hier hochhalte?«

»Und vergiss nicht zu singen«, warf Freddy ein.

»Herr, gib mir Kraft«, murmelte Marianne verdrossen.

Doch dann stellte sie zu ihrem Erstaunen fest, dass der Tag gar nicht so schrecklich geriet, wie sie befürchtet hatte. Und das, obwohl sie alles Mögliche tat, was sie normalerweise verabscheute, sprechen in der Öffentlichkeit zum Beispiel. Wobei es sich eher um Schreien handelte, denn die Slogans mussten mit Lautstärke verkündet werden.

Und dann das Singen. Marianne sang niemals. Weder in der Dusche noch im Auto oder sonst wo. Sie summte nicht einmal.

Aber nun stand sie wahrhaftig in einem Vorgarten in Swords und schmetterte, was das Zeug hielt.

Vielleicht lag es tatsächlich an dem Song, der ziemlich eingängig war.

Rita und Shirley sangen jeweils die Zeile vor, dann wurde sie von Marianne und den anderen wiederholt. Dabei wurden sie immer lauter, bis sie gegen Ende des Songs fast eingehüllt waren vom Klang ihrer Stimmen, und das fühlte sich – Marianne wand sich innerlich, als ihr das Wort in den Sinn kam – regelrecht erhebend an.

Es musste etwas mit dem Erlebnis der Gemeinsamkeit zu tun haben, mit der Kraft des Gesangs der unterschiedlichen Stimmen. Ethel klang hoch und ein bisschen zittrig. Rita krakeelte, Patricks Stimme war sonor und melodiös. Shirley hörte sich überraschend zart und süß an, Bartholomew wie ein Opernsänger und Freddy eher scheu.

Viel Beachtung fanden sie nicht. Sie standen an einer der zahllosen kleinen Straßen in Swords, und es war Donnerstagmorgen. Manchmal kamen Leute vorbei, hauptsächlich Frauen mit Kinderwagen, gelegentlich Jogger, ein Speedwalker und einige Hunde, die an Laternen pinkelten.

Die Passanten schauten herüber, wenn sie die Slogans hörten – *Was wollen wir? Wohnraum für alle! Wann? JETZT!* –, aber die meisten senkten den Kopf und gingen rasch weiter. Wenige blieben stehen und erkundigten sich, worum es ging. Von denen wiederum gab es einige, die argumentierten, dass Hausbesitzer doch ihre Immobilien verkaufen könnten, wann sie wollten. Schließlich wären die eine Investition gewesen, man wäre ja ein Risiko eingegangen. Marianne versuchte Rita davon abzuhalten, diesen Leuten »Kapitalistenschwein« hinterher zu brüllen.

Andere unterschrieben die Petition, die Patrick verfasst und ausgedruckt hatte.

Marianne versuchte ihre Mutter wiederum davon abzubringen, diese Leute zu umarmen und zu küssen.

»Ich will doch nur meine Dankbarkeit zum Ausdruck bringen«, wandte Rita ein.

»Du kannst dich auch ohne Körperkontakt bedanken, mit einem simplen ›Dankeschön‹«, erwiderte Marianne.

Nachdem mittags jede Menge Leute vorbeigekommen waren, die ihre Kinder von Schulen oder Kindergärten in der Nähe abholten, befanden sich immerhin fast hundert Unterschriften auf der Petition.

Hugh hielt mit seinem flaschengrünen Jaguar am Straßenrand und ließ das Fenster herunter. Auf der Rückbank saß ein Kunde, ein zappeliger dünner Mann mit Glatze, der hektisch Notizen durchblätterte.

»Ich muss diesen Kunden zu einem Vorstellungsgespräch fahren, sonst wäre ich auch dabei«, rief Hugh zu allen hinüber. Heute trug er seine Haare im Dutt. Marianne fragte sich, ob das vielleicht seine Arbeitsfrisur war. Ohne die Haare, die sein Gesicht umrahmten, wirkten seine Augen noch grüner und die Sommersprossen noch leuchtender – und waren es noch mehr geworden? Oder lag das nur am Einfallwinkel des Sonnenlichts?

»Mein Mitgefühl«, rief Bartholomew dem nervösen Mann auf dem Rücksitz zu und hob ermutigend die Daumen. Der Fahrgast starrte Bartholomew an wie ein Wesen von einem anderen Planeten und studierte dann wieder seine Zettel.

»Vergesst eure Happy-Hair-Termine morgen nicht«, rief Hugh. »Ich habe drei Stunden für euch freigehalten, gleich nach dem Lunch.«

»Hast du die lila Tönung für mich, Hugh?«, erkundigte sich Ethel.

»Literweise, meine Liebe«, antwortete Hugh lächelnd. »Stanley wird begeistert sein beim Tanztee.«

»Ach, Hugh.« Ethel kicherte und errötete leicht.

Er sah Marianne an und sagte: »Du bist natürlich auch herzlich willkommen.«

»Willst du damit sagen, dass ich einen Haarschnitt brauche?«, fragte Marianne steif.

»Na ja, so ein bisschen Zuwendung könnte schon nicht schaden, finde ich«, antwortete Hugh.

»Das geht uns doch allen so«, flötete Bartholomew mit Augenaufschlag.

Freddy schüttelte schnaubend den Kopf.

»Meine Haare sind in Ordnung so, wie sie sind«, erklärte Marianne und strich ihren Pony aus der Stirn.

»Wie du meinst«, erwiderte Hugh. »Macht's gut, Leute!« Er winkte allen zu und fuhr los.

Der nervöse Mann schien erleichtert zu sein, sich von der irren Truppe entfernen zu können.

Als Patrick gerade begann, die Tupperdosen aus dem Picknickkorb hinten im Jeep zu nehmen, begann es zu regnen.

»Ihr könnt alle reinkommen, wenn ihr wollt«, sagte Shirley.

»Aber wir können auch im Jeep essen, wenn du nicht möchtest, dass wir mit unseren schmutzigen Schuhen durch dein Haus trampeln«, schlug Rita vor.

»Ja, wir wollen uns nicht aufdrängen, Liebes«, fügte Ethel hinzu.

Shirley schüttelte den Kopf. »Nee, passt schon. Ich

find's nett, mal Leute im Haus zu haben, die nicht ständig Nasebohren.«

Sie schloss die Haustür auf und winkte alle herein.

Durch den schmalen dunklen Flur kam man in eine enge Wohnküche mit einem weißen Plastiktisch, drei Stühlen, einem uralten Herd und einem kleinen tragbaren Kühlschrank. Von den beigen Wänden blätterte an einigen Stellen die Farbe ab. Der brummende Luftentfeuchter konnte wenig ausrichten gegen den säuerlich-modrigen Geruch, und an der Decke zeichneten sich hie und da schwarze Schimmelflecken ab.

Die Küchenschränke waren mit Zeichnungen bedeckt. Ein Alien vor einem Raumschiff. Drei händchenhaltende Strichmenschen vor einem Haus, darüber eine Sonne mit schwarzer Brille. Ein Hund, der über eine Hürde sprang. Über dem Hund ein Herz, in dem *George* stand.

Ein Bild von Meer (grün), Himmel (blau) und Strand (gelb) unterhalb einer hohen schiefen Klippe, auf der ein Haus stand. Am Ufer in den Wellen tobend zwei Strichkinder.

Eine Urkunde vom letzten November, mit der Sheldon als »Schüler der Woche« ausgezeichnet worden war. Ein Schreibtest von Harrison, bei dem er von zehn Punkten sieben bekommen hatte. Ein Automatenfoto von Shirley und den Jungs, die Gesichter aneinandergedrückt, damit sie aufs Bild passten, lachend, die Augen zusammengekniffen.

»Ich mach mal Tee«, verkündete Rita und griff zum Wasserkocher.

»Ist kaputt«, erklärte Shirley.

»Macht nichts.« Rita kramte in ihrer voluminösen Tasche. »Hab kleine Thermosflaschen dabei.«

Die Sandwiches waren eine Wohltat, musste Marianne zugeben. Wenn man davon absah, dass es jetzt in der kleinen Küche durchdringend nach harten Eiern roch. Und wenn man die Ungetüme vom Überschuss an Knoblauch befreite und sie dann auf eine essbare Höhe zusammendrückte.

Es hieß ja immer, der Appetit käme mit dem Essen.

Während der Mahlzeit herrschte Schweigen, bei dieser Truppe eher ungewöhnlich. Marianne war dankbar dafür, sie fühlte sich nach dem Slogan-Schreien und lauthals Singen völlig erledigt. Bei diesem Gedanken – den sie von sich niemals erwartet hätte – musste sie unwillkürlich schmunzeln.

»Was ist so komisch?«, fragte Rita und wedelte ihr vor dem Gesicht herum.

»Ah … nichts.« Marianne blinzelte und blickte um sich. »Ich finde es nur so … ulkig. Dass ich jetzt hier bin. Bin nicht gerade der Demo-Typ.«

Rita lächelte. »Ja, ich muss gestehen, dass ich auch erstaunt war, als du plötzlich ›Miethaie zu Fischstäbchen‹ gebrüllt hast.«

Marianne grinste. »Das war mir plötzlich in den Sinn gekommen.« Sie stellte ihr Geschirr in die Spüle.

»Ich rauche mal kurz, dann machen wir weiter, ja?«, verkündete Rita, förderte ihre E-Zigarette zutage und ging nach draußen.

»Kaum zu glauben, erst eins, und der Lunch ist schon vorbei«, sagte Bartholomew mit besorgter Miene.

»Demos sind harte Arbeit, davon kriegt man Hunger«, erwiderte Ethel und klopfte sich auf ihren nicht vorhandenen Bauch.

»Wir haben ja noch Patricks Brownies, Leute«, erklärte Freddy.

Bartholomew stand auf, wandte sich ab und fegte rasch Schokokrümel von seinem Sakko.

»Was meinte Rita denn mit *weitermachen*?«, fragte Marianne beunruhigt.

»Nur keine Panik, Marnie«, sagte Shirley mampfend. »Um zwei muss ich die Jungs von der Schule abholen, dann müsst ihr ohnehin alle verschwinden.«

Marianne schaute auf ihre Uhr. Eine Stunde, das war wohl zu schaffen.

Shirley trank einen großen Schluck Tee und wischte sich mit dem Ärmel den Mund ab. »Weil … ich hab es ihnen noch nicht gesagt. Den Jungs. Dass wir umziehen müssen.«

»Das ist doch vielleicht auch gar nicht nötig.« Ethel schwenkte mahnend den knochigen Zeigefinger. »Wo bleibt denn dein Kampfgeist, junge Dame?«

Shirley zuckte mit den Schultern. »Aufgebraucht. Durch den Entzug. Und den Kampf, die Jungs aus den Pflegefamilien wieder rauszuholen.«

Ethel tätschelte Shirley den Arm und begab sich dann zur »Damentoilette«. Patrick ging nach draußen, um den Jeep zu inspizieren, der während der Fahrt noch mehr als sonst gequalmt hatte. Freddy und Bartholomew folgten ihm und debattierten darüber, welche sozialen Medien man noch nutzen sollte, um Unterstützung für den Protest zu bekommen.

»Ich mache den Abwasch«, verkündete Marianne und ging zur Spüle.

Shirley folgte ihr und funkelte sie wütend an. »Du hältst mich jetzt bestimmt für eine schreckliche Mutter, oder? Weil ich die Jungs in Pflegefamilien untergebracht hatte?«

Marianne bückte sich und stöberte in dem Schränkchen unter dem Becken Spülmittel auf. Als sie sich aufrichtete, sah Shirley immer noch erbost aus, und Marianne schüttelte den Kopf. »Ich kenne mich mit dem Thema nicht aus. Aber ich bin mir ziemlich sicher, dass du keine schreckliche Mutter bist.«

Shirley nahm ein Geschirrtuch aus einer Schublade. »Rita sagt, du warst eine bessere Mutter als sie selbst für Flo.«

Marianne drehte den Wasserhahn auf. »Hast du einen Spüllappen?«

»Willst du mir damit höflich mitteilen, dass ich die Klappe halten und mich nicht einmischen soll?«

Nachdem Marianne Spülmittel ins Wasser gespritzt und es mit den Händen verteilt hatte, sagte sie: »Schon möglich.«

»Liegt an der Alles-wird-gut-Truppe«, erklärte Shirley. »Die haben mich mit ihrem dauernden Gequatsche angesteckt. Jetzt bin ich auch schon so.«

»Wie hast du eigentlich von ihnen erfahren?«, fragte Marianne und drehte den Hahn zu.

»Ich hab damals versucht, Entzug im Alleingang zu machen«, antwortete Shirley. »Zwei Monate hab ich durchgehalten, dann eine Flasche Wodka gekauft. Die hab ich auf den Boden gestellt und zwei Stunden lang angestarrt. Dann fiel mir Rita ein. Sie war mal bei uns in der Schule gewesen und hatte über Sucht und den ganzen Scheiß geredet. Hab sie angerufen. Sie ist sofort hergekommen, hat den Wodka in den Ausguss geschüttet, mich in den Jeep gesetzt und nach Ancaire verfrachtet.«

George kratzte an Mariannes Wade, und sie warf ihm ein Käsestück hin, das aus Bartholomews Sandwich gefallen war.

»Das war ein guter Tag«, murmelte Shirley.

Sie begannen den Abwasch. Ein Schweigen trat ein, das Marianne aber angenehm fand. Dann klatschte Shirley ihr unvermittelt mit dem Geschirrtuch ans Bein und sagte: »Spuck's aus.«

»Was denn?«

»Du spülst schon ewig denselben Teller ab. Was macht dir zu schaffen?«

Marianne schüttelte den Kopf und reichte Shirley den blitzblanken Teller. »Ich habe mich nur gefragt … ob es einen Plan B gibt.«

In ihrem Beruf hatte Marianne immer Wert auf einen Plan B gelegt. Eine Absicherung.

Wenn der Protest nun folgenlos blieb?

Wenn der Vermieter sich nicht um Shirleys Lage scheren würde?

Sondern die Zwangsräumung veranlassen?

»Na ja.« Shirley zog eine Schublade auf und legte ordentlich das Besteck hinein. »Rita sagte, wir könnten bei ihr in Ancaire wohnen.«

»Oh.«

Shirley schüttete sich aus vor Lachen. »Dein Gesicht!«

»Was ist damit?«

»Keine Sorge, ich würde genauso aussehen, wenn mir jemand die beiden Rabauken ans Bein binden würde. Ich schwör dir, an manchen Tagen ist deren einzige Rettung, dass sie aus meiner Vagina geflutscht sind.«

Darauf fiel Marianne keine Erwiderung ein.

»Aber«, fügte Shirley grinsend hinzu, »ich stehe auf der Warteliste für eine Sozialwohnung, alles im grünen Bereich also.«

Marianne war erleichtert. Das hörte sich gut an, schien ein brauchbarer Plan B zu sein.

»Seit wann stehst du auf der Liste?«, fragte sie.

Shirley runzelte angestrengt die Stirn und zählte dann an den Fingern ab. »Drei Jahre, fünf Monate, zwei Wochen und vier Tage«, sagte sie dann.

»Oh«, äußerte Marianne erneut.

Shirley zuckte mit den Schultern. »Ich hab den Antrag gleich am nächsten Tag gestellt, nachdem ich mich vom Vater der Jungs getrennt habe. Davor hatte er nur mich misshandelt. Aber an dem Tag hat er Sheldon geschubst. Der war vier damals. Und wie er mich angeguckt hat. Als könnte er nicht glauben, dass ich nichts unternehme.« Shirley flüsterte jetzt beinahe, aber Marianne verstand jedes Wort klar und deutlich. Sie hätte Shirley gerne berührt, um sie zu stärken, ihr zu vermitteln, dass sie nicht alleine war mit ihren schlimmen Erinnerungen.

Jetzt straffte sich Shirley und schob ihren Kaugummi im Mund hin und her. »Um Mitternacht sind wir abgehauen«, sagte sie. »Wie Aschenputtel, nur dass ich zwei kleine Kinder dabeihatte und der Prinz besoffen in der Bude lag, mit 'ner Delle im Gesicht vom Sturz.«

»Großer Gott, Shirley.«

»Ich habe ihn immerhin nicht umgebracht«, sagte Shirley indigniert.

»Das habe ich auch nicht gedacht.« Was zumindest zu fünfundneunzig Prozent zutraf.

»Ich finde es so scheiße, dass der ihr Vater ist. Dass ich den Jungs diesen Scheißvater angetan habe.«

»Das ist doch nicht deine Schuld«, erwiderte Marianne, zog den Stöpsel und wand die Kette um den Wasserhahn.

»Ach, du kennst das doch bestimmt auch: Wir Frauen geben immer uns selbst die Schuld«, sagte Shirley. Dann klatschte sie wieder das Geschirrtuch an Mariannes Bein, griff nach dem Protestschild und sagte: »Komm, lass uns weitermachen.«

Im Vorgarten nahm Marianne wieder ihre Stellung am Ende der Reihe neben Bartholomew ein, der es sich offenbar auf die Fahnen geschrieben hatte, ihr vorbildliches Demonstrieren beizubringen. Er zeigte ihr sogar eine Technik, das Schild hochzuhalten, mit der man zugleich den Bizeps trainieren konnte.

»Ich hatte mal was mit dem Besitzer einer Fitnessstudiokette, weißt du«, berichtete Bartholomew. »Ziemlich berühmter Typ, deshalb gebe ich lieber seinen Namen nicht preis. Aber ich hatte jedenfalls einen Schlüssel zu seinem Penthouse-Apartment am Merrion Square und einen VIP-Ausweis für sämtliche Studios. Und ich habe damals hundertzwanzig Kilo auf der Hantelbank geschafft, ohne nennenswert zu schwitzen.« Bartholomew klang wehmütig. »Aber dann hatte ich einen Ausrutscher mit einem seiner Ex, und das war's dann gewesen. Wieder was verhunzt, wieder gescheitert.« Er ließ das Schild sinken. Marianne, die befürchtete, dass er womöglich in Tränen ausbrechen würde, versuchte sich panisch an Ritas Selbsthilfe-Mantras zu erinnern. Irgendwas mit »Es gibt nichts Schlimmes, das nicht auch sein Gutes …«.

»Scheitern ist nicht das Gegenteil von Erfolg, sondern ein Teil davon«, sagte Marianne hastig.

Bartholomew sah sie mit feuchten Augen an. »Findest du, ich bin ein Loser, der immer nur scheitert?«, flüsterte er.

»Nein, nein, auf gar keinen Fall.« Marianne wünschte sich inständig, den Mund gehalten zu haben.

»Aber so ist es wahrscheinlich«, fuhr Bartholomew mit zittriger Stimme fort. »Wie man sich bettet, so liegt man. Und ich habe in ziemlich vielen Betten dieser Stadt gelegen, so war's nun mal.«

»Ja, aber …« Marianne überlegte fieberhaft, um den drohenden Tränenausbruch zu verhindern. »Aber du hast die Laken gewechselt«, platzte sie heraus.

»Wie bitte?«, fragte Bartholomew.

»Also, ähm … du hast aufgehört zu trinken«, sagte Marianne. »Das ist doch ein großer Erfolg. Und jetzt bist du zu diesem Vorstellungsgespräch eingeladen.«

Bartholomew ließ das auf sich wirken. Dann breitete sich langsam ein strahlendes Lächeln auf seinem runden Gesicht aus. »Ja, da hast du eigentlich recht.«

Womöglich war Bartholomews hoffnungsvolles Lächeln ansteckend, Marianne spürte jedenfalls, wie sie selbst zu lächeln begann.

»Ach, ich habe übrigens etwas für dich.« Sie fischte einen Zettel aus ihrer Handtasche. »Ich habe dir die abwegigsten Fragen aufgeschrieben, die mir für ein Vorstellungsgespräch eingefallen sind. Damit du dich ein bisschen darauf vorbereiten kannst.« Sie überreichte ihm ein Blatt, das sie aus Tante Pearls Notizbuch herausgerissen hatte.

Bartholomew entfaltete es. »Wenn ich ein Theaterstück wäre, welches wäre ich dann?«, las er vor und schüttelte ratlos den Kopf.

»So etwas Ausgefallenes wird man dich vermutlich eher nicht fragen«, sagte Marianne. »Aber ich habe es trotzdem mal notiert. Du sollst immerhin in einem Theater tätig sein.«

»Auf jeden Fall etwas Absurdes und Tragisches«, sagte Bartholomew seufzend. »Ein Stück von Beckett würde passen.«

»Na, vielleicht fällt dir noch etwas ein, das ein bisschen heiterer ist?«, schlug Marianne vor. »Und ich habe auch gesehen, dass du Rita als Referenzperson angegeben hast.«

»Die Theaterleute hier lieben Rita«, erklärte Bartholomew. »Sie hat mit vielen von ihnen gearbeitet, am Theater wird ja gesoffen ohne Ende, kannst du dir sicher denken. Und sie assistiert auch gerne mit Requisiten und Kostümen. So haben wir uns überhaupt kennengelernt. Ich bin bei einer Aufführung der *Rocky Horror Picture Show* von der Bühne gefallen. Habe den Eddie gespielt.« Bartholomew warf sich in Pose und schmetterte mit texanischem Akzent »Hot patootie bless my soul / I really love that Rock 'n' Roll«.

Ein Passant warf ihm einen beunruhigten Blick zu und suchte rasch das Weite.

»Vielleicht solltest du noch eine zweite Referenzperson angeben«, sagte Marianne behutsam. »Außer Rita, meine ich.«

Bartholomew sah bestürzt aus.

»Eine weitere würde schon ausreichen. Jemand, der aussagt, dass du in Krisen einen kühlen Kopf bewahrst. Oder …«

»Warte mal«, sagte Bartholomew plötzlich. »Ich habe hinten in einem Mercedes-Bus das Baby meiner Chefin mit auf die Welt gebracht.«

»Das kann man als sehr effektives Krisenmanagement bezeichnen«, konstatierte Marianne.

»Sie hat aber die ganze Arbeit gemacht«, fügte Bartholomew hinzu. »Ich habe nur neben ihr gekniet und Atemtechniken angewandt, um nicht die Nerven zu verlieren.« Er blickte wieder auf den Zettel.

»Meine herausragendste Leistung?« Er überlegte und strich sich übers Kinn. »Also, da gehört sicher dazu, dass es mir gelungen ist, Dragqueen Panti Bliss zu entkommen, nachdem ich mich über ihr Kleid bei ihrer großen Ansprache im Abbey Theatre lustig gemacht habe. Ich meine, wer zeigt sich denn in so einem muffigen Lila, bitte schön? Muss allerdings gestehen, dass sie sehr hochhackige Schuhe trug, damit kam sie nicht schnell vorwärts.«

»Du könntest aber auch anführen, dass es dir gelungen ist, deine Alkoholsucht zu besiegen«, sagte Marianne.

»Dann denken die doch bestimmt nur, ich sei ein übergewichtiger Loser, der keine Selbstbeherrschung hat.«

»Aber es weist auf Disziplin und Entschlossenheit hin«, widersprach Marianne. »Du hast dich dem Problem gestellt und es gelöst.«

»Wow.« Bartholomew strahlte sie an. »Wenn ich dich so reden höre, bin ich ja richtig toll.«

»Wir sollten jetzt wohl mal mit den Slogans weitermachen«, sagte Marianne, die sich aber insgeheim freute. Bartholomew nickte, und Marianne nahm ihr Schild und hielt es mit ausgestreckten Armen hoch, wie er es ihr gezeigt hatte. Und als sie gerade kämpferisch »Wohnraum ist Lebensraum« brüllte, sah sie ihn.

Mit dem gigantischen Kinderwagen war er kaum zu übersehen.

Ein Zwillingskinderwagen, so breit wie ein Bulldozer.

Am Griff befestigt waren zwei Hundeleinen, an deren Enden sich zwei identische Bichon Frisés befanden, die kläffend herumwuselten und drohten, ihrem Besitzer vor die Füße zu geraten. Weshalb selbiger sich nur mit gesenktem Kopf und albernen Trippelschrittchen vorwärtsbewegen konnte.

Zuerst erregte das Kläffen Mariannes Aufmerksamkeit.

Danach der monströse Kinderwagen. Sie sann müßig darüber nach, was der Mann wohl tun würde, wenn ihm Passanten entgegenkamen. Oder gar jemand, der auch so ein Ding schob. Einer von beiden würde dann auf die Fahrbahn ausweichen müssen. Wer würde nachgeben? Gab es Höflichkeitsregeln für Kinderwagenverkehr? Der breitere hat Vorfahrt?

Später wunderte sich Marianne über ihre sonderbaren Gedankengänge und die Tatsache, dass ihr Gehirn so spät den Zusammenhang herstellte.

Denn der Kinderwagenschieber war niemand anderer als Brian.

Wer auch sonst.

Es war zu spät, um in Shirleys Haus zu verschwinden oder sich hinter den Jeep zu ducken. Einen Moment lang erwog Marianne, sich hinter Bartholomew zu verstecken. Sein Rücken war breit genug, aber bei ihrer Größe hätte sie den Kopf einziehen müssen.

Doch die Rufe hatten dazu geführt, dass Brian herüberschaute, was an sich der Zweck der Aktion war. Und nun starrte er direkt auf sie. Marianne ließ das Schild sinken. Ihre Arme schmerzten, und das Blut schoss ihr ins Gesicht.

Nach und nach hörten auch die anderen mit den Slogans auf, bis schließlich alle verstummt waren.

»Marianne?« Brian sah so irritiert aus, wie wenn eine Kalkulation nicht korrekt war.

»Hallo, Brian«, sagte Marianne so munter und schwungvoll, als gäbe es hier nichts Besonderes zu sehen. Ihre Stimme klang allerdings etwas gequetscht.

Brian sah einerseits aus wie immer, zugleich aber irgendwie verändert. Seine Kleidung beispielsweise. Nicht mehr schwarz und dunkelblau. Er trug Farben, und die waren sorgfältig aufeinander abgestimmt. Senfgelbe Hose, schwarz-gelb kariertes Hemd, gefütterte schwarze Lederjacke, Desert Boots. Die Hose saß nicht ganz eng, aber doch körpernah.

Ansonsten der alte Brian. Die feinen hellen Haare, die schmale Nase, die hellblauen Augen, die in der Sonne tränten.

Und dennoch … eine verwirrend andere Version von Brian.

Als sei er einem System-Update unterzogen worden.

»Was machst du hier?«, fragte er langsam und musterte die ganze Mannschaft so argwöhnisch, als fürchte er, überfallen zu werden.

Marianne räusperte sich. »Ich denke, das sieht man, oder?« Sie schwenkte ihr Protestschild.

»Oh … ähm, ja. Klar«, erwiderte Brian. »Habe schon aus der Ferne den Slogan mit den Fischstäbchen gehört. Sehr prägnant.«

Marianne nickte langsam.

»Ach, da ist ja auch Rita«, sagte Brian etwas nervös. Er hatte nie so recht gewusst, wie er mit Rita umgehen sollte. Womit er allerdings nicht alleine war.

Rita warf ihm einen ausdruckslosen Blick zu. »Hallo, Brian.«

»Ist das dein junger Mann?«, zwitscherte Ethel und beäugte Brian über den Rand ihrer Brille hinweg.

»Nein«, zischte Marianne und trat rasch vor Ethel, bevor sie Brian womöglich in ein Gespräch verwickelte.

»Und das sind die Zwillinge?«, fragte Marianne schließlich. Der leuchtend rote Kinderwagen erschien ihr wie ein monumentales Ausrufezeichen, etwas, das man ebenso wenig übersehen konnte wie einen Elefanten. Sie musste irgendwie darauf reagieren.

»Ähm, ja.« Brians Mundwinkeln begannen zu zucken, obwohl er offensichtlich versuchte, nicht zu lächeln. Was ihm nicht gelang. Als er die beiden Sonnendächer nach hinten klappte, strahlte er über das ganze Gesicht.

»Das ist James«, sagte er und deutete auf das linke Baby. »Und das ist David.« Er deutete auf das andere. Die beiden sahen absolut gleich aus.

»Wie kannst du sie unterscheiden?«, fragte Marianne.

Brian lachte.

Marianne nicht.

Als ihm klar wurde, dass ihre Frage ernst gemeint war, hörte Brian auf zu lachen und sagte: »Na ja … ich kann es einfach. Wahrscheinlich, weil sie mir vertraut sind.«

Marianne hätte am liebsten gesagt, dass sie ihm früher auch vertraut gewesen war. Dass er sie von anderen unterscheiden konnte, weil er wusste, dass sie anders war. In jeder Hinsicht. Hätte er sie vielleicht nicht verlassen, wenn sie mehr der Norm entsprochen hätte?

Sie beugte sich über den Kinderwagen und betrachtete die Zwillinge. Zum Glück schliefen sie, bei ihrem Anblick fingen Babys nämlich nicht selten zu weinen an. Was vielleicht an ihren Haaren lag, dieser unzähmbaren Lockenmähne.

»Viele Leute meinen, die beiden sähen mir ähnlich«, sagte Brian.

Marianne fand eher, dass die Zwillinge aussahen wie Miniaturversionen von Winston Churchill. Sie nickte jedoch und sagte: »Finde ich auch.« Was wohl ein gelungener Kommentar war, denn Brian war sein Stolz anzusehen.

Als Marianne sich wieder aufrichtete, fragte sie: »Wie alt sind sie jetzt?«

»Drei Wochen«, antwortete Brian. »Und fünf Tage«, fügte er hinzu, der Korrektheit halber.

Diese buchhalterische Präzision konnte Marianne gut verstehen. Ihr kam der Gedanke, dass sie sich wohl nach Helen erkundigen sollte. Nach der Mutter der Babys. Vor ihrem inneren Auge sah Marianne, wie Helen die Familie an der Haustür verabschiedete, die Kleinen über das Köpfchen streichelte und Brian küsste, der wieder übers ganze Gesicht strahlte. Dieses Lächeln, das besagte: Ich habe alles, was ich mir jemals gewünscht habe, und noch mehr. Das Lächeln, das besagte: Ich habe mein Versprechen gebrochen und bin ungeschoren davongekommen.

Marianne fragte sich, ob die beiden Kosenamen füreinander hatten. Vielleicht nannte Helen ihn »Schatz«? Und er sie »Liebling«? Eigentlich war Brian nie der Typ für Kosenamen gewesen, aber vielleicht hatte sich das ebenso geändert wie sein Kleidungsstil. Sie sah ferner vor ihrem inneren Auge, wie er dann sehr zufrieden mit den fest schlafenden Zwillingen nach Hause zurückkehrte, zu weiteren Liebkosungen und noch mehr Liebe. Jeder Menge Liebe. Nur nicht für Marianne.

»Also«, fragte Brian jetzt, »hast du meine Sprachnachricht bekommen?«

»Ja.«

»Ich hoffe, es war okay für dich, dass ich angerufen habe.« Er betrachtete sie prüfend. »Ich … wollte es dir einfach selbst sagen, weißt du. Dass die Zwillinge da sind. Und von dem Verkaufsschild hast du wahrscheinlich selbst schon erfahren … aber ich weiß eben, wie sehr du das Haus geliebt hast.«

»Nachdem die Bank die Hand drauf hatte nicht mehr so sehr«, erwiderte Marianne.

Brian stieg die Röte ins Gesicht.

»Davon … habe ich gehört«, sagte er leise. »Das tut mir sehr leid.«

Von ihm bemitleidet zu werden fand Marianne ziemlich unerträglich.

»Hat mich nicht gewundert, dass es so schnell verkauft worden ist«, fügte er hinzu.

»Verkauft?«

»Ja. Tut mir leid. Ich dachte, du hättest das im Internet gesehen.«

Marianne räusperte sich wieder. »Okay. Ich will dich auch gar nicht weiter aufhalten, du hast ja bestimmt … viel um die Ohren. Ihr beide, du und Helen. Wie geht es ihr?« Marianne kam es vor, als spreche sie mit zusammengebissenen Zähnen. Oder als knirsche sie beim Sprechen mit den Zähnen. Auf jeden Fall tat ihr Kiefer weh.

»Ach, Helen geht es gut. Ist natürlich ziemlich müde«, antwortete Brian mit einem kleinen Lachen. Es hörte sich etwas gekünstelt an, als habe er den Satz schon x-mal heruntergeleiert.

»Kann ich verstehen.« Marianne fühlte sich zurzeit dauernd erschöpft, und das, obwohl sie volle acht Stunden schlief, ohne sich um Zwillinge und deren Fontanellen kümmern zu müssen.

»Und das Stillen findet sie noch etwas schwierig«, gestand Brian. »Aber keine Sorge, wir werden es schon noch schaffen.«

»Welche Rolle spielst du denn so beim Stillen?«, erkundigte sich Rita, die urplötzlich neben Marianne aufgetaucht war.

Brian lief rot an. »Ach, na ja, ich versuche ein bisschen moralische Unterstützung zu geben.«

»Super, dass du das noch lernen konntest«, sagte Rita und reckte sich, um Marianne den Arm um den Nacken zu legen.

»Also … war schön, dich gesehen zu haben«, sagte Marianne hastig. Sie musste sich unbequem krümmen, damit Ritas Arm nicht abrutschte.

»Oh … ja … okay … bis bald dann.«

»Wie meinst du das?«, fragte Marianne beunruhigt.

»Nein, ich wollte nur sagen … also … Wiedersehen.«

»Ah. Ja, Wiedersehen.«

Das hörte sich irgendwie rührselig an. Und pathetisch. Vor allem, weil die anderen jetzt alle vortraten und auch »Wiedersehen« sagten.

Als Brian weiterging, drehte er sich kurz noch einmal um und winkte, während ihm alle hinterher starrten.

Wiedersehen.

19

»Also, ich muss schon sagen, liebe Marianne, ich bin ein ganz klein wenig verwirrt. Ein reizendes Mädel wie du und so ein Stoffel?« Freddy schüttelte verständnislos den Kopf.

»Reizendes Mädel?«, schnaubte Bartholomew. »Was soll das denn werden, ein Groschenroman?«

Alle saßen wieder im Jeep, um nach Hause chauffiert zu werden, und Marianne umklammerte das Lenkrad so krampfhaft, dass ihre Fingerknöchel weiß wurden. »Ob ihr wohl alle so nett sein könntet, das Thema zu vermeiden?«

Sie warf einen Blick in den Rückspiegel und sah, wie Patrick nickte.

»Aber natürlich, Liebes, ganz wie du wünschst«, sagte Bartholomew.

»Welches Thema sollen wir vermeiden?«, meldete sich Ethel von ganz hinten.

»Marnies Ex«, antwortete Rita. »Den bescheuerten Vollpfosten.«

»Das ist mir keine Hilfe«, sagte Marianne.

Sie setzte abrupt den Blinker und bog mit quietschenden Reifen nach links statt nach rechts ab, wobei alle durcheinandergerüttelt wurden.

»Entschuldigung«, sagte Marianne und gab Gas.

»Warum fahren wir in diese Richtung?«, wollte Freddy wissen.

»Immer schön langsam«, rief Ethel von der Hinterbank. »Mag ja sein, dass der Bestatter mich schon im Blick hat, aber der kann ruhig noch ein bisschen warten.« Sie kicherte verschmitzt.

»Mehrere Wahrsagerinnen haben mir prophezeit, dass ich jung sterben werde«, verkündete Bartholomew düster.

»Wie man sehen kann, haben sie sich geirrt«, sagte Freddy grinsend.

»Aber wirklich, wo fahren wir denn hin?«, fragte Bartholomew, ohne Freddy einer Antwort zu würdigen.

»Marianne hat bestimmt alles im Griff«, ließ Ethel verlauten.

Da Marianne diese Meinung ganz und gar nicht teilte, fuhr sie schweigend weiter.

Zur Carling Road.

Sie sah es auf den ersten Blick. Das Zu-verkaufen-Schild, überklebt mit »Verkauft«.

Marianne fuhr langsamer. Hielt an.

Schaute zum Haus hinüber. Erst in diesem Moment wurde ihr klar, dass sie es noch immer als *ihr* Haus betrachtet hatte. Dass sie insgeheim, in einem verborgenen Winkel ihres Gehirns, die Vorstellung gehegt hatte, eines Tages in ihr Haus zurückzukehren, zu ihrem früheren Leben. Zu ihrem früheren Selbst.

Da sie jedoch kein Mensch war, der zu unbegründetem Optimismus neigte, merkte sie jetzt, dass diese

Vorstellung – diese Hoffnung – nicht ihrem Charakter entsprach.

Sondern schlicht und einfach idiotisch war.

Sie versuchte, nicht an die fremden Menschen zu denken, die jetzt – womöglich naserümpfend – in ihrem Haus herumstöberten. Oder aber es genauso liebten wie sie.

Gas geben. Weiterfahren. Nur schnell weg vom Haus. Marianne konzentrierte sich auf die Straße. Auf ihre Hände, die das Lenkrad umklammerten. Das Glitzern der Sonne auf ihrem Ehering. Sie hatte sich gesagt, dass sie offiziell noch verheiratet war, und den Ring nicht abgenommen. Nicht nach dem Trennungsgespräch. Nicht nachdem Brian ausgezogen war. Und auch nicht, als er nicht zurückkam.

Jetzt bremste sie abrupt, zog die Handbremse an und stellte den Motor ab.

»Alles in Ordnung, Marnie?«, fragte Rita so behutsam, als spräche sie mit einem unberechenbaren Tier.

Marianne zog und zerrte an ihrem Ehering. Versuchte ihn abzustreifen, indem sie ihn hin und her drehte. Vergeblich. Das Ding saß fest. Es war zum Aus-der-Haut-Fahren.

Und dabei war es Brian gewesen, der sich für die Heirat ausgesprochen hatte. Er sagte damals, das würde alles vereinfachen, falls einer von ihnen stürbe. Und wies auf die steuerlichen Vorteile hin. Wahrscheinlich hatte er auch erfreulichere Gründe angeführt, aber Marianne konnte sich beim besten Willen nicht daran erinnern.

Sie heirateten im Standesamt in der Lombard Street. Marianne hatte Rita eingeladen, weil Brian darauf bestanden hatte. Immerhin hatte er seine Schwester Linda als Gast und seinen Cousin Bernard als Trauzeugen. Marianne hatte erklärt, sie wolle keine Trauzeugin – wen hätte sie auch fragen sollen? Aber es hätte seltsam gewirkt, wenn von ihrer Seite gar niemand dabei gewesen wäre.

Rita trug damals ein bodenlanges weißes Kleid, Marianne einen dunkelblauen Hosenanzug mit beiger Bluse, dazu Nike-Sneakers für den Weg vom Haus zum Standesamt. Nach der Trauung kehrte Bernard in die Druckerei zurück, in der er arbeitete, und das Brautpaar aß mit Rita und Linda in einem Restaurant in Drumcondra zu Abend. Danach fuhr Linda nach Guernsey zurück, Rita nach Ancaire, und Marianne und Brian spazierten nach Hause, schauten sich eine Natursendung über Eisbären in der Antarktis im Fernsehen an und gingen dann zu Bett. Dort widmeten sie sich wie immer ihrer Lektüre – Brian las Kurzgeschichten von Roald Dahl, Marianne *Unten am Fluss* von Richard Adams –, drehten sich anschließend jeder auf seine Seite und schliefen ein. Marianne konnte sich nicht erinnern, dass es zu Sex gekommen wäre, was ihr auch angenehm war. Sex fand ohnehin nicht häufig statt. Sie hatte nicht grundsätzlich etwas dagegen, fand Lesen aber verlockender. Was sie Brian jedoch nie gesagt hatte, denn ihr war schon bewusst, dass manche Männer so etwas nicht gut verkrafteten.

Allerdings hatte Marianne immer angenommen, dass Brian das genauso empfand, denn er ergriff selten die Initiative und sagte häufig »Nein, danke«, wenn sie fragte, ob er mit ihr schlafen wolle.

Inzwischen wusste sie, dass er durchaus Interesse an Sex hatte. Nur nicht mit ihr.

Das schmerzte viel schlimmer, als sie es sich jemals hätte vorstellen können.

Manchmal sah sie die beiden im Bett vor sich, Helen und Brian. In dieser Vorstellung waren sie laut, ordinär und verschwitzt. Helen trug irgendwelche erotische Wäsche wie … Marianne kannte sich damit nicht aus. Irgendetwas Schwarzes mit Spitze jedenfalls. Und vielleicht Strapse und Stilettos. Oder diese Stiefel, die bis zum Knie reichen.

Brian konnte sie sich nur wie immer in seinen Boxershorts vorstellen, aber seine Erektion war gewaltig, und beim Orgasmus rief er Dinge wie »Oh ja, Baby, das ist so gut, weiter, weiter, Baby, weiter«. Oder irgendetwas in der Art. Was ihm aber nicht ähnlich sah. Brian hatte Marianne immer nur mit ihrem vollständigen Vornamen angesprochen. Warum also sollte er Helen »Baby« nennen? Sie so infantilisieren? Dennoch sah Marianne genau solche Szenen vor ihrem inneren Auge.

Aber weshalb passierte das überhaupt?

Sie riss noch heftiger an dem Ring.

»Du brauchst ein bisschen Butter dafür«, äußerte Ethel und tätschelte Marianne von hinten die Schulter.

»Hier ist nirgendwo Butter«, keuchte Marianne, atemlos von dem Kraftakt.

»Hör auf, du reißt dir noch den Finger ab«, befahl Rita.

Tatsächlich war der Finger inzwischen beunruhigend violett verfärbt, der Knöchel geschwollen. Marianne sah im Rückspiegel, wie hinter ihr ein dicker Lexus hielt. Am Steuer saß ein Mann im Anzug, der mit dem Handy telefonierte. Marianne schloss die Augen, drehte und zerrte mit aller Kraft an dem Ring. Schließlich gelang es ihr, ihn über den Knöchel zu ziehen und abzustreifen. Als sie ihn hochhielt, applaudierten alle, und Marianne erwog, ob sie sich selbst Beifall spenden sollte. Stattdessen kurbelte sie das Fenster herunter.

»Was hast du vor?«, fragte Rita.

»Ihn wegwerfen«, antwortete Marianne. »Das hätte ich schon vor Ewigkeiten tun sollen.«

»Gib ihn mir.« Rita streckte die Hand aus. »Ich verkaufe ihn auf eBay und spende den Ertrag der Obdachlosenhilfe, okay?«

Marianne seufzte tief. Dann übergab sie den Ring ihrer Mutter und drehte den Zündschlüssel. Nichts tat sich.

Der Mann hinter ihr beugte sich aus dem Fenster und schrie: »Nun fahr doch endlich! Frauen am Steuer, ey!«

Rita löste ihren Sicherheitsgurt.

»Tu es nicht«, sagte Marianne, als Rita sich umdrehte und auf den Sitz kniete.

»Nur ganz kurz«, erwiderte Rita, öffnete das Fenster und beugte sich hinaus. Als der Lexus-Fahrer sie anstarrte, streckte sie den Arm aus und reckte den Mittelfinger in die Höhe. Der Mann sah zuerst verblüfft, dann wutentbrannt aus und begann erbost zu hupen. Rita grinste ihn an, setzte sich wieder hin, schnallte sich an und tätschelte das Lenkrad. »Du bist ein ganz lieber braver Jeep«, sagte sie und nickte Marianne zu. »Jetzt wieder starten.«

Als sie den Zündschlüssel drehte, sprang der Jeep stotternd an. Marianne gab Gas, und er setzte sich in Bewegung.

»Du bist wenigstens keine Alkoholikerin«, äußerte Freddy unvermittelt, »du kannst dich ja betrinken, wenn du Lust darauf hast.«

»Aber wenn sie sich betrinken will, weist das doch darauf hin, dass sie alkoholsüchtig sein könnte«, wandte Bartholomew prompt ein.

»Wer sich betrinken will, weil er seinem Ex begegnet ist, ist noch lange kein Alkoholiker«, zischte Freddy und putzte seine Brille mit dem Saum seines Cordsakkos. »Nur ein ganz gewöhnlicher irischer Mensch.«

»Ich will mich nicht betrinken«, erklärte Marianne.

»Was möchtest du denn dann?«, fragte Ethel sanft.

»Ich … keine Ahnung«, sagte Marianne und wünschte sich, eine temperamentvollere Antwort parat zu haben. Wäre sie doch nur ein Mensch gewesen, der sich nach Strich und Faden besaufen würde. Der toben und rasen und sich Gehör verschaffen würde.

Aber so war sie nun einmal nicht.

20

Aber es gab durchaus etwas, das Marianne gerne getan hätte: Sie hätte gerne etwas gestohlen. Es gelang ihr jedoch, das zu unterlassen, indem sie sich in Ritas zugigem Atelier verkroch, auf den Hocker setzte und aufs Meer hinaus starrte. Die endlose Bewegung der Wellen erschien ihr so unerbittlich wie das Leben. Es ging einfach immer weiter und wollte sie nicht in Ruhe lassen.

Tante Pearl war beim Abendessen noch miesepetriger als sonst und ließ sich mit Hohn und Spott über die Demo aus.

»Wird Shirley denn jetzt nicht aus ihrem Haus vertrieben? Hat der Vermieter irgendeine Reaktion gezeigt? Na, das hatte ich auch nicht erwartet. Und dieser Stadtrat, dem du Honig ums Maul geschmiert hast, Rita? Der hat sich bestimmt nicht blicken lassen, oder? Habe ich dir ja gleich gesagt. Ich kann nur hoffen, dass die Nachbarn sich nicht über Ruhestörung beklagt haben. Das gehört sich gar nicht für eine Dame, so in der Öffentlichkeit herumzukreischen.«

Rita legte ihr Besteck ab und lächelte. »Ach, Pearl, hätte ich gewusst, wie sehr du uns vermissen würdest, hätte ich dich auf jeden Fall mitgeschleift.« Sie legte ihre warme Hand auf Pearls alte Knochenklaue.

Pearl riss ihre Hand weg. »Ich verstehe nicht im Geringsten, wie du auf diesen Gedanken kommst, Rita«, sagte sie mit gepresster Stimme, während zwei rosa Flecken auf ihren Wangen erschienen.

Nach dem Essen lenkte Marianne sich weiter von ihrem Drang zu stehlen ab, indem sie zu Bett ging und las, bis sie *Jane Eyre* zur Hälfte durchhatte. George hatte hartnäckig darauf bestanden, aufs Bett zu springen. Sein Kopf lag jetzt in Mariannes Armbeuge, was das Umblättern erschwerte. Sie las, bis sie müde wurde, schaltete dann das Licht aus und versuchte zu schlafen. Weil daraus nichts wurde, machte sie die Lampe wieder an und las weiter.

Als Marianne erwachte, war es Morgen, das Licht war noch an und ihr Buch lag auf Georges Gesicht, sodass nur die Schnauze herausschaute. Marianne nahm das Buch weg. Dabei fiel ihr Blick auf ihren Ringfinger. Wo der Ehering gesteckt hatte, war der Finger eingedellt, weich und so käsig, als sei er jahrelang nicht durchblutet gewesen.

Sie wollte so sehr etwas stehlen. Nur etwas ganz Kleines, Unwichtiges. Diesmal würde sie vorsichtiger sein. Professioneller. Sie würde darauf achten, vorher etwas Nahrhaftes, aber Leichtes zu sich zu nehmen. Eier. Sie würde zum Lunch Eier essen. Und danach würde sie etwas stehlen.

Ein Teil von Marianne wusste sehr wohl, dass das kein vernünftiger Plan war. Dass vernünftige Menschen andere Lösungen fanden, um die Hürden des Lebens zu überwinden.

Aber sie hatte ja gar keine Hürden vor sich. Vielleicht war das überhaupt das Problem. Ihre Hürden lagen hinter ihr, auf der Strecke umgekippt. Ehe, Job, Eigenheim. Marianne selbst hatte sie umgestoßen.

Brian als stolzen, liebevollen Vater mit seinen Babys zu sehen hatte Marianne schlagartig alles vor Augen geführt, was in ihrem Leben gescheitert war. Sie sah sämtliche Etappen vor sich, glasklar.

Doch ihr Plan – so verfehlt er auch sein mochte – lenkte sie davon ab. Er sorgte dafür, dass sie aufstand und sich anzog. Dass sie die rutschige Treppe zum Strand bewältigte und Steine für George warf, einen nach dem anderen.

Der Plan befähigte sie auch dazu, in den Jeep zu steigen, in Skerries, Balbriggan, Rush und Swords alle abzuholen und nach Ancaire zu chauffieren. Wo es ihr gelang, sich daran zu erinnern, wer welchen Tee bevorzugte und Ritas Shortbread in zwölf absolut identische Portionen aufzuteilen.

Nach dem Treffen hatte sie die ganze Bande zum Happy Hair zu befördern, wo Ethel ihre lila Tönung bekommen würde, Bartholomew seine Rasur mit heißem Handtuch und Freddy einen dezenten Schnitt an den Spitzen. Rita, die wieder ihren jadegrünen Turban trug, sagte, sie hätte sich heute früh erst die Haare gewaschen, würde aber trotzdem mitkommen, sozusagen als unabhängige Beobachterin.

Als Marianne vor Hughs Haus in Rush anhielt, platzten alle förmlich aus dem Jeep.

»Du fehlst mir jetzt schon, Marnie«, verkündete Bartholomew und pustete ihr ein Küsschen zu.

»Bist du wirklich ganz sicher, dass du nicht mitkommen willst?«, fragte Freddy. »Hugh könnte garantiert …«

»Er ist gut, aber zaubern kann er auch nicht«, warf Shirley ein, betrachtete eine Strähne von Mariannes Haar und fügte grinsend hinzu: »Nicht böse gemeint.«

Rita beugte sich durchs Fenster ins Auto und fragte: »Alles okay, Marnie?«

Marianne hatte es aufgegeben, ihren Namen zu korrigieren. Sie nickte nur. »Ja, alles okay.«

Endlich zog die ganze Bande ab, alle eingehakt, sodass sie aussahen wie im *Zauberer von Oz.*

Marianne dachte an Stehlen.

In einem letzten verzweifelten Versuch, sich davon abzuhalten, stellte sie sich das Gesicht von Richterin Henderson vor, die von der Empore auf Marianne hinunterschaute und sie mit einem Aufblitzen ihrer eisblauen Augen abschätzig betrachtete.

Die Richterin hatte nicht nur streng gewirkt, sie war auch neugierig gewesen.

»Warum haben Sie das getan?«, hatte sie gefragt und Marianne so forschend beäugt wie ein eigenartiges Zootier.

»Es kommt nur vor, wenn ich gestresst bin«, hatte Marianne geantwortet.

»Machen Sie beim nächsten Mal lieber Yoga«, hatte Henderson erwidert, bevor sie sich aufrichtete und das Urteil verkündete.

Marianne hatte zwar nur eine Geldstrafe bekommen, war aber ziemlich sicher, dass die Richterin im Wiederholungsfall weniger nachsichtig sein würde.

Der Wiederholungsfall durfte also nicht vorkommen.

Aber Marianne juckte es in allen Fingern.

Sie spazierte die Main Street von Rush entlang, blieb vor dem Zeitschriftenladen stehen, dem einstigen Tatort, und spähte durch die Schaufensterscheibe. Der Laden war inzwischen ein Supermarkt, mit Neonröhren so hell ausgeleuchtet, dass Leute wie sie es schwer haben würden.

Beim allerersten Mal war sie kurz vorher dreizehn geworden. Hoch aufgeschossen und schlaksig, linkisch und verschlossen. Sogar nach acht gemeinsamen Schuljahren betrachteten ihre Mitschüler sie mit Befremden und Misstrauen. Marianne machte damals den Inhalt ihrer Lunchbox dafür verantwortlich, der sich immens von den Sandwiches mit Corned Beef und Scheiblettenkäse der anderen Mädchen unterschied. In Mariannes Box befand sich zum Beispiel ein Stück Camembert, der bis zur Pause schon überreif und stinkig war. Oder eine Handvoll Stachelbeeren aus dem Garten, was die Mitschülerinnen zu schrillen Ausrufen wie »Iiiii, haarig!« veranlasste. Ein Häufchen Couscous, von einer Party übrig geblieben und am nächsten Morgen von Marianne entdeckt, wenn sie die Küche für sich und Flo nach etwas Essbarem durchforstete. Einmal hatte sie versehentlich Miniflaschen Pfirsichlikör eingepackt, die sie für Fruchtsaft gehalten hatte. Miss Spellman, die Lehrerin, hatte es bemerkt und Rita einbestellt, was natürlich in einem theatralischen Auftritt resultierte. Der noch mehr Befremden und noch mehr Misstrauen zur Folge hatte.

»Was stimmt nicht mit deiner Mutter?«, raunte Clare Hickey damals, ein unangenehmes Mädchen mit weißblonden Zöpfen, die von seinem Kopf abstanden.

Marianne hatte nicht reagiert. Sogar von ganz hinten im Klassenzimmer nahm sie Ritas Geruch wahr, eine Mischung aus starkem Parfum, Puder, Lippenstift und dem feuchten, salzigen Mief von Ancaire. Er drang aus dem roten Seidenkleid, einem Kleidungsstück, das keine der anderen Mütter jemals getragen hätte. Und dann der Restalkohol vom Vorabend im Atem. Marianne entging nicht, wie Miss Spellman die Nase rümpfte und dann so dezent wie möglich auf Abstand ging.

Jetzt betrat Marianne den Supermarkt. Nirgendwo waren Kunden zu sehen, und die Kassiererin war eingehend mit ihrem Handy beschäftigt.

Dieses erste Mal damals hatte an einem Mittwoch stattgefunden. Marianne wartete wie immer vor der Schule auf Flo und lehnte dankend ab, als Clare Hickeys Mutter ihr anbot, sie beide nach Hause zu fahren, weil die Straße nach Ancaire Haarnadelkurven und keinen Gehweg hatte. Normalerweise kam Flo als Erste herausgeflitzt, nahm ihre Schwester an der Hand und quasselte dann fröhlich den ganzen Heimweg über ihre beste Freundin, Aideen O'Reilly, die heiß geliebte Lehrerin Miss Flynn und Schulhofspiele, von denen sie die Regeln erklärte und eine Punktewertung abgab. Die meisten Spiele bekamen zehn Punkte von zehn.

An diesem Mittwoch aber kam Flo als Letzte heraus und wirkte bedrückt. Und Marianne ahnte sofort, dass es etwas mit ihrer Mutter zu tun hatte. Ganz bestimmt war der Grund für Flos Stimmung etwas, das Rita getan oder versäumt hatte.

William gab seltener Anlass für Verstimmungen. Er vergaß zwar auch Dinge aus dem Schulalltag seiner Töchter, gab aber nie Versprechen ab, sich darum zu kümmern.

»Sie ist ein bisschen durcheinander«, flüsterte Miss Flynn Marianne zu, die diese Bemerkung als überflüssig empfand. »Im Kunstunterricht sollten …«

»Unsere Mutter ist heute krank«, sagte Marianne rasch.

Miss Flynn klatschte in die Hände und strahlte, als sei das die beste Nachricht seit Langem. »Siehst du?«, sagte sie zu Flo. »Deine Mum ist krank. Deshalb konnte sie nicht zum Malen mit der Klasse kommen.«

»Sie ist nicht krank«, erwiderte Flo, die noch nicht wusste, dass man die Wahrheit manchmal besser etwas frisiert.

»Komm, Flo.« Marianne nahm ihrer kleinen Schwester die Schultasche ab. »Bruno wartet zu Hause schon auf dich.«

Als sie die Straße entlanggingen, dachte Marianne darüber nach, warum ihre Mutter nicht einfach mal ihre große Klappe halten konnte. Weshalb Rita ständig irgendwem großartige Versprechungen machte, die sie dann genauso vergaß wie Menschen.

Flo trödelte widerwillig neben Marianne her und blieb schließlich vor dem Zeitschriftenladen stehen. »Mum hat versprochen, dass sie mir was Süßes kauft.«

»Sie ist aber nicht da. Komm jetzt.«

»So ein buntes Wassereis, hat sie gesagt.«

»Verflucht noch mal, Flo …«

»Man darf nicht *verflucht* sagen.«

»Man darf auch nicht so herumbetteln.«

»Sie hat es aber versprochen. Und Versprechen muss man halten.«

Dass Versprechen durchaus nicht immer gehalten wurden, hatte Marianne schon erleben müssen, als sie noch jünger als Flo gewesen war.

»Na schön«, seufzte sie und öffnete die Ladentür. »Warte hier.«

Es war dann ganz einfach. Das Eis zu stehlen. Der Mann hinterm Tresen schaute auf, als sie hereinkam, vertiefte sich aber gleich wieder in seine Sportwetten-Zeitschrift. Marianne tat, als betrachte sie die Comics. Dann schlenderte sie zum Gefrierschrank, nahm das Eis heraus, ließ es in ihrem Ärmel verschwinden und ging hinaus. Der Mann beachtete sie gar nicht.

Das Eis lenkte Flo von Rita und der misslungenen Kunststunde ab. Geräuschvoll schmatzend erklärte Flo ihrer Schwester die Regeln vom Spiel »Wie spät ist es, Herr Wolf?«, das von ihr mit der vollen Punktzahl bewertet wurde.

Während Marianne vorgab zuzuhören, dachte sie darüber nach, was sie in dem Laden gerade getan hatte und wie sie sich jetzt fühlte. Zu ihrem eigenen Erstaunen hatte sie kein schlechtes Gewissen, obwohl sie wusste, dass Stehlen etwas Schlimmes war, dass es gegen das Gesetz verstieß und man dafür im Gefängnis landen konnte.

Aber sie fühlte sich seltsam gut, auf eine spannende Art aufgeregt und lebendig. Damals kannte sie den Grund noch nicht, später wusste sie, dass Adrenalin für diesen Zustand verantwortlich war. Es sorgte dafür, dass man sich mächtig fühlte. Dass man das Gefühl bekam, alles im Griff zu haben, wenn auch nur für einen kurzen Moment. Dieses Gefühl gefiel ihr sehr gut.

Jetzt spürte Marianne diesen Zustand wieder. Das Adrenalin. Die Macht. Sie griff nach einer Packung Reißzwecken.

»Marianne? Marianne Cross?«

Sie fuhr herum, spürte ihren Puls im Kopf hämmern, im Hals, in der Brust. Ein kalter Schauer lief ihr über den Rücken, und sie bekam Gänsehaut an den Armen.

Die Verkäuferin war eine kleine mollige Frau mit schulterlangem, strohigem und gebleichtem Haar und knallrot lackierten Fingernägeln. Den Kopf schief gelegt, betrachtete sie Marianne, ein fragendes Lächeln auf dem Gesicht.

»Wusste ich's doch, du bist es!«, rief die Verkäuferin jetzt aus. »Marianne Cross!«

Die Frau kam Marianne zwar irgendwie bekannt vor, aber sie hatte nicht die geringste Ahnung, woher.

»Tessa! Tessa McCarthy!« Die Stimme wurde immer schriller.

»Ah. Ja. Hallo, Tessa.«

Tessa streckte zur Begrüßung die Hand über die Verkaufstheke, sodass Marianne nichts anderes übrig blieb, als hinzugehen. Nach einem überschwänglichen Händedruck beugte die Frau sich vor und umarmte Marianne wahrhaftig auch noch. Es fiel ihr schwer, sich nicht ruckartig loszureißen.

Nach dieser übertriebenen Begrüßung musterte Tessa Marianne von Kopf bis Fuß und verkündete: »Du hast dich seit der Schulzeit kein bisschen verändert. Wie ist es dir inzwischen ergangen?«

»Ach, weißt du … gut.« Ein verschwommenes Bild erschien vor Mariannes innerem Auge. Ein pickliges Mädchen mit großer Klappe, das behauptete, es könne in ihrem Bauch Butter herstellen, indem es einen Liter Milch trinke und dann fünf Minuten auf und ab hopse. Die anderen Mädchen wurden nicht müde, sich das anzuschauen, und es gelang Tessa, dabei nie zu kotzen.

»Und du?«, fragte Marianne, weil offenbar mehr Antwort erwartet wurde.

»Ach, du weißt schon.«

Marianne nickte, obwohl sie keinen blassen Schimmer hatte.

»Kinder und Mann treiben mich zum Irrsinn. Ansonsten alles gut.« Tessa lachte, und Marianne tat es ihr gleich, weil ihr nichts anderes einfiel.

Tessa lehnte sich an die Theke und verschränkte die Arme vor der Brust. »Na, dann erzähl mal.«

»Was meinst du?«

»Was treibst du so? Welchen Beruf hast du? Bestimmt irgendwas Ernsthaftes, oder? So was wie Astrophysikerin vielleicht?«

»Ich bin arbeitslos«, sagte Marianne.

»Wirklich jetzt?« Tessa sah verblüfft und schockiert zugleich aus.

»Ich war Buchhalterin«, fuhr Marianne fort. »Bis ich entlassen wurde.«

»Kann doch nicht sein.« Tessa beugte sich jetzt gespannt vor, damit ihr nichts entging. »Und, bist du verheiratet?«

»Getrennt.«

»Ach, tut mir leid. Immer traurig. Und schlimm für die Kinder, oder? Wenn die Ehe scheitert.«

»Ich habe keine Kinder.«

»Oh.«

»Verhör beendet, Tessa.« Beide Frauen hatten nicht gemerkt, dass Rita hereingekommen war und an der Tür stand, die Hände in die Hüften gestützt. Der hibiskusrote Umhang erinnerte Marianne an Superman, was vielleicht auch daran liegen mochte, dass Rita ihr in diesem Moment wie eine Superheldin erschien.

Jetzt kam sie angestöckelt, und sofort roch es im

Laden nicht mehr nach Lebensmitteln, sondern intensiv nach Rita.

»Ach, hallo, Mrs Cross«, sagte Tessa. »Sie sehen sehr … farbenfroh aus.«

»Danke.« Rita packte ihre Tochter am Arm. »Beeil dich, Marnie, du hast einen Friseurtermin.«

»Ich habe keinen …«

»Doch, Waschen und Föhnen, hast du das vergessen? Hugh wartet schon auf dich.« Rita steuerte Marianne entschlossen zur Tür.

»Wolltest du diese Reißzwecken kaufen?«, rief Tessa ihr nach.

Rita nahm Marianne die Schachtel weg und legte sie in ein Regal. »Ich habe schon welche besorgt«, erklärte sie mit strahlendem Lächeln. Dann packte sie Marianne wieder, bugsierte sie durch die Tür und zog sie die Straße entlang. Als sie am Jeep ankamen, blieb Rita stehen und lehnte sich an. »Kannst du nicht wenigstens«, sagte sie keuchend, »irgendwas Brauchbares stehlen, wenn du es schon nicht lassen kannst? Backpulver zum Beispiel?«

»Ich wollte nichts stehlen«, erwiderte Marianne schroff.

»Oder Pralinen«, fuhr Rita unbeirrt fort. »Ganz hinten gibt es ein herrliches Sortiment.«

»Warum bist du nicht bei den anderen?«, fragte Marianne.

»Ich … musste was besorgen.«

»Was denn?«

»Ähm … Büroklammern«, antwortete Rita.

»Du hast mich überwacht.«

»Wie man sehen kann, war das sinnvoll.«

»Ich fahre nach Ancaire zurück«, sagte Marianne, die sich schlagartig vollkommen erschöpft fühlte.

»Du hast einen Termin.«

»Ich dachte, den hast du erfunden, um mich aus dem Laden zu holen.«

»Na ja, genau genommen, schon«, sagte Rita. »Aber Herr im Himmel, hast du dir mal deine Haare angeschaut?«

»Nee.«

»Sehen aus wie ein Heuhaufen, das kannst du mir glauben.«

»Ich gehe nicht zu Happy Hair«, erwiderte Marianne trotzig.

»Entweder Happy Hair oder Polizeirevier«, verkündete Rita unerbittlich.

»Aber ich habe doch gar nichts getan!«

»Versuchter Diebstahl ist auch eine Straftat. Und ich habe Richterin Henderson versprochen, dich im Auge zu behalten. Damit du nicht rückfällig wirst.«

»Es war doch nur eine Packung Reißnägel«, murmelte Marianne verdrossen.

»Und hier geht es nur um Waschen und Föhnen.« Rita packte erneut Mariannes Arm und steuerte sie zu Hughs Haus. »Betrachte es als soziale Intervention.«

21

Vor dem Seitentor zu Hughs Garten machte Marianne einen letzten Versuch. »Ich brauche aber kein …«

»Ist gleich da vorne«, erwiderte Rita eisern, öffnete die Pforte und zog Marianne weiter.

Im hinteren Teil des Gartens befand sich das Blockhaus, von dem Hugh berichtet hatte. Es sah moderner aus, als Marianne erwartet hatte. Die Wände waren aus hellem glattem Holz, an den bodentiefen Fenstern stand in bunten Lettern *Happy Hair*. Drinnen sah man Hugh, wie er schwungvoll Haare aufkehrte und dabei lauthals I'm Gonna Be (500 Miles) von den Proclaimers schmetterte, was bis nach draußen zu hören war. Dann fegte er alles auf die Schaufel und verschwand mit schwingendem Kilt in einem Nebenraum.

Rita schob Marianne durch die Tür. Bartholomew saß vor einem Spiegel und studierte ein Frisurenbuch. Mit den feuchten Haaren, die schlaff herunterhingen, sah er viel unscheinbarer aus.

»Was hältst du davon, Marnie?« Er drehte sich um und zeigte auf das Foto eines Mannes mit ergrauendem Fassonschnitt.

»Sieht … sehr adrett aus«, antwortete Marianne zögernd.

»Ganz genau.« Bartholomew nickte bekräftigend. »Ich denke mir, das passt gut fürs Vorstellungsgespräch morgen.«

»Völlig daneben, wenn du versuchst, ein anderer zu sein«, erklärte Shirley, die anmarschiert kam und Bartholomew das Buch wegnahm. »Deine Tolle gehört zu dir. Außerdem sieht sie schön nach Theater aus. Und lässt dich größer wirken. Sonst bist du einfach nur ein kleiner schwuler Mann mit Bindungsängsten.«

»Klein zu sein ist bestimmt belastend«, äußerte Freddy überlegen und winkte Marianne zu. Er saß neben Bartholomew und war mit seinem iPad beschäftigt, auf dem er einen Alkoholismus-Test machte, soweit Marianne das erkennen konnte.

Sie erwiderte das Winken.

Freddys kurze dünne Haare wirkten kaum verändert, waren aber offenbar – einigen hellgrauen Spitzen am Boden nach zu schließen – bereits bearbeitet worden.

»Groß zu sein und sich nicht zu outen ist bestimmt noch viel belastender«, konterte Bartholomew ungerührt.

Unter der riesigen Trockenhaube kam jetzt Ethel zum Vorschein, deren Haare nicht dezent violett, sondern eher leuchtend lila geraten waren. »Dachte doch, dich gehört zu haben«, sagte sie lächelnd zu Marianne. »Alles in Ordnung mit dir, Liebes? Du siehst ein klein wenig verstört aus.«

Marianne bemühte sich um ein Pokerface.

»Und, was meinst du?«, fragte Ethel und berührte vorsichtig ihre Löckchen. »Ist es violett genug?«

»Ja«, antwortete Marianne.

»Oh, gut. Und glaubst du, es wird Stanley gefallen?«

»Ich ...« Marianne kapitulierte. Mit diesen Leuten zu sprechen fand sie so anstrengend, wie Ritas selbst gemachte Karamellbonbons zu kauen.

»Für unseren Hochzeitstag«, fuhr Ethel fort. »Erinnerst du dich? Der Tanzabend?«

»Ja«, sagte Marianne. »Ich erinnere mich.«

»Stanley ist so ein eleganter Tänzer«, sagte Ethel träumerisch.

»So gut wie ich, Ethel?« Bartholomew sprang auf und tanzte Walzer durch den Raum, einen imaginären Partner im Arm haltend.

»Sogar noch besser als du, lieber Bartholomew«, rief Ethel aus, klatschte aber Beifall. »Und ich habe ein hübsches lila Kleid, das zur Haarfarbe passt. Stanley hat immer gesagt, das sei eine königliche Farbe und ich sähe darin aus wie eine Königin.«

»Ein echter Gentleman«, bemerkte Rita und küsste Ethel auf die Wange.

»Von denen es nicht mehr viele gibt«, erklärte Freddy mit bedeutsamem Blick auf Bartholomew.

»Die Farbe ist wie für dich gemacht«, sagte er, und Marianne hatte den Eindruck, dass er es aufrichtig meinte.

Ethel strahlte. »Und du bist ganz sicher, dass die Frisur auch wirklich bis Sonntag hält, Shirley?«

»Damit könntest du stundenlang Jitterbug tanzen, ohne dass sich ein Härchen bewegt«, erklärte Shirley nicht ohne Stolz. »Aber halt dich von Flammen fern.«

Sie senkte die Trockenhaube wieder ab, stellte sie auf die höchste Stufe und beugte sich dann zu Ethel hinunter. »Und jetzt bleibst du drunter, bis ich dich befreie, okay?« Ethel hob zittrig den Daumen.

»Ah, da ist jemand überredet worden«, sagte Hugh, der aus dem Nebenraum kam. Er grinste Marianne an und stützte sich auf den Besen, von dem sie fürchtete, dass er unter dem Gewicht des wuchtigen Schotten zerbrechen könnte.

»Du hast ja alle Hände voll zu tun«, erwiderte Marianne und bewegte sich unauffällig Richtung Tür.

»Ganz und gar nicht. Was soll gemacht werden?«

»Ich bin raus«, verkündete Shirley mit Blick auf Mariannes Mähne. »Dafür hab ich nicht genug Ausdauer.« Sie grinste Marianne an. »Nicht böse gemeint, okay?«

»Hast du genügend Ausdauer, um Bartholomews Pompadour wiederherzustellen?«, fragte Hugh. Er lehnte den Besen an die Wand, trat hinter Freddy und begann mit einem weichen dicken Pinsel verbliebene Haare vom Hals zu entfernen.

»Das kitzelt!«, rief Freddy kichernd und blickte durch seine beschlagene Brille zu Hugh auf.

»Na klar«, antwortete Shirley und tauchte so abrupt hinter Bartholomew auf, dass der sich erschrocken ans Herz griff.

»Hast du mich erschreckt! Einen furchtbaren Moment lang dachte ich, es sei Freddy, der mich wieder bespringen will!«

»So was mach ich doch nicht!«, protestierte Freddy und lief rot an.

Rita trat zwischen die beiden und wies mit dem Kopf auf Freddys iPad. »Hast du deine Punktzahl schon ausgerechnet?«

Freddy nickte düster. »Mittlerer Wert«, sagte er mit Grabesstimme.

»Du verbesserst dich aber«, bemerkte Rita.

»Aber letzte Woche hatte ich schon ein ›niedriges Niveau von Alkoholabhängigkeit‹ erreicht«, klagte Freddy.

»Immer schön dranbleiben.« Rita küsste ihn auf beide Wangen. »Und jetzt begleite mich mal. Es gibt fußläufig einen neuen Secondhandladen, und ich habe große Lust auf Stöbern.«

»Schön.« Freddy stand auf. Dass Rita ihn abgelenkt hatte wie ein Kind, schien ihm bewusst zu sein, aber er konnte ihrem strahlenden Lächeln nicht widerstehen.

»Wir kommen in vierzig Minuten wieder«, sagte Rita zu Hugh. »Reicht das?«

»Wofür?«, fragte Marianne, der plötzlich ganz mulmig wurde.

»Ich würde eher eine Stunde einplanen«, antwortete Hugh und beäugte Mariannes Haare. »Sicherheitshalber.«

Nachdem Rita mit Freddy verschwunden war, wurde es still im Salon. Hugh ging hinaus, um Tee zu kochen, Shirley machte sich mit höchster Konzentration daran, Bartholomew die Spitzen zu schneiden. Einziges Geräusch war ein vernehmliches Schnarchen, das unter der Trockenhaube hervordrang.

Marianne hatte keine Ahnung, ob sie sich nun wirklich niederlassen sollte, und wenn ja, wo. Und ob sie vorher ihren Anorak ausziehen sollte.

»Nimm doch hier Platz, Mädchen«, sagte Bartholomew und klopfte auf den Stuhl neben sich. »Das Muttersöhnchen ist ja weg.«

Als Marianne sich setzte, merkte sie, dass der Stuhl noch warm war. Normalerweise fand sie das scheußlich, aber da sie fror, war sie ausnahmsweise dankbar für die Wärme.

Shirley hatte den Haarschnitt beendet und begann jetzt, Bartholomews Tolle zu fönen, indem sie recht rabiat mit einer Rundbürste zu Werke ging, stirnrunzelnd vor Anstrengung.

»Könntest du ein bisschen sanfter sein?«, beklagte sich Bartholomew lautstark, um den Radau des Föns zu übertönen.

Shirley schaltete ihn ruckartig aus. »Du willst doch morgen bei dem Vorstellungsgespräch richtig gut aussehen, oder?«

»Ich weiß gar nicht mehr, weshalb ich mich überhaupt auf diese Stelle beworben habe«, sagte Bartholomew kläglich. »Ich habe garantiert nicht die geringste Chance.«

»Mit so einer Haltung ganz bestimmt.« Shirley drehte den Stuhl herum, starrte Bartholomew finster an und hob den Fön wie eine Schusswaffe. »Willst du jetzt wohl mal mit Jammern aufhören?«

»Okay«, murmelte Bartholomew, der offenbar spürte, dass Shirley mit ihrer Geduld am Ende war. Marianne wunderte sich ohnehin, dass das erst jetzt passierte.

Shirley wirbelte Bartholomew wieder herum und machte sich erneut ans Werk.

Hugh erschien mit einem Becher Tee in jeder Hand und einer Packung Keksriegel unter dem Arm. Als er Marianne einen Blick zuwarf, lachte er schallend, und sie starrte ihn erbost an.

»Entschuldigung«, sagte Hugh. »Es ist nur … du siehst völlig verängstigt aus.«

»Bin ich aber nicht. Ich … habe mir nur schon länger nicht mehr die Haare schneiden lassen.«

»Was du nicht sagst.« Hugh schmunzelte.

»Das ist sehr unprofessionell«, sagte Marianne beleidigt.

»Hast recht.« Hugh reichte ihr einen Becher und einen Keksriegel. »Das Ganze noch mal von vorne? Ich will mich auch bemühen, so professionell wie möglich zu sein.«

Marianne nickte. Sie spürte wieder die Erschöpfung nach dem Adrenalinschub im Supermarkt.

»Möchtest du nicht deinen Anorak ausziehen?«, schlug Hugh vor. »Ich hole dir ein Buch zum Lesen.«

»Wieso bietest du mir keine Zeitschrift an?«, fragte Marianne und deutete auf das Magazin, das Bartholomew durchblätterte.

»Liest du so was denn?«

»Nein.«

Hugh zog ein Buch aus dem Regal. *Betty und ihre Schwestern* von Louisa May Alcott. »Kennst du das?«

»Na sicher«, antwortete Marianne. »Habe ich als Kind gelesen.«

»Ich bin früh von der Schule abgegangen, habe Nachholbedarf«, erklärte Hugh.

»Bist du einer von diesen Friseuren, die ständig quasseln?«, fragte Marianne, als Hugh ihr in einen schwarzen Umhang half.

Hugh schien sich die Antwort sorgfältig zu überlegen. Schließlich sagte er: »Manchmal ja. Wenn es erforderlich ist.«

»Jetzt ist es nicht erforderlich«, stellte Marianne klar.

»Ich werde stumm wie ein Fisch sein«, gelobte Hugh und wies auf das Waschbecken. Marianne ließ sich dort nieder, und Hugh fasste ihr Haar zusammen und legte ihren Kopf behutsam in die Kuhle. Er war so bedrohlich nah, dass Marianne seinen Geruch wahrnahm. Er roch nach frischer Wäsche. Und etwas anderem, Zitronengras vielleicht. Ein Haarprodukt wahrscheinlich. Seine Haare hatten einen auffälligen Glanz. Eine Strähne stahl sich hinter Hughs Ohr hervor und glitt über Mariannes Wange, seidig und weich. Sie dachte an ihre strohigen störrischen Locken, die jetzt das Waschbecken füllten.

»Verzeihung.« Hugh strich die Strähne wieder hinters Ohr und drehte das Wasser auf. »Wie ist die Temperatur?«

»Gut«, antwortete Marianne gepresst. Ihr war heiß, und sie musste sich dazu zwingen, regelmäßig zu atmen.

Angeblich sollte es ungemein entspannend sein, wenn einem die Haare gewaschen wurden. An ihrem einstigen Arbeitsplatz hatten Kolleginnen erzählt, wie sehr sie es genossen hatten und dass sie beinahe eingeschlafen wären.

Marianne dagegen konnte sich nicht erinnern, wann sie sich zum letzten Mal so schrecklich unwohl gefühlt hatte. Sie konnte Hugh nicht sehen, spürte aber seine körperliche Nähe, und zwar viel zu intensiv.

»Du hast kräftige Haare«, sagte er, als er ihr den Pony aus der Stirn strich. »Ist das Kastanienbraun deine natürliche Farbe?«

»Ja.« Ihre Stimme hörte sich alles andere als natürlich an, eher wie ein gequetschtes Quäken. Sie spürte, wie Hughs große Hände durch ihre Haare glitten. Was machte er da, massierte er womöglich ihre Kopfhaut? Nein, er verteilte nur das Shampoo, wie alle Friseure. Sie musste sich jetzt unbedingt entspannen. Das Shampoo duftete nach Rosenblüten, und das Wasser war warm und angenehm, und seine Hände fühlten sich behutsam und sanft an, und Marianne begann zu überlegen, wann sie zum letzten Mal so berührt worden war.

»Alles gut?«, fragte Hugh. »Das Wasser nicht zu warm?«

»Nein, alles … gut«, brachte Marianne mühsam hervor.

Als er das Shampoo auswusch, war sie enorm erleichtert. Schon fast geschafft. Doch nein, er shampoonierte die Haare ein zweites Mal! Und knetete dabei auch noch ihren Nacken.

»Spülung«, verkündete Hugh nach der zweiten Wäsche.

»Nein!«, sagte Marianne, lauter als beabsichtigt. Aber er knetete die Flüssigkeit schon in ihre Haare.

»Das war keine Frage«, erklärte er, als sie die Augen öffnete und ihn aufgebracht anstarrte. »Ich wollte es dir nur mitteilen.«

Sie schloss die Augen wieder. Ergab sich ihrem Schicksal.

»Siehst du?«, sagte Hugh schließlich zufrieden. »Jetzt kann ich durch deine Haare streichen, ohne irgendwo hängen zu bleiben.«

Marianne versuchte zu ignorieren, wie sanft seine Finger durch ihre Haare glitten. Versuchte zu ignorieren, wie nahe er ihr war. Trotz des röhrenden Föns hörte sie seinen Atem, so tief und ruhig, als sei er vollkommen entspannt und konzentriert und genieße seine Tätigkeit.

Schließlich drehte er das Wasser ab und legte Marianne ein warmes Handtuch um den Kopf. Dann führte er sie zu dem Platz neben Bartholomew, und sie sah sich mit einem Spiegel konfrontiert, der mit einer Lichterkette im Theaterstil rundum beleuchtet war.

»Ich mach jetzt Feierabend, Hugh«, verkündete Shirley, riss das Handtuch von Bartholomews Schultern und rieb ihm heftig damit den Nacken.

»Lass mir bitte noch ein bisschen Haut dran, ja?« Bartholomew zog den Kopf ein, um sich Shirleys Zugriff zu entziehen.

Marianne konnte ihren Anblick im Spiegel kaum ertragen. Ihre Haut war fahl, Augen und Mund wirkten durch das grelle Licht unverhältnismäßig groß, die halbmondförmigen Schatten unter ihren Augen so blau wie Blutergüsse. Hätte sie zu den Frauen gehört, die immer Make-up dabeihaben, hätte sie es auf der Stelle zum Einsatz gebracht.

Erst jetzt fiel ihr auf, wie lang ihre Haare geworden waren, sie hingen bis über die Schultern. Normalerweise wuchs ihr Lockenschopf eher in die Breite als in die Länge, aber in den letzten Wochen war offenbar beides zugleich passiert.

»Prima Arbeit, Shirley«, sagte Hugh und lächelte Bartholomew an, dessen Tolle über seiner Stirn aufragte wie eine Galionsfigur an einem Schiff, perfekt gerundet, glatt und schimmernd. Shirley, die etwas erhitzt und atemlos wirkte, konnte ein stolzes Lächeln nicht unterdrücken.

Sie trat zur Trockenhaube und hob sie an, pustete Ethel dann sanft auf die Wange, um sie zu wecken. Im trockenen Zustand leuchtete das Lila noch intensiver, und als Ethel ihren weißen Wollmantel anzog, hatte sie eine gewisse Ähnlichkeit mit einem Johannisbeerlutscher.

»Unter dieser Haube könnte ich den ganzen Tag sitzen«, sagte sie mit einem Seufzer. »So schön warm!« Ethel nahm ein Polyesterkopftuch aus ihrer Handtasche und bedeckte vorsichtig ihr Haar damit.

»Steht dir jederzeit zur Verfügung, liebe Ethel«, erklärte Hugh und band ihr das Tuch unter dem Kinn zu.

»Sturmfreie Bude für euch zwei«, sagte Shirley grinsend zu Hugh und Marianne, setzte eine Beanie auf und schlüpfte in ihre Lederjacke.

»Genau.« Bartholomew schwenkte mahnend den Zeigefinger. »Benehmt euch anständig, ihr beiden.«

»Das macht doch keinen Spaß«, warf Ethel keck ein und klappte den goldenen Verschluss ihrer Tasche zu.

Marianne lief rot an wie ein verknallter Teenager und fühlte sich unangenehm an ihre Pubertät erinnert. Sie tat, als hätte sie nichts gehört, und studierte eingehend den Rückseitentext des Buchs.

Jo March und ihre Schwestern wachsen mit ihrer Mutter in bescheidenen Verhältnissen in Massachusetts auf.

Mechanisch las Marianne den Satz mehrmals, bis er ihr vollkommen sinnlos erschien. Unterdessen verabschiedete Hugh die anderen und begleitete sie zur Tür.

Dann erschien er wieder hinter Marianne und betrachtete ihr Spiegelbild. Sie flehte insgeheim, dass er stillschweigend über die peinlichen Bemerkungen hinweggehen würde. Mit so etwas hatte sie noch nie umgehen können, ihr fiel grundsätzlich nichts ein, was sie erwidern konnte.

»Frotzeln« hatten die Kollegen das im Büro genannt. Eine kleine witzige Frotzelei. Oder Necken. Wir wollen es doch nur ein bisschen lustig haben. Mal zusammen lachen, Marianne. Sie hatte keine Ahnung, wie das ging. Und was man in so einem Fall tun sollte.

Vielleicht am besten selbst die Initiative ergreifen. Ihr Mund war trocken, als sie Luft holte, um zu sprechen.

Aber dann sagte Hugh: »Ich kämme deine Haare erst mal durch, okay?« Er hielt einen Kamm hoch und sah Marianne im Spiegel abwartend an.

Sie nickte, zutiefst erleichtert. »Und dann?«

»Machen wir, was du möchtest. Ich kann fransig, stufig, glatt schneiden, Bob oder Vokuhila …«

»Ich dachte, du seist nur Experte für lila Löckchen.«

»Das möchte ich mal überhört haben.« Hugh ließ die Schere um den Finger kreiseln wie eine Pistole.

»Entschuldigung. So viel Haarspray in der Luft, das macht mich wirr im Kopf.«

»Also, was möchtest du?«

»Hm … einfach nur ein bisschen kürzer?«

»Finde ich super. Und weil du zum ersten Mal hier bist, bekommst du auch mein Spezial-Angebot.«

»Was ist das?«, fragte Marianne vorsichtig.

»Waschen, schneiden, fönen und dazu einen Happy-Hair-Button«, antwortete Hugh und zog eine Schublade auf, in der jede Menge Buttons in unterschiedlichen Farben lagen.

Marianne musste sich ein Grinsen verkneifen. »In Ordnung«, sagte sie.

Sie schlug das Buch hinten auf und las den letzten Absatz. Dann fing sie auf der ersten Seite zu lesen an.

»Machst du das immer so?«, erkundigte sich Hugh, während er mit viel Feingefühl ihre Haare zu kämmen begann.

Marianne nickte. »Ich kann Überraschungen nicht leiden.«

Danach war eine gute Viertelstunde nichts zu hören, außer dem Klacken von Hughs Schere. Trotz ihrer Aversion gegen Überraschungen ertappte sich Marianne dabei, dass sie von sich selbst überrascht war, weil sie das Haareschneiden gar nicht sonderlich unangenehm fand. Hugh strahlte eine große Ruhe aus und schnitt ihr Haar mit bedächtiger Sorgfalt. Bei früheren Friseurbesuchen hatte Marianne wie auf glühenden Kohlen gesessen und nur darauf gewartet, dass sich der Kamm in ihren Haaren verfing, jemand eine abfällige Bemerkung über ihr störrisches Haardickicht machte und Produkte offerierte, die es in seidige, geschmeidige Locken verwandeln würden.

Hugh handhabte seinen Kamm einfühlsam und machte keinerlei Bemerkungen.

Er schnitt lediglich die Haare, während Marianne das Buch las. Blätterte sie eine Seite um, warf sie jeweils im Spiegel einen verstohlenen Blick auf Hugh, ohne den Kopf zu bewegen. Alles an ihm war groß. Die orangerote Mähne, das Gesicht, der Kopf. Aber das Kinn und die himbeerroten Lippen hatten fast etwas Feines, Zartes, und obwohl die grünen Augen in einem verwirrenden Farbkontrast zu den orangefarbenen Sommersprossen standen, fand Marianne den Anblick seines Gesichts irgendwie beruhigend. Es gab ihr das Gefühl, in guten Händen zu sein. Auch das überraschte sie, ebenso wie das folgende Gespräch. An dem das Erstaunlichste war, dass es von ihr selbst begonnen wurde.

»Wie bist du zum Haareschneiden gekommen?«, fragte Marianne bei der nächsten umgeblätterten Seite.

»Na ja«, Hugh richtete sich auf und sah sie im Spiegel an, »ist weniger anstrengend, als Rohre zu reinigen.« Er grinste. »Und riecht auch viel angenehmer.«

»Du warst früher Rohrreiniger?«

Hugh zuckte die Achseln. »Hauptsächlich habe ich mir Drogen reingezogen, offen gestanden. Um mir die leisten zu können, habe ich zwischendurch immer kurze Jobs gemacht. Einmal sogar in einem Studio für Spray Tanning, ob du's glaubst oder nicht.«

Seltsamerweise fiel es Marianne nicht einmal schwer, das zu glauben.

»Die wollten mich sogar gern behalten. Aber da hat es gestunken, sage ich dir. Schlimmer als die Rohre.«

Marianne musste lachen. Sie konnte nichts dagegen tun. Und sie konnte auch Hugh nicht dafür verantwortlich machen, der einigermaßen verdattert aussah. Als es ihr gelang, das Lachen zu beenden, sagte sie: »Du hast meine Frage noch nicht beantwortet.«

»Habe ich nicht?«

»Wie du zum Friseurberuf gekommen bist?«

»Also, den habe ich mir nicht so direkt ausgesucht«, antwortete Hugh, nahm Mariannes Pony zwischen die Finger und begann ihn zu bearbeiten. »Der Richter sagte, entweder Entzug und eine Ausbildung, oder ich lande in Barlinnie.«

»Was ist da?«

»Der größte Knast von Schottland. Alle meine Brüder waren da. Hat keine gute Bewertung auf TripAdvisor.«

»Oh.«

»Deshalb habe ich dann Friseur gelernt. Die einzigen Ausbildungsplätze, die noch frei waren.«

»Du scheinst gute Lehrer gehabt zu haben«, sagte Marianne.

Hugh hielt inne und sah sie wieder an. »Machst du mir etwa Komplimente?«

»Ich habe mich nur positiv über deine Fähigkeiten geäußert.«

»Das ist ein Kompliment.«

»Und dann bist du nach Irland gezogen?«, fragte Marianne rasch weiter.

Hugh befasste sich weiter mit dem Pony. »Rita hat in der Entzugsklinik einen Vortrag gehalten und von ihrem Programm berichtet. Ich wusste, dass ich es nicht schaffen würde, in Glasgow clean zu bleiben. Mein Wohnblock war komplett drogenverseucht, da war man Außenseiter, wenn man nicht auf Droge war. Und dann war ich auch noch *Friseur* geworden.«

Hugh zog eine Schublade auf und nahm einen Fön heraus. Marianne hätte gerne weiter persönliche Fragen gestellt, sagte aber stattdessen: »Willst du meine Haare glätten?« Brian hatte ihr einmal zu Weihnachten ein Glätteisen geschenkt. Aber auch damit war es Marianne nicht gelungen, die Frisur des Models auf der Packung hinzubekommen.

Hugh schüttelte entschieden den Kopf. »Wäre doch ein Verbrechen, eine Lockenpracht wie deine zu glätten.«

So bewundernd hatte noch nie jemand über ihre Haare gesprochen. Und als Hugh ihr schließlich die

Frisur mit einem Spiegel von hinten zeigte, konnte Marianne nicht anders, als zu lächeln.

Sie hob die Hand und berührte sachte ihr Haar. Es fühlte sich weich und geschmeidig an und war nicht mehr stumpf und mausbraun, sondern glänzend und kastanienbraun mit einem goldenen Schimmer, als hätte sie so etwas wie ihre Kolleginnen – Strähnchen.

Unversehens sah sie aus wie eine Frau mit goldenen Strähnen im Haar. Die zwar immer noch einen Jogginganzug trug, aber immerhin.

Hugh hob ihre Haare hoch und säuberte ihren Nacken.

»Gehst du heute Abend aus?«, fragte er.

»Du hast versprochen, nicht zu quasseln.«

»Tue ich nicht. Das ist eine richtige Unterhaltung.«

»Ich gehe nicht aus. Was bin ich dir schuldig?«

»Fünfundzwanzig Euro«, antwortete Hugh.

»Das ist doch bestimmt viel zu wenig.« Sogar Marianne wusste, dass man bei Friseuren nicht nur nach Strich und Faden ausgenommen, sondern auch schlecht behandelt wurde, wenn man kein saftiges Trinkgeld gab.

»Nein, das ist der Preis«, erwiderte Hugh und händigte ihr einen Happy-Hair-Button aus.

»Verlangst du deshalb so wenig von mir, weil mein Mann mich verlassen hat, mein Haus konfisziert wurde und ich meine Stelle verloren habe, weil ich wegen Ladendiebstahl verurteilt worden bin?«

»Nein«, wiederholte Hugh. »Das ist ein Festpreis.« Er wies mit dem Kopf auf eine Liste an der Wand.

»Oh. Ach so.«

Hugh nahm Mariannes Anorak vom Bügel und war ihr beim Anziehen behilflich. Als sie sich umdrehte, hätte sie fast gejubelt, weil ihre Haare sich so fantastisch anfühlten.

»Meine Haare«, platzte sie heraus. »So … toll.«

»Finde ich auch.« Hugh grinste sie so vergnügt an, dass die grünen Augen fast in den Lachfältchen verschwanden. Dieser Mann wirkte wie ein Mensch, der weiß, wie sich Glück anfühlt und wie man es finden kann. Einen kurzen Moment lang spielte Marianne mit dem Gedanken, ihn zu fragen.

Ihr Blick heftete sich jetzt auf Hughs Mund. Die vollen roten Lippen. Sie würde sich auf die Zehenspitzen stellen müssen, um ihn zu küssen.

Marianne trat einen Schritt zurück und beschäftigte sich mit dem Reißverschluss ihres Anoraks. Dabei versuchte sie sich an Brians Mund zu erinnern. Wann hatte sie Brian zum letzten Mal geküsst? Auch das wusste sie nicht mehr. Wahrscheinlich war es ohnehin nur ein flüchtiger Kuss auf die Wange gewesen. Hätte sie gewusst, dass es das letzte Mal sein würde, hätte sie sich vielleicht mehr bemüht.

Warum sie jetzt solche Gedanken hatte, war ihr ein Rätsel. Musste an der Hitze des Föns liegen. Ihr Gesicht war auch ganz heiß.

»Danke«, sagte sie. »Das war … nicht so furchtbar, wie ich erwartet hatte.«

»Sehe ich auch so«, erwiderte Hugh.

22

»Du siehst ja heute Morgen so zufrieden aus«, bemerkte Tante Pearl, als Marianne in die Küche kam.

»Ich habe heute mal ganz gut geschlafen«, sagte Marianne, nahm sich einen Toast und bestrich ihn mit Butter.

»Und da hat man gleich nur halb so viel Sorgen«, sagte Rita und stellte einen Teller mit warmen Scones auf den Tisch.

»Das stimmt nicht«, erwiderte Marianne.

»Dann wenigstens ein Viertel weniger?«

»Es liegt an den Haaren«, sagte Pearl und beugte sich vor, um Marianne genauer zu inspizieren. »Hast du sie mal ordentlich gebürstet?«

»Hugh hat sie mir geschnitten«, offenbarte Marianne, weil ohnehin klar war, dass Tante Pearl ohne eine halbwegs plausible Erklärung keine Ruhe geben würde.

»Ah, Hugh«, sagte Pearl, und Marianne wartete auf die abfällige giftige Bemerkung, die mit Sicherheit folgen würde. Doch die blieb aus. Auf Pearls Gesicht erschien sogar so etwas wie die Spur eines Lächelns.

Bartholomews Vorstellungsgespräch sollte um elf Uhr im Theater in Rush stattfinden. Nachdem Marianne den Rest der Truppe abgeholt und in Ancaire abgesetzt hatte, chauffierte sie Bartholomew zum Theater und parkte vor dem Eingang.

»Oje, oje, Marianne«, sagte Bartholomew, der in seinem dunkelblauen Dreiteiler mit Einstecktuch und Krawatte im gleichen Farbton wie aus dem Ei gepellt aussah. »Ich glaube, ich kann das nicht.«

»Doch, du kannst«, erwiderte Marianne in dem Tonfall, den früher ihre Klienten zu hören bekamen, wenn sie mit der Steuererklärung herumtrödelten.

Das schien tatsächlich Wirkung zu zeigen, denn Bartholomew schaute sie jetzt an und sagte: »Meinst du wirklich?« Seine Stimme klang etwas kläglich, aber eine Spur Hoffnung war herauszuhören.

Marianne nickte nachdrücklich.

»Vielleicht sollten wir die Atemübung machen, auf die Rita so schwört«, schlug Bartholomew vor.

»Wir?«

»In Gesellschaft fällt alles leichter.«

Sie atmeten ein und zählten dabei bis fünf, hielten auf fünf die Luft an und atmeten dann aus. Bartholomew bestand darauf, das zehnmal zu wiederholen. Als Marianne die Augen öffnete – sie hatte gar nicht gemerkt, dass sie geschlossen waren –, lächelte Bartholomew sie an.

»Was ist?« Sie richtete sich auf. »Habe ich Essen im Gesicht oder irgendwas?«

»Ich dachte nur gerade, wie wundervoll deine Haare aussehen. Hugh hat fantastische Hände«, fügte Bartholomew etwas sehnsüchtig hinzu.

»Du musst jetzt reingehen«, sagte Marianne mit Blick auf ihre Uhr. »Ich soll sicher auf dich warten, oder?«

Bartholomew schüttelte den Kopf. »Lieber nicht. Falls ich es vermassle.«

»Wirst du nicht. Und jetzt ab mit dir, du willst doch nicht zu spät kommen.«

»Aber wenn ich zu früh da bin, denken die vielleicht, ich hätte den Job furchtbar nötig.«

»Sie werden dich für pflichtbewusst und engagiert halten«, widersprach Marianne hartnäckig.

Bartholomew, der auf seinen Händen gesessen hatte, legte jetzt eine Hand auf die von Marianne. »Weißt du«, sagte er, »wärst du nicht gewesen, dann wäre ich jetzt wohl nicht hier.«

Seine Hand war durch den Aufenthalt unter seinem Gesäß besonders warm, und Marianne überraschte sich selbst aufs Neue, indem sie ihre nicht wegzog, sondern die von Bartholomew ergriff. Bartholomews kurze braune Finger lagen nun in ihren langen weißen. Er warf Marianne ein Lächeln zu, holte dann tief Luft und öffnete die Tür.

»Moment noch«, sagte Marianne, nahm ihre Handtasche und kramte darin herum. »Freddy hat mir etwas für dich mitgegeben, fast hätte ich es vergessen.«

»Was denn?«

»Das hier.« Marianne reichte ihm etwas, das wie ein regenbogenfarbener Einkaufschip aussah.

»Ach, im Ernst jetzt.« Bartholomew schüttelte den Kopf, legte den Chip behutsam auf die Handfläche und betrachtete ihn. »Freddy hat ihn wirklich behalten«, sagte er fast wie zu sich selbst, und als er Marianne ansah, standen ihm Tränen in den Augen. Sie bereute prompt, dass sie ihm das Ding überhaupt gegeben hatte.

»Der Abend des Verfassungsreferendums für die gleichgeschlechtliche Ehe«, sagte Bartholomew leise. »Wir waren sturzbesoffen vor Freude, Freddy und ich. Ich wollte ihn in einem Einkaufswagen vom Supermarkt herumschieben, wie ein Triumphzug, weißt du. Wir hatten aber keinen Euro, und eine Dragqueen kam grade vorbei und gab Freddy den Chip, und dann ging's los. Freddy im Wagen, ich schob, und wir schmetterten lauthals ›People Get Ready‹.«

Jetzt verfluchte sich Marianne regelrecht, dass sie den Chip nicht behalten hatte. Denn Bartholomew schien jetzt nicht mehr weinen, sondern singen zu wollen.

Was er auch tat. Er breitete die Arme aus, schloss die Augen und sang voller Inbrunst »People Get Ready«, die gesamte erste Strophe. Marianne blieb nichts anderes übrig, als das Ganze über sich ergehen zu lassen. Als Bartholomew seine Gesänge schließlich beendete, steckte er den Chip in die Innentasche seines Sakkos und klopfte darauf.

»Und, sehe ich präsentabel genug aus?« Er klappte die Beifahrerblende herunter und inspizierte seine Zähne im Spiegel.

»Absolut«, sagte Marianne.

»Na dann.« Bartholomew stieg schwerfällig aus und schloss die Tür. Marianne schaute ihm nach, bis er im Theater verschwunden war.

Erst als sie die Hand vom Lenkrad nahm, merkte Marianne, dass sie zitterte. Offenbar war sie so nervös, als habe sie selbst das Vorstellungsgespräch. Was natürlich albern war. Bartholomew war schließlich erwachsen und für sich selbst verantwortlich. Aber hier stand eben so viel mehr auf dem Spiel als nur ein Job. Bartholomew machte seine ersten unsicheren Schritte ohne Alkohol in die große schonungslose Welt zurück. Ließ sein einstiges Leben mit flüchtigen Sexabenteuern, grausamem Kater am nächsten Morgen und vergeudeten Chancen hinter sich. Musste vielleicht zum allerersten Mal alleine und selbstständig zurechtkommen. Versuchte angestrengt, unabhängig zu sein, dabei aber seine Freunde nicht zu enttäuschen. Obwohl Freddy ihm das Herz gebrochen hatte. Was Freddy nicht beabsichtigt hatte, was aber trotzdem passiert war.

Marianne wurde von dem heftigen absurden Wunsch erfasst, ins Theater zu rennen. Den Angestellten zu sagen, wie gut Bartholomew seine Arbeit machen würde, auch wenn sein Berufsleben auf dem Lebenslauf einen ziemlich wechselhaften Eindruck machte.

Doch dann fiel ihr etwas ein. Sie hatte ihm schließlich gesagt, dass er das alles schaffen würde. Sie hatte ihm glaubhaft vermitteln können, dass sie an ihn glaubte.

Jetzt musste sie einfach nur ein bisschen Vertrauen haben.

23

Am nächsten Morgen wurden Mariannes Chauffeurdienste nicht gebraucht, denn Hugh hatte alle zu Ethel transportiert. Das Treffen fand ausnahmsweise dort statt, weil Ethel wegen des Hochzeitstags bis zum Tanzabend zu Hause bleiben wollte. »Falls mein Stanley mir früher als sonst ein Zeichen sendet«, hatte sie Marianne erklärt, der es gelungen war, sich ihre Skepsis nicht anmerken zu lassen.

Es würde zur Abwechslung angenehm sein, hatte sich Marianne gedacht, nicht die ganze Horde in Ritas bockigem Gefährt durch die Gegend kutschieren und sich das Gezänk und Geplapper und Gejohle anhören zu müssen.

Doch jetzt fand sie Ancaire sehr still.

Sie dachte an Bartholomew, der sie nach dem Vorstellungsgespräch angerufen hatte.

»Wann bekommst du Bescheid?«, hatte sie gefragt.

»Irgendwann nächste Woche.«

»Und was meinst du, wie ist es gelaufen?«

»Ich möchte lieber nicht darüber reden«, hatte die Antwort gelautet.

Marianne wanderte durchs Haus, das einzige Geräusch war das Scharren von Georges Krallen hinter ihr.

Es kam ihr wie ein Verrat vor, dass sie sich Sorgen machte um Bartholomew. Als ließe sie ihn im Stich, indem sie seine Fähigkeiten anzweifelte.

In Ritas Atelier schaute sie aus dem Fenster. Die Tür zu Patricks Werkstatt war geschlossen. Vielleicht war er bei einem Kunden oder kaufte ein.

Die Standuhr im Foyer schlug lautstark.

Kurz entschlossen marschierte Marianne in die Küche, füllte einen Eimer mit heißem Wasser und Putzmittel und begab sich damit zum Gewächshaus. Sie hatte schon länger daran gedacht, es zu säubern, aber weder Zeit noch Energie dafür gehabt.

Jetzt schien beides reichlich vorhanden zu sein.

Sie leerte Töpfe mit vertrockneten Pflanzen, schnitt wild wuchernde Zweige zurück, belud damit mehrmals Patricks Schubkarre, füllte frische Komposterde in die Töpfe, gab ein paar Samen aus herumliegenden Packungen hinein und wässerte die Töpfe.

Danach nahm sie sich die Scheiben vor, schrubbte sie gründlich, entfernte Moose, sprühte am Ende alles mit dem Gartenschlauch ab. Mehrmals musste sie das Wasser im Eimer erneuern. Zwischendurch gönnte sie sich eine kleine Pause, verzehrte ein paar von Ritas Mini-Quiches mit geröstetem Spargel und Ziegenkäse, die sie auf einen umgedrehten Eimer gestellt hatte, und trank dazu ein Glas Milch.

Als Marianne am Spätnachmittag mit ihrem Großeinsatz fertig wurde, war sie ebenso verschwitzt wie erschöpft. Ihre Haare hatten sich wieder in das altbekannte Gestrüpp verwandelt, denn George hatte natürlich auf seinem morgendlichen Ausflug zum Meer bestanden. Dem Hund war es völlig einerlei, wie die feuchte Salzluft die Frisur zurichten würde. Als Marianne aus dem Gewächshaus ging, strich sie sich die Mähne aus dem Gesicht und trat ein paar Schritte zurück, um ihr Werk zu bewundern. Die Scheiben waren jetzt so sauber, dass man durch das Gewächshaus hindurch aufs Meer schauen konnte.

Das Wasser leuchtete hellgrün im Licht der untergehenden Sonne, und die Wellen tobten heute nicht, sondern plätscherten sanft ans Ufer.

»Das hast du toll gemacht.«

Marianne drehte sich um. Rita stand lächelnd hinter ihr auf dem Rasen, die Hände in die Hüften gestützt. Sie war noch mehr herausgeputzt als sonst, was Marianne an sich nicht für möglich gehalten hätte. Aber das Outfit strahlte etwas Offizielles aus, war deutlich weniger schrill und glamourös als sonst. Rita trug ein ärmelloses, bodenlanges schwarzes Seidenkleid, stark tailliert und mit gerüschtem Dekolleté, dazu goldene Sandaletten. Zehen- und Fingernägel waren im gleichen Goldton lackiert, unter dem Arm klemmte eine Abendhandtasche mit schwarz-goldenem Leopardenmuster. In der Hand hielt Rita ein schwarzes Spenzerjäckchen.

Die Kombi schien sorgfältig ausgewählt zu sein und ging im Vergleich zu Ritas üblichem karnevalartigen Kleidungsstil eher in Richtung Understatement.

»Du siehst … klasse aus«, entfuhr es Marianne.

»Ist es nicht zu konservativ?« Rita blickte an sich hinunter.

»Nein«, antwortete Marianne beleidigt.

»Entschuldige, Liebling. Ich muss zu diesem Tanzabend bei Ethel, und da sind so viele Kirchenleute, dass man mich in meinem ›Fummel‹, wie du das zu nennen pflegst, wahrscheinlich nicht reinlassen würde.«

Marianne war ein bisschen betreten. Es stimmte, dass sie das Wort für Ritas Kleidungsstil benutzt hatte, und es war keineswegs witzig oder liebevoll gemeint gewesen.

»Normalerweise ist es dir doch schnurzegal, was andere über dich denken«, wandte sie ein.

»Stimmt schon«, sagte Rita. »Aber Ethel ist dieser Anlass so wichtig, und es wimmelt da eben von Kirchenleuten. Du weißt ja, wie ich mich vor denen fürchte.«

»Nee, ich habe immer geglaubt, dass du dich vor gar nichts fürchtest«, erwiderte Marianne verwundert.

»Nur vor diesen Kirchenmenschen. Die sind so … seltsam.« Rita schauderte, obwohl das auch an dem üblichen schneidenden Wind liegen konnte.

»Ich dachte, Ethel ginge nur mit … na ja, Stanley zu diesem Tanzabend.«

»Du weißt aber schon, dass Stanley tot ist, Marnie?« Rita betrachtete ihre Tochter besorgt.

»Natürlich. Einzig Ethel scheint das noch nicht richtig begriffen zu haben.«

Rita schüttelte seufzend den Kopf. In diesem vergleichsweise dezenten Outfit wirkte sie fast fremd. Und irgendwie müde. »Er fehlt ihr einfach«, sagte sie leise. »Tagtäglich.«

Marianne nickte. »Ja, das verstehe ich.«

Rita richtete sich auf. »Jedenfalls ist Ethel immer beim Tanzabend, aber eben ohne Stanley.«

»Was du nicht sagst.«

Rita beachtete Mariannes Tonfall nicht. »Er schickt normalerweise noch vor dem Essen ein Zeichen. Aber heute sind sie wohl schon bei der flambierten Eistorte angekommen, ohne dass Stanley sich gemeldet hätte.«

»Was für Zeichen sind das denn?«, fragte Marianne, wider Willen fasziniert.

Rita zuckte mit den Schultern. »Immer was anderes. Mal ist es ein Lied, mal ein Duft. In einem Jahr war es der Geruch von Zucchini, die Stanley im Garten angepflanzt hatte. Es kann auch etwas sein, das jemand sagt. Oder Ethel hat ganz einfach das Gefühl, dass er bei ihr ist. Das tröstet sie sehr.«

Marianne zog ihre Handschuhe aus. »Du möchtest sicher, dass ich dich hinfahre.«

»Also«, begann Rita, »Ethel würde sich freuen, wenn du auch kämest.«

»Warum das denn?«

»Sie mag dich sehr.«

»Ethel mag jeden sehr.«

»Und sie glaubt, dass deine Anwesenheit sie aufheitern wird«, fügte Rita hinzu.

»Ich wüsste nicht, weshalb.«

»Ich gebe nur weiter, was sie mir gesagt hat.«

Marianne seufzte. »Wie lange muss ich bleiben?«

»Dazu hat sie nichts geäußert.«

»Verdammt.« Marianne leerte den Inhalt des Putzeimers in den Abfluss neben dem Gewächshaus.

»Also, kommst du mit?«, fragte Rita munter.

»Okay«, antwortete Marianne mürrisch. »Muss mir nur noch die Hände waschen.«

»Und vielleicht die Haare kurz bürsten?«, schlug Rita vor. »Die Kirchenleute ...«

»Meine Haare werden keinem auffallen.«

»Und könntest du ein Kleid anziehen?«, fragte Rita. »Nur wegen ...«

»Jaja, der Kirchenleute, ich weiß schon.«

Marianne warf die Handschuhe ins Gewächshaus. »In fünf Minuten bin ich beim Jeep.«

»Zehn Minuten sind auch gut. Dann kannst du noch Lippenstift auflegen.«

Marianne besaß ein einziges Kleid. Es war schwarz und bestand wohl aus irgendeinem Synthetik-Gemisch, denn sie konnte es in der Maschine waschen und musste sich nicht mit Bügeln herumschlagen. Dieses Kleid besaß sie seit vielen Jahren, und sie hatte es zu Weihnachtsfeiern und allen offiziellen Anlässen getragen, um die sie sich nicht drücken konnte. Davon hatte es nicht viele gegeben, aber Brian hatte jedes Mal gesagt, das Kleid sei »sehr hübsch«.

Jetzt durchstöberte Marianne ihr Gepäck nach dem trägerlosen BH, den sie dazu anziehen musste, da es ein Neckholder-Kleid mit einem schwarzen Satinband war.

Dann zwängte sie sich in das Gewand, das kurz unterhalb der Knie endete. Ihre nackten Beine sahen bläulich-weiß aus. George, der auf dem Teppich saß und das ganze Prozedere beobachtete, legte den Kopf schief, als bereite ihm etwas Sorgen.

»Schon gut, ich zieh eine Strumpfhose an«, knurrte Marianne. In einem Seitenfach ihres Koffers fand sie ein Knäuel Nylonstrumpfhosen und zerrte eine heraus, die keine Laufmaschen oder andere Macken hatte. Die Strumpfhose fühlte sich seltsam an auf der Haut, und Marianne musste an Hughs Aversion gegen Hosen denken, an seine Kilts und haarigen muskulösen Beine und …

Marianne schlüpfte in ihre einzigen Schuhe, die keine Sneakers waren – schwarze Sandaletten mit stricknadeldünnen Absätzen und einem Riemchen am Knöchel, das nicht viel Halt gab. Während sie im Zimmer auf und ab stöckelte, um zu üben, schaute George ihr ernsthaft nach. Marianne musste an Ritas Selbstporträts denken, die einem auch immer mit dem Blick zu folgen schienen.

Nachdem Marianne zweimal ohne Stolpern das Zimmer durchquert hatte, band sie mit ihrem weitesten Gummiband die Haare hoch, bearbeitete ihre Wimpern mit Mascara, schmierte mit dem Finger etwas grauen Lidschatten auf die Augen und trug Lippenstift in einem dunklen Kupferton auf.

Dann schaute sie auf die Uhr. In genau neun Minuten geschafft.

»Nein«, sagte sie zu George, der sich erhoben hatte und geduldig an der Zimmertür wartete. »Diesmal kannst du wirklich nicht mit. Die Kirchenleute würden das nicht verkraften.« Sie kraulte dem Hund die Ohren, wie er es besonders gern mochte, und er nutzte die Gelegenheit, die Innenseite ihres Arms abzulecken, den sie an ihrem Kleid abwischte.

Als Marianne vorsichtig das Geländer umklammernd die Treppe hinunterstöckelte, wartete Rita schon unten.

»Gefällt mir, dein Fummel«, sagte sie.

»Ist das nicht total übertrieben?« Marianne blickte an sich hinunter.

»Du siehst sehr elegant aus.«

Marianne zuckte mit den Schultern. »Na ja, bei Kirchenleuten geht man lieber auf Nummer sicher, oder?«

Rita nickte finster, und sie brachen auf.

Der Tanzabend fand im Gemeindehaus hinter der Church of Ireland statt, einem spartanischen Gebäude, das man mit Lichterketten und einer riesigen roten Schleife am Eingang dekoriert hatte, sodass es wie ein Weihnachtsgeschenk aussah. Schon von der Straße aus war eine Lautsprecherstimme zu hören, die Losnummern rief. Marianne und Rita hörten, wie hinter ihnen ein Wagen vorfuhr. Als sie sich umdrehten, erblickten sie Hughs flaschengrünen Jaguar. Alle Türen flogen gleichzeitig auf, und eine Menge bekannter Gestalten kam zum Vorschein.

»Bartholomew!«, rief Rita aus. »Freddy! Shirley! Hugh! Ihr Lieben alle! Was macht ihr denn hier?«

»Ich habe einen verzweifelten Anruf von Ethel bekommen«, erklärte Bartholomew, der mit Frack und Zylinder piekfein aussah. »Sie hat dir eine Nachricht aufs Handy gesprochen, war sich aber nicht sicher, ob du sie noch rechtzeitig abhörst. Deshalb hat sie mich angerufen, und ich hab die anderen angerufen, und Shirley hat Mrs Hegarthy die Augenbrauen gezupft, damit sie auf die Jungs aufpasst, und Hugh hat angeboten, uns zu fahren.«

Hugh grinste fröhlich in die Runde. Er trug wie üblich seinen Kilt, dazu aber ein silbergraues Hemd und ein kurzes schwarzes Jackett, das dem Outfit einen festlichen Charakter verlieh. Freddy sah in einem weißen *Cats*-T-Shirt unter einem zwar ausgebleichten, aber sonst tadellosen Cordsakko auch präsentabel aus, ebenso wie Shirley in einem nahezu knielangen Tarnmusterkleid und auf Hochglanz polierten Doc-Martens-Stiefeln. Marianne fand, dass die Kirchenleute keinerlei Anstoß an ihnen nehmen konnten, und war fast ein wenig stolz auf die ganze Horde.

»Ihr seht alle wunderschön aus«, sagte Rita überschwänglich.

»In meinem ganzen Leben hat mich noch nie jemand *wunderschön* genannt«, erklärte Hugh amüsiert.

»Jammerschade, das sollte öfter passieren«, sagte Bartholomew und nutzte die Gelegenheit, Hugh die Hand auf den Arm zu legen. »Schau dich doch an, du bist ein wahres Prachtexemplar deiner Spezies.«

Freddy verzog gereizt das Gesicht und schob mit seinen langen knochigen Fingern die Brille hoch. »Wenn du mit deiner Rede fertig bist«, sagte er spitz, »sollten wir uns wohl um Ethel kümmern.«

»Okay, okay, reg dich ein paar Grade ab, Frederick«, grummelte Bartholomew und ließ Hugh los. »Also, Leute, mir nach«, verkündete er dann und marschierte Richtung Tür, umgeben von einer Wolke Paco Rabanne. Rita, Shirley und Freddy folgten ihm im Gänsemarsch.

»Ich parke den Wagen«, erklärte Hugh. Marianne nickte und beeilte sich, hinter den anderen herzukommen.

Die ganze Bande drängte sich in einem engen Vorraum, in dem man als Erstes vor einem aufgebockten Tisch landete. Dahinter befand sich, von einem verblassten roten Samtvorhang verdeckt, der Eingang zur Halle. Der Tisch war mit Krepppapier bedeckt, neben einer Kassenbox lagen Tombola-Lose.

Hinter dem Tisch thronte eine schwergewichtige Frau auf einem Plastikstuhl. Sie hatte kurze graue Löckchen und trug eine Brille mit dickem beigem Gestell. In den fleischigen Ohrläppchen steckten Perlohrringe. Die Frau musterte alle mit abschätzigem Blick von Kopf bis Fuß.

Marianne, die merkte, wie Rita bereits in Rage geriet, drängte sich rasch nach vorne.

»Guten Abend«, sagte sie mit der Autoritätsstimme, mit der sie früher Steuerprüfungen angekündigt hatte.

»Falls Sie nicht bereits Eintrittskarten haben, kann ich Sie leider nicht reinlassen«, verkündete die Frau wichtigtuerisch. »Die Veranstaltung ist ausverkauft.«

»Im Ernst?«, sagte Rita fassungslos.

»Wir sind hier, um Ethel Abelforth zu treffen«, erwiderte Marianne entschieden.

»Warum das denn?« Jetzt beäugte die Person Marianne mit unverhohlenem Argwohn.

»Es ist mir nicht gestattet, diese Information preiszugeben.«

»Sind Sie ... Angehörige?«, wollte die Frau wissen.

»Sie ist doch nicht tot!«, ließ Bartholomew verlauten.

»Wir sind Freunde von Ethel«, erklärte Marianne, und die anderen nickten nachdrücklich.

»Und wieso wollen Sie alle da rein?«, fragte der weibliche Zerberus. Diese Frage fand Marianne nun ziemlich nachvollziehbar.

Plötzlich wurde hinter ihnen die Tür aufgerissen, und die Frau spähte an ihnen vorbei. »Oh, Hugh!«, rief sie und tätschelte ihre starren Löckchen. »Ich wusste gar nicht, dass du heute kommst!«

»Olwen, wie schön dich zu sehen.« Hugh schloss die Tür hinter sich, und Marianne sah, wie er mit einem einzigen Blick die Situation erfasste. »Das blaue Twinset steht dir fantastisch«, sagte er und trat auf den Tisch zu. »Sieht sehr elegant aus.«

»Ach, das alte Ding«, erwiderte Olwen und strahlte übers ganze Gesicht. »Das habe ich schon seit Jahren.«

Bartholomew nickte bestätigend, aber es gelang ihm, den Mund zu halten.

»Ich habe Olwen hier gerade erklärt«, sagte Marianne lächelnd, »dass wir unbedingt nach Ethel schauen müssen.«

Olwen richtete sich so hoch auf, wie ihre Körpermasse das zuließ. »Und ich hatte gerade gesagt, dass …«

Hugh stützte sich auf den Tisch, beugte sich vertraulich vor und sagte mit gedämpfter Stimme: »Weißt du, Olwen, ich glaube, ich hätte Zeit, beim nächsten Treffen deiner Wohltätigkeits-Frauengruppe diesen Haarpflege-Workshop anzubieten. Natürlich nur, wenn du bereit bist, mein Versuchskaninchen zu sein«, fügte er mit einem Zwinkern hinzu.

»Ich sähe mich ja lieber als deine Muse, Hugh«, erwiderte Olwen mit sagenhaft kokettem Unterton.

Marianne räusperte sich so lautstark, dass ihr der Hals wehtat. Hugh blickte auf, als habe er ganz vergessen, dass sich noch andere Menschen im Raum befanden.

»Ach so, ja.« Er runzelte die Stirn. »Olwen, gibt es vielleicht doch die Möglichkeit …«

Sie stand auf, tätschelte Hugh die Schulter und raunte ihm verschwörerisch zu: »Überlass das nur mir.« Dann schaute sie ihm noch einmal tief in die Augen und verschwand hinter dem roten Samtvorhang.

»Ich fühle mich jetzt irgendwie unseriös«, murmelte Bartholomew.

»Das hast du fantastisch hingekriegt!« Freddy strahlte Hugh schwärmerisch an.

»Du bist ja wie ein Sextoy für Senioren«, bemerkte Shirley schaudernd.

»So alt ist Olwen gar nicht«, warf Rita indigniert ein. »Etwa in meinem Alter.«

»Wir sind noch immer nicht drin, Leute«, gab Marianne just in dem Moment zu bedenken, in dem der Vorhang sich teilte und Olwen mit triumphaler Miene wieder in Erscheinung trat.

»Ich habe dafür gesorgt, dass man neben Ethels Tisch einen für euch alle aufstellt«, sagte sie und fixierte Hugh, als sei er die einzige Person im Raum. »Fürs Abendessen kommt ihr zu spät, aber ich versuche mal, noch Dessert für euch aufzutreiben.« Sie lächelte Hugh lasziv an. »Obwohl du ja schon süß genug bist.«

Olwen kicherte vieldeutig, worauf Shirley einen Würgelaut von sich gab, den Marianne mit lautstarkem Husten übertönte. Als Olwen ruckartig herüberschaute, lenkte Bartholomew sie ab, indem er ihr ein Küsschen auf die Wange gab.

Rita zog unterdessen den Vorhang beiseite, hielt ihn auf und flötete: »Nächster Anlauf, Freunde!«

Olwen warf ihr einen bestürzten Blick zu. »Ihr werdet euch aber dem Anlass entsprechend manierlich benehmen, oder?«, sagte sie in anklagendem Ton.

»Das würde doch überhaupt keinen Spaß machen«, erwiderte Rita mit theatralischem Zwinkern, nachdem alle durchmarschiert waren, und zog der pikiert blickenden Olwen den Vorhang vor der Nase zu.

Die Gemeinde hatte sich bemüht, die nüchterne Halle mit Girlanden, Luftballons und Glitter-Deko auf den ebenfalls mit rotem Krepp bedeckten Tischen festlich zu gestalten. Die zahlreichen Menschen, die sich hier drängten, trugen auch zur Behaglichkeit bei, wenngleich die Luft etwas stickig war und nach vielen Körpern roch. Die Bühne am Ende des Raums war gesäumt von brennenden Kerzen, was Marianne für einen krassen Verstoß gegen den Brandschutz hielt. Auf der Bühne befanden sich ein Pianist und eine Geigerin, deren bodenlanges schwarzes Kleid bei jeder Bewegung in bedrohliche Nähe zu den Flammen geriet. Marianne zwang sich, den Blick abzuwenden, und hielt in der Menschenmenge nach Ethel Ausschau.

»Da ist sie.« Bartholomew deutete auf einen Tisch jenseits der Tanzfläche.

»Huhu, Ethel!«, schrie Rita und stürmte so abrupt über die Tanzfläche, dass die Walzer tanzenden Paare aus dem Takt kamen.

Ethel saß alleine an einem Zweiertisch, um den sich jetzt alle im Kreis postierten. Ihre Portion Eistorte schmolz unberührt in der Dessertschale. Ethel sah noch dünner und fragiler aus als sonst, was auch an ihrem Kleid liegen mochte, einem blassrosa Taftgewand mit jeder Menge Rüschen und Schleifchen. Es schien ihr viel zu weit zu sein, und ihre Arme wirkten durch die aufgeplusterten Puffärmel noch knochiger als ohnehin schon. An den Füßen trug sie rote Glitzerschuhe.

»Ihr seid alle gekommen«, sagte sie gerührt.

»Na selbstverständlich.« Rita ließ sich auf dem freien Platz gegenüber nieder.

Ethel schüttelte den Kopf. »Ich hätte euch keine Mühe machen sollen. Hätte einfach heimgehen sollen, nachdem Stanley sich nicht gezeigt hat.«

»Du machst uns niemals Mühe, Ethel«, sagte Rita und ergriff Ethels Hand. »Stimmt's, ihr Lieben?« Sie schaute in die Runde. Alle nickten mehrmals und sagten wie aus einem Munde: »Nein, nie.«

Ethel drückte Ritas Hand. »Du hältst mich bestimmt für eine verrückte Alte.«

»Keiner von uns würde so etwas denken«, erwiderte Rita, worauf alle energisch den Kopf schüttelten. »Wir lieben dich, genau wie Stanley.«

»Aber wieso hat er mir dann kein Zeichen geschickt, wie sonst immer?«, wandte Ethel kläglich ein. »Ich weiß, dass ich mich anhöre wie eine verkalkte Greisin …« Sie unterbrach sich und sah Shirley an. »Oje, darf man *verkalkt* heutzutage überhaupt noch sagen?«

»Nee«, antwortete Shirley fest. »Genauso wenig wie verrückt, plemplem, dement oder geistesgestört.«

Ethel holte tief Luft und sagte: »Ich weiß, dass ich mich anhöre wie jemand, dessen Geisteskräfte nachlassen …« Sie sah Shirley an, die zustimmend nickte. »Aber das ändert nichts an der Tatsache, dass Stanley mir all die Jahre an unserem Hochzeitstag verlässlich ein Zeichen geschickt hat. Wieso also in diesem Jahr nicht?« Tränen traten ihr in die Augen, und sie wirkte furchtbar einsam und verloren in ihrem voluminösen rosa Abendkleid.

Zu ihrem Entsetzen spürte Marianne, dass sie einen Kloß im Hals hatte. Wenn Ethel jetzt hier, in dieser schäbigen, als Ballsaal aufgemachten Halle zu weinen begann, würde es auch für Marianne kein Halten mehr geben. Sie würde flennen wie ein Baby.

Zwei Babys.

Zwillinge.

»Die Nacht ist doch noch jung«, sagte Hugh, ging neben Ethel in die Hocke und legte behutsam die Hand auf ihre hochtoupierten lila Locken, woraufhin sie noch winziger wirkte.

»Er meint, es ist noch früh am Tag«, ergänzte Freddy und sah alle an.

»Darauf wären wir nie gekommen«, warf Bartholomew ein.

»Aber Stanley schickt mir das Zeichen immer *vor* dem Nachtisch«, sagte Ethel. »Im letzten Jahr war es schon die Vorspeise. Krabbencocktail. Das war Stanleys Lieblingsvorspeise, auch wenn er davon aufstoßen musste.«

Die Musiker begannen »Chanson de Matin« zu spielen, und Paare stürmten die Tanzfläche. Ethel sah ihnen mit melancholischem Blick zu. »Niemand hat je schönere Liebesmusik komponiert als Edward Elgar«, sagte sie wehmütig.

Hugh richtete sich auf und streckte Ethel die Hand hin. »Würdest du mir die Ehre erweisen, mir diesen Tanz zu schenken?«, fragte er formvollendet.

Ethel schüttelte den Kopf. »Ich bin doch viel zu alt zum Tanzen, Hugh.«

»Also, *ich* bin nicht zu alt zum Tanzen, und dabei bin ich älter als du, Ethel«, verkündete Rita, die ihr Alter sonst unerwähnt zu lassen pflegte. »Was ist?«, sagte sie, als alle sie verblüfft anstarrten.

»Na dann, mein lieber Hugh«, Ethel kam etwas wackelig auf die Füße, »werde ich also dieses Tänzchen mit dir wagen.« Sie nahm seine Hand. »Hoffentlich kannst du mithalten.«

»Ich werd mir alle Mühe geben«, erwiderte Hugh, und sein Grinsen ließ wieder beinahe die Augen verschwinden.

Während er Ethel zur Tanzfläche geleitete, setzten sich Marianne und die anderen an den Nebentisch. An jedem Platz lag ein Partyhütchen, und Rita bestand darauf, dass sie aufgesetzt werden sollten, um in die richtige Stimmung zu kommen.

Bartholomew warf einen verlangenden Blick auf Ethels Nachtisch. »Meinst du, sie isst die Eistorte noch?«

»Du brauchst Ablenkung«, erklärte Rita statt einer Antwort und stand auf. »Tanz mit mir, Bartholomew.«

»Nur zu gerne, Werteste«, erwiderte Bartholomew, erhob sich und machte eine elegante Verbeugung. »Aber ich warne dich schon mal vor: Meine Tanzkünste können sich sehen lassen.« Er vollführte eine geschmeidige Drehung auf einem Absatz und sank dann auf ein Knie. »Kleine Kostprobe.«

»Ich bin beeindruckt«, sagte Rita. »Und jetzt komm wieder hoch, damit wir loslegen können.«

»Gleich sofort. Es ist nur … irgendetwas scheint zu klemmen.«

»Ach, um Himmels willen.« Freddy sprang auf, packte Bartholomew an beiden Händen und riss ihn so schwungvoll vom Boden hoch, dass sie beide in eine unfreiwillige Umarmung taumelten. Hastig löste sich Freddy. »Entschuldige, ich …«

»Kein Problem«, sagte Bartholomew, auf dessen Wangen zwei rote Flecken erschienen. »Ich wusste gar nicht, dass du … so stark bist.«

Jetzt lief auch Freddy rosarot an. Marianne merkte, dass er den Blick abwenden wollte, doch es gelang ihm nicht.

»Kommst du jetzt, Bartholomew?«, rief Rita vom Rand der Tanzfläche.

»Oh. Ja.« Bartholomew löste den Blick von Freddy und winkte Rita zu. »Bin gleich bei dir, mein Augenstern!«

Freddy setzte sich wieder und starrte auf den Tisch.

»Bin ich froh, dass ich nicht verliebt bin«, sagte Shirley und tätschelte Freddys Hand. »Scheint echt harte Arbeit zu sein.«

»Keine Ahnung«, sagte Freddy, als ginge ihn das alles nichts an.

»Mir ist langweilig«, verkündete Shirley als Nächstes. »Magst du vielleicht mit mir tanzen?« Sie starrte Freddy herausfordernd an, der eine Art ergebenes Seufzen ausstieß.

»Na klar«, sagte er.

»Korrekte Antwort.« Shirley stand auf, und die beiden steuerten zur Tanzfläche.

Marianne saß jetzt alleine am Tisch, war aber dankbar für die kurze Ruhe und schaute Hugh und Ethel beim

Tanzen zu. Für einen Mann, der so groß und wuchtig war, bewegte sich Hugh erstaunlich leichtfüßig und elegant. Vielleicht hatte er Tanzkurse gemacht, sagte sich Marianne, weil er ja das Gefühl hatte, so viel nachholen zu müssen. Mit perfekter Haltung führte er Ethel, die den Takt vorzählte, das sah Marianne an ihren Lippen. Irgendwann sagte Hugh etwas zu Ethel, und sie kicherte mädchenhaft, was so ansteckend war, dass Marianne auch lachen musste. Die Leute am Nebentisch schauten zu ihr herüber. Sie lächelte sie an, das Lächeln wurde erwidert. Das wiederum war das Gute an Kirchenleuten: Sie hatten meist ausgezeichnete Manieren und waren höflich.

Das Stück endete, Hugh und Ethel kamen zurück, erhitzt und außer Atem.

»Er kann beinahe so gut tanzen wie Stanley«, berichtete Ethel, als sie sich setzte. »Du musst es unbedingt auch ausprobieren!«

»Oh, nein, nein.« Marianne schüttelte den Kopf. »Ich kann nicht tanzen.«

»Tanzen kann jeder«, widersprach Hugh und schwenkte die Hüften so wild, dass sein Kilt hin und her schwang.

»Und du siehst auch so bezaubernd aus heute Abend, Liebes«, fügte Ethel hinzu. »Wäre doch jammerschade, das nicht zu genießen.«

»Wirklich, Ethel, es geht nicht. Ich habe noch nie getanzt.«

Die alte Dame hielt die Hand ans Ohr. »Tut mir leid, Liebes, es ist so laut hier drin. Was hast du gesagt?«

»Dass sie sehr gerne tanzen möchte.« Hugh trat vor und hielt Marianne die Hand hin.

Ethel klatschte vor Freude in die Hände. »Oh, wunderbar!«, rief sie begeistert aus. »Ihr gebt so ein schönes Paar ab. Findet ihr nicht auch?«, sagte sie zu Rita und Bartholomew, die gerade zurückkehrten. Letzterer rieb sich die Schulter und behauptete, sie sei gezerrt, weil Rita verlangt hatte, bei einer Drehung hochgehoben zu werden.

Marianne folgte Hugh, der sie an der Hand zog, wie in Trance. Als sei sie eine Person, die sich regelmäßig mit Männern im Kilt auf Tanzflächen aufhielt. Eine Person, die es gewohnt war, ausgelassen zu tanzen.

Doch Marianne hatte keineswegs die Absicht zu tanzen, und schon gar nicht ausgelassen. Das wollte sie Hugh mitteilen, wenn er endlich mal stehen bleiben würde. Was er dann mitten auf der Tanzfläche tat, nachdem er dort ein freies Fleckchen entdeckt hatte, das wie von ihm bestellt wirkte. Lächelnd wandte er sich Marianne zu, und bevor sie auch nur ein Wort äußern konnte, nahm er ihre linke Hand, legte sie auf seine rechte Schulter, und umfasste ihre Taille. Anschließend ergriff er Mariannes freie Hand so behutsam, als sei sie etwas sehr Kostbares und Zerbrechliches, und begann sie zu führen, und dann war es zu spät für Bedenken. Sie bewegten sich zusammen.

Sie tanzten.

Es war durchaus nicht so schwierig, wie Marianne befürchtet hatte. Was vielleicht auch daran lag, dass die Musiker jetzt »Moon River« spielten, ein Stück, das

Marianne kannte und liebte. Es kam ihr sogar vor, als hätte sie schon oft zu diesen Klängen getanzt.

Eins-zwei-drei, eins-zwei-drei.

Im Grunde wie Mathe.

»Du tanzt aber gut für jemanden, der angeblich gar nicht tanzen kann«, sagte Hugh.

»Na, es ist ja auch mehr wie im Kreis herumgehen«, erwiderte Marianne.

Schwierig allerdings war Hugh selbst. Weil er ihr so nah war. Und weil Marianne diese Nähe so überdeutlich spürte. Noch nie hatte sie jemanden so intensiv wahrgenommen, und das fand sie sehr beunruhigend. Seine Finger an ihrer Hand, die Wärme der Hand in ihrem Rücken, sein fester Oberschenkel an ihrem, als sie die Schritte vorwärts, rückwärts, zur Seite machten.

Eins-zwei-drei, eins-zwei-drei.

Nach einer Weile gelang es Marianne, nicht mehr auf ihre Füße zu schauen. Stattdessen richtete sie den Blick auf den obersten Knopf von Hughs silbergrauem Hemd. Der Knopf war silbrig und mit hellgrauem Faden festgenäht, ein Detail, das Marianne normalerweise nicht aufgefallen wäre. Es gefiel ihr und erinnerte sie an die kleinen Blumen, die in der Kalksteinlandschaft Burren wuchsen. Man konnte sie nur entdecken, wenn man sich vorbeugte und in die Risse und Spalten im Stein hineinspähte.

Aus dem Kragen von Hughs Hemd quollen dichte rotgoldene Löckchen heraus, die aussahen, als seien sie seidenweich.

»Du wirkst so ernst, Marianne«, bemerkte Hugh bei der nächsten Drehung. Sie waren in die Nähe der Bühne geraten, und aus dem Augenwinkel nahm Marianne die gefährlich flackernden Kerzen wahr.

Eins-zwei-drei, eins-zwei-drei.

»Ich muss mich konzentrieren«, erwiderte sie.

Sie tanzten weiter, bis Hugh sich räusperte und Marianne ihn anschaute. Aus dieser Nähe wirkten seine grünen Augen heller, wurden erst um die Pupille herum salbeigrün, in der sie ihr blasses, angestrengtes Gesicht gespiegelt sah. Sie konzentrierte sich wieder auf ihre Füße. Eins-zwei-drei, eins-zwei-drei.

»Ich …«, begann Hugh und sah jetzt auch so angestrengt aus, als zähle er den Takt. »Ich dachte … im Theater in Rush gibt es nächsten Monat ein Literaturfestival mit Lesungen von Klassikern.«

»Ach ja?«

Eins-zwei-drei, eins-zwei-drei.

»Und … ich hatte mich gefragt, ob du vielleicht Interesse hättest …«

»Hinzugehen?«

»Ja.«

»Mit dir?«

»Hatte ich mir so gedacht, ja.«

»Wäre das dann ein Date?«

»Hm … wohl schon.«

Marianne schüttelte den Kopf. »So was mache ich nicht. Habe ich noch nie gemacht.«

»Na ja, du hast aber auch gesagt, du würdest nie tanzen. Und jetzt schau doch nur.« Marianne sah ihn nicht an, hörte aber das Grinsen in seiner Stimme.

Das Stück war zu Ende, und Marianne blieb stehen, löste sich von Hugh. Sie hörte ihren Herzschlag in ihren Ohren hämmern, bestimmt viel schneller als gesund war, und ihr war so heiß, als habe sie Fieber. Ein unangenehmes Gefühl, das sie ganz und gar nicht mochte.

Hugh sah sie abwartend an, und Marianne richtete sich auf und nickte knapp. »Danke für den Tanz«, sagte sie. »Aber es stimmt wirklich, ich tanze nicht. Und Dates kommen für mich nicht infrage. Ich bin … ich bin lieber alleine, und das … ist alles, wirklich … Aber danke. Für den Tanz.«

»War mir ein Vergnügen«, erwiderte Hugh, auch mit einem knappen Nicken.

Sie gingen zu den anderen zurück, und Marianne war froh, dass es zu dieser kurzen Unterredung gekommen war. Jetzt waren die Linien klar, es konnte keine Missverständnisse und keine Verwirrung mehr geben. Die Grenze war so eindeutig gezogen worden wie damals in ihrem Zimmer in Ancaire. Und Marianne war sicher, dass Hugh sie verstanden hatte und diese Grenze künftig respektieren würde.

Stanley hatte inzwischen noch immer kein Zeichen geschickt, aber Ethel hielt sich gut; sie kam auch gar nicht zum Grübeln, denn alle tanzten mit ihr, sogar Shirley (»Du bist echt fit für so ’ne alte Lady. Nicht böse gemeint.«).

Bartholomew hatte es nicht aufgegeben, begehrlich Ethels mittlerweile komplett geschmolzenen Nachtisch zu beäugen, und war deshalb hellauf begeistert, als Olwen mit einem Tablett voller Desserts für alle eintraf. Marianne entging nicht, dass sie Hugh das größte Stück Eistorte servierte, aber Bartholomew und Freddy bemerkten es zum Glück nicht. Sie saßen nebeneinander und erörterten die Methode, mit der man die Nachspeise in Angriff nehmen sollte.

»Ich esse immer zuerst die Meringue«, erklärte Freddy und bohrte seinen Löffel hinein.

»Und ich dachte immer, nur ich esse Eistorte so«, erwiderte Bartholomew.

Die beiden warfen sich einen vorsichtigen Blick zu und machten sich dann zeitgleich über die Süßspeise her.

Jetzt trafen Patrick und Agnes ein, die beim Hereinkommen ihre identischen Fahrradhelme abnahmen. Olwen wies ihnen in der Menschenmenge den Weg.

»Tut mir leid, dass wir es nicht früher geschafft haben, Ethel«, sagte Patrick und küsste die alte Dame auf die Wange. »Rita hatte mir geschrieben, aber ich habe die Nachricht vorhin erst gesehen.«

»Mein lieber Junge.« Ethel erhob sich und umarmte Patrick. »Du hättest dir doch die Mühe nicht machen müssen herzukommen. Ich habe wirklich ein Riesentheater um Nichts veranstaltet.«

Agnes war eine hübsche junge Frau, klein und zierlich, mit kurzen blonden Haaren und braunen Augen hinter einer großen Brille. Wenn sie sprach – was nur vorkam, als sie dankend das Dessert ablehnte –, hörte man ihren starken polnischen Akzent. Sie zupfte Patrick am Ärmel und deutete auf die Tanzfläche, worauf Patrick die Helme an Ethels Stuhllehne hängte. Agnes ergriff seine Hand, führte ihn zur Tanzfläche, und dann begannen die beiden so mühelos und vertraut miteinander zu tanzen, als täten sie das täglich.

Alle lächelten unwillkürlich bei diesem Anblick.

»Ich muss sagen«, sagte Ethel später, als der Abend sich dem Ende zuneigte, »ihr alle habt diese närrische alte Frau hier sehr glücklich gemacht.«

»Du bist doch kein bisschen närrisch«, erwiderte Rita, noch atemlos nach einem leidenschaftlichen Tango mit Hugh. »Du bist einfach nur ein Mensch, der auf ein Zeichen wartet. Auf etwas, das in dieser verworrenen Welt Sinn und Halt gibt. Das tun wir doch letztlich alle irgendwie, oder?«

»Tja«, antwortete Ethel, »da hast du wohl schon recht.«

»Und wir hatten alle einen wunderbaren Abend«, sagte Hugh, der seinen Platz neben Ethel wieder einnahm.

»Ganz genau!«, riefen Bartholomew und Freddy wie aus einem Munde.

Hugh griff nach zwei Gläsern Limonade, die Olwen zuvor an den Tisch gebracht hatte, und reichte eines Ethel. »Ich finde, wir sollten mal einen Toast ausbringen.«

Die anderen hoben ihre Gläser.

»Auf Ethel und Stanley«, sagte Hugh. »Auf euren Hochzeitstag.«

»Auf euren Hochzeitstag«, riefen alle, stießen an und tranken.

Rita schenkte nach und erhob sich dann. »Und auf die Liebe«, sagte sie. »Die schwierig sein kann, sich aber immer lohnt.« Alle standen auf, schrien »Auf die Liebe!« und tranken wieder. Marianne spürte die prickelnden Limonadenbläschen in der Nase und fand das Gefühl herrlich.

»Bestimmt gibt es einen guten Grund, weshalb Stanley mir in diesem Jahr kein Zeichen geschickt hat«, sagte Ethel. Nachdem sie einen großen Schluck getrunken hatte, wollte sie ihr Glas abstellen, erstarrte aber in der Bewegung und fixierte etwas auf dem Tisch. Marianne folgte ihrem Blick. Auf dem roten Krepppapier lag eine kleine weiße Feder, so zart und wunderschön, dass Marianne einen Moment der Atem stockte.

Ethel griff vorsichtig danach, legte sie behutsam auf ihre Handfläche und zeigte sie allen anderen.

»Das Zeichen!«, rief Rita aufgeregt.

Bartholomew hob die Hand zum Abklatschen, und statt ihn zu verschmähen, haute Freddy so fest zu, dass sie beide lauthals lachten und ihre Hand an der Hose reiben mussten, um den Schmerz zu betäuben. Agnes hielt den Daumen hoch, und Patrick strahlte. Shirley sprang auf einen Stuhl und schmetterte mit klarer Stimme inbrünstig das Alles-wird-gut-Lied.

Und jeder sang mit, sogar Marianne.

Als sich später draußen auf dem Parkplatz alle verabschiedeten und Marianne in ihrer Tasche nach dem Autoschlüssel kramte, kam Hugh von seinem Jaguar herüber und hielt eine nasse Bommelmütze hoch. »Schau mal, die habe ich am Strand gefunden«, sagte er. »Gehört die vielleicht dir?«

Marianne griff danach. »Ja, danke. George hatte sich damit aus dem Staub gemacht.«

»Hältst du das für ein Zeichen?«, fragte Hugh. »Will das Universum dir vielleicht mitteilen, dass du mit deinen Haaren zufrieden sein und sie nicht länger unter einer Mütze verstecken sollst?«

»Ich glaube nicht an Zeichen.« Leiser fügte Marianne hinzu: »Warst du das übrigens?«

»Was denn?«, fragte Hugh mit verdächtiger Unschuldsmiene.

»Die Feder«, sagte Marianne. »Du hast sie dort hingelegt, oder?«

»So jung und schon so zynisch«, antwortete Hugh kopfschüttelnd.

Marianne wrang die Mütze aus und hielt sie dann hoch. »So gut wie neu.«

»Wenn du lächelst, siehst du Rita sehr ähnlich«, bemerkte Hugh und betrachtete eingehend ihr Gesicht.

»Deshalb lächle ich so selten wie möglich.«

»Gute Nacht.« Hugh beugte sich vor und küsste sie auf die Wange. Seine Lippen fühlten sich weich an, und er roch warm und würzig und ein wenig süß, wie ein Kuchen mit Zimt und Nelken.

»Feierabend, Herrschaften!« Shirley tauchte neben ihnen auf. »Habt ihr kein Zuhause, ihr zwei?«

Marianne warf ihr ein Lächeln zu. »Gute Nacht«, sagte sie zu Hugh, der nickte und zu seinem Auto zurückkehrte.

»Hast du meine Mathearbeit von neulich korrigiert?«, fragte Shirley, als sie zum Jeep gingen.

»Ja.«

»Und?«

»Die Ergebnisse bekommst du morgen.«

»Ich will sie aber jetzt«, verlangte Shirley. »Und ein goldenes Sternchen, wenn ich über achtzig Prozent richtig habe.«

»Du kriegst ein Sternchen«, sagte Marianne.

»Also hab ich über achtzig Prozent richtig?«

»Du musst bis morgen warten.«

»Aber du hast doch gesagt …«

»Du hast hundert Prozent richtig.«

»Ey, das fass ich nicht!«, jubelte Shirley, packte Marianne an beiden Händen und wirbelte sie im Kreis herum. Sie kreischte, und Shirley johlte, und Marianne lachte lauthals. Sie musste einfach lachen, weil Shirley sich so sehr freute. Weil sie alle Aufgaben richtig hatte. Weil sie das Goldsternchen bekommen konnte. Und weil es sich so gut anfühlte, dazu beigetragen zu haben, wenn auch nur ein winziges bisschen.

24

Als Marianne am nächsten Morgen aufwachte, weil George ihr das Gesicht ableckte, fühlte sie sich so weit okay.

Nein, sie fühlte sich sogar besser.

Irgendwie zufrieden.

Obwohl das vielleicht übertrieben war.

Zumindest fühlte sie sich nicht so grauenhaft wie sonst morgens, sondern sogar vorsichtig optimistisch.

Beim Frühstück schob Pearl ihr die Zeitung zu und deutete auf einen mit Kugelschreiber eingekreisten Artikel.

Eher ein Absatz als ein Beitrag, neben einem Foto von der ganzen Truppe mit Protestschildern und Bannern vor Shirleys Haus. Marianne sah sich nicht gerne auf Fotos und posierte auch nie, musste aber zugeben, dass sie alle beeindruckend und kraftvoll wirkten, so singend und mit hochgereckter Faust. Die Überschrift lautete »Mutter von zwei Kindern protestiert gegen Räumungsbeschluss«. Shirley stand in der Mitte vorne und sah wunderschön aus, wie sie kämpferisch in die Kamera blickte.

Als Marianne später alle abholte und auf Bartholomews Haus zufuhr, sah sie ihn davor herumtänzeln. Kaum hatte sie angehalten, stürmte er auf den Jeep zu, riss die Fahrertür auf und hopste ein paarmal auf und ab.

»Ihr werdet es nicht glauben«, keuchte er. »Ratet mal. Darauf kommt ihr nie.«

»Du hast den Job am Theater?«, rief Ethel von hinten.

Bartholomew sah enttäuscht aus. »Woher weißt du das?«

»Weil ich wusste, dass es klappen würde«, antwortete Ethel.

»Und wir kriegen lebenslang freien Eintritt!«, schrie Shirley von der Rückbank und boxte Bartholomew an den Arm.

Auch Freddy gratulierte, schüttelte Bartholomew die Hand und murmelte: »Ich wusste auch, dass sie ihn dir geben würden.«

»Wirklich?« Bartholomew betrachtete Freddy argwöhnisch, doch der nickte nur ernsthaft.

»Das Theater wird gerade ein bisschen renoviert, deshalb fange ich erst im Mai an. Was aber gar nicht schlecht ist, dann kann ich bis dahin meine Garderobe aufhübschen«, fuhr Bartholomew fort. »Und das alles verdanke ich dieser wunderbaren Frau hier.« Er wandte sich zu Marianne, die ihn etwas erschrocken ansah.

»Nein, ich habe doch nur …«, begann sie, aber Bartholomew schüttelte energisch den Kopf. »Ich muss darauf bestehen, dass du aus dieser Schrottschüssel aussteigst und mich umarmst.«

»Aber wirklich, es besteht kein Anlass für …«, protestierte Marianne vergeblich, denn Bartholomew löste ihren Sicherheitsgurt, nahm ihre Hände vom Lenkrad und zog sie aus dem Auto. Dann breitete er die Arme weit aus, und da Marianne wusste, dass er in dieser Position verharren würde, bis er seinen Willen bekam, ließ sie sich ergeben umarmen und tätschelte Bartholomews Schulter. Als Nächstes kreischte sie lauthals, denn er hob sie hoch und wirbelte sie im Kreis herum, und das auch noch mehrmals. Marianne zeterte ununterbrochen, als sei niemand in der Nähe, was natürlich nicht der Fall war. Als Bartholomew sie endlich absetzte, klatschten alle, und Marianne musste sich an ihm festhalten, weil ihr schwindlig war.

Später, als sie in Ancaire in der Küche den Tee für alle zubereitete, kam es zu dem Vorfall mit Freddy. Der streng genommen kein Vorfall, sondern eine Unterhaltung war.

Freddy kam herein, sank auf einen Stuhl und seufzte tief.

»Was ist?«, fragte Marianne.

»Ach, nichts.« Freddy seufzte noch tiefer.

Marianne setzte sich neben ihn, und nach einer Weile sagte er: »Es ist nur … also, ich freue mich für Bartholomew, versteh mich bitte nicht falsch. Er ändert sein Leben, er weiß, wer er ist und was er will. Aber es fällt mir schwer, mich nicht ein bisschen … alleingelassen zu fühlen.«

»Der richtige Moment für dich kommt bestimmt noch«, erwiderte Marianne und reichte ihm das letzte Stück von Ritas Butterscotch-Torte vom Vortag.

»Woher willst du das wissen?« Freddy aß geistesabwesend ein Stück von dem Kuchen. »Mutter meint ...«

»Du musst es ihr sagen.«

»Was denn?«, fragte Freddy kleinlaut.

»Was ist das Schlimmste, was passieren kann?« Marianne ließ nicht locker.

»Wenn ich ihr sage, dass ich ... nur manchmal natürlich ... und auch nicht viele ... ganz wenige, genau genommen ... aber dass ich eben Männer attraktiver finde als Frauen?« Freddy sah Marianne abwartend über den Rand seiner Brille an.

Sie nickte stumm, und er schien in sich zusammenzusinken. »Sie wird mich enterben. Im Laden entlassen und aus dem Haus werfen.«

»Dann wirst du eine neue Unterkunft finden. Und einen neuen Job. Alles in allem wäre es wahrscheinlich das Beste, was dir passieren kann.«

»Weiß nicht.« Freddy schüttelte nervös den Kopf. »Es fällt mir schwer, mutig zu sein.«

»Mir auch«, sagte Marianne, was Freddy zum Lächeln brachte.

Rita kam herein, um den Schokoladenkuchen aus dem Ofen zu holen, den sie für Bartholomew gebacken hatte, um seinen Erfolg zu feiern. Marianne nahm Tassen und Becher aus den Schränken und stellte sie auf das Tablett. Nachdem Freddy sich das letzte Stück Butterscotch-Torte einverleibt hatte, ließ er die beiden Frauen alleine.

»Sie mögen dich«, sagte Rita, während sie Teller aus dem Schrank nahm.

»Wer?«

»Meine Alles-wird-gut-Leute.«

Marianne zuckte mit den Schultern. »Ich mag sie ja auch.«

Rita hatte gerade begonnen, den Kuchen zu schneiden, und ein schief geratenes Stück fiel vom Messer. Was Marianne nicht wunderte, denn solche Worte hatte ihre Mutter vermutlich noch nie von ihr gehört. Über niemanden.

Marianne stand auf und nahm Rita das Messer aus der Hand. »Schau mal, ich habe ein System entwickelt.« Zuerst fügte Marianne die Stücke wieder zusammen, dann schnitt sie den Kuchen erst der Länge nach durch, anschließend quer. »So werden nämlich alle Stücke gleich groß. Und alle kriegen etwas ab von deiner Glasur mit den Siegeszeichen, weißt du?«

»Oh, das ist schlau«, sagte Rita, immer noch etwas verdattert.

»Reiner Eigennutz. Ich habe keine Lust auf diese ewige Zankerei«, erwiderte Marianne.

»Heute schreiben wir mit Shirley Briefe an die Stadträte. Könnten deine Hilfe gut gebrauchen«, erklärte Rita, leckte eine Fingerspitze an und sammelte damit Krümel von der Arbeitsfläche auf. Dann steckte sie den Finger in den Mund und saugte geräuschvoll.

Hatte Flo das gemacht, hatte sie von Marianne etwas zu hören bekommen. »Das ist unhygienisch!« Jetzt sah sie Flos kleinen Finger über den Toastkrümeln vor sich. Den kleinen hellrosa Nagel, tropfenförmig wie eine Träne.

»Marianne?« Rita wischte ihren Finger an ihrem roten Satinkleid ab.

»Okay.« Marianne stellte die Teller mit den Kuchenstücken auf ein Tablett und ging damit zur Tür. »Ich helfe mit.«

Ihr Tonfall hörte sich vernünftig an in ihren eigenen Ohren. Als könne sie wirklich hilfreich sein. Als sei sie ein Mensch, der gut mit anderen zurechtkäme. Als müsse sie durchaus nicht alleine sein, wie sie Hugh gegenüber behauptet hatte.

Mit diesen und anderen unsinnigen Gedanken überzeugte sich Marianne an diesem Tag davon, dass alles gut sei. Oder zumindest so weit okay. Dass sie sich irgendwie in Ancaire eingelebt und einen Alltag gefunden hatte, den sie nicht schrecklich, sondern akzeptabel fand. Selbst wenn vieles fremd und chaotisch war und sie sich etwas anderes vorgestellt hatte.

Später würde sie sich Vorwürfe machen, dass sie sich hatte einlullen lassen. Dass sie nicht wie geplant den Versuch gemacht hatte, sich so schnell wie möglich von Ancaire mitsamt all den Erinnerungen und Komplikationen zu entfernen. Sie hatte sich ablenken lassen. Als sei sie in Trance versetzt worden, vom Ozean vielleicht. Dem ewigen Rhythmus von Ebbe und Flut, dem Rauschen der Wellen, das etwas Hypnotisches an sich hatte.

Der Februar war größtenteils düster, nass und so lichtlos gewesen, dass die Tage schon vorbei zu sein schienen, kurz nachdem sie gerade begonnen hatten.

Doch gegen Ende des Monats schlug das Wetter um. Es hörte auf zu regnen, und die düsteren Wolken, die seit Mariannes Ankunft wie festgeklebt über der Küste gehangen hatten, lösten sich nach und nach auf und gaben immer öfter den Blick auf blauen Himmel frei. Bis Marianne eines Tages, nachdem sie die ganze Bande nach Hause gefahren hatte, Rita im Garten vorfand, wo sie sich mit ausgebreiteten Armen im Kreis drehte, das Gesicht der Sonne zugewandt, und rief, es sei Frühling.

Tante Pearl, die aus dem Küchenfenster schaute, schüttelte missbilligend den Kopf anhand dieser überschwänglichen Gefühlsäußerungen. Der Krallenschere nach zu schließen, die sie in der Hand hielt wie eine Waffe, beabsichtigte Pearl als Nächstes, bei George Pediküre zu machen. Weshalb sie das auf sich nahm, wusste Marianne nicht. Aber sie wusste, was George davon hielt. Sobald er das Klacken von Pearls Absätzen hörte, schoss er in Mariannes Zimmer und versteckte sich unter dem Bett.

Was ihm allerdings wenig nützte.

Rita hörte auf herumzuwirbeln, kramte in einer Tasche auf dem Rasen und verkündete: »Ich habe dir heute einen Badeanzug gekauft.« Nachdem sie fündig geworden war, hielt sie einen hellrosa Einteiler hoch. »Gefällt er dir?«

»Ich kann nicht schwimmen, und das weißt du auch«, entgegnete Marianne und fügte hinzu, um Ritas Gegenargument vorzubeugen: »Und sag jetzt bitte nicht, so etwas wie ›nicht können‹ gäbe es nicht.«

»Es hätte mir gelingen müssen, es dir beizubringen«, sagte Rita jedoch.

»Du hast es mir ja angeboten«, erwiderte Marianne, damit der Gerechtigkeit Genüge getan war. Rita hatte immer versprochen, Marianne im Wasser festzuhalten, aber das hatte sie nicht glauben können und sich deshalb verweigert.

»Du könntest nur ein bisschen plantschen«, bemerkte Rita allerdings jetzt, hartnäckig wie immer.

»Das Wasser ist doch viel zu kalt.«

»Nein, heute nicht.«

Zugegebenermaßen war es ein ungewöhnlich milder Tag. Sogar das alte Haus wirkte lichtdurchflutet, als habe es gerade einen Frühjahrsputz hinter sich.

»Und?«, insistierte Rita. »Was meinst du?«

»Nein«, sagte Marianne, fügte aber der Höflichkeit halber ein kurzes »Danke« hinzu.

»Wie du willst.« Rita nahm die Badetasche und marschierte Richtung Ufertreppe.

»Wo ist Patrick?«, rief Marianne ihr nach.

Rita blieb an der Treppe stehen. »Ist noch nicht Flut.«

»Und warum gehst du dann jetzt schwimmen?«

»Weil ich nicht warten möchte«, antwortete Rita grinsend.

»Du solltest nicht alleine ins Wasser gehen!«, rief Marianne, aber Rita eilte schon die Stufen hinunter, als seien sie nicht moosbewachsen und glitschig.

»Ach, Herrgott noch mal«, murmelte Marianne erbost, lief durch die Hintertür in die Waschküche und schnappte sich die erstbeste Sweatjacke vom Kleiderständer. Der Besitzer war nicht schwer zu erraten, denn sie war schwarz und trug die Aufschrift *Welcome To Hell*, vermutlich der Titel eines Heavy-Metal-Albums. Aber die Jacke war nicht nur kuschelig weich, sondern die widerspenstige Mähne ließ sich auch mühelos unter der großen Kapuze verstauen.

Als Marianne am Strand ankam, war ihre Mutter schon im Wasser. Ihre Kleidung war auf dem Sand verstreut, als habe Rita sich beim Laufen ausgezogen und jedes Stück hinter sich fallen lassen.

Marianne schirmte mit der Hand die Augen gegen die grelle Sonne ab, die sich glitzernd auf den blaugrauen Wellen spiegelte. Rita in ihrem butterblumengelben Badeanzug war leicht zu entdecken.

Guck mal, Marnie, so gelb wie Butter!

Marianne schloss die Augen, versuchte die Erinnerung zu verdrängen, die wieder einmal abrupt und ungebeten über sie hereinbrach.

Als sie die Augen öffnete, schaukelte Rita auf den Wellen, Arme und Beine von sich gestreckt wie ein Seestern, und kreischte vergnügt, wenn sie eine Ladung Gischt ins Gesicht bekam.

Dann richtete Rita sich wassertretend auf und rief: »Komm doch rein, Marnie! Es wird dir gefallen!«

»Und woher willst du das wissen?«, schrie Marianne.

»Du wirst dich lebendig fühlen!«

»Tue ich auch so!« Marianne hatte die Hände an den Mund gelegt, um einen Trichter zu bilden, denn der

Wind war trotz des schönen Wetters hier unten so heftig wie immer.

»Aber im Meer fühlt man sich noch viel lebendiger«, gab Rita zurück, bevor sie untertauchte und in den Wellen verschwand, als sei sie nie da gewesen.

Marianne fixierte die Stelle, wo Rita abgetaucht war. Erst als ihre Badekappe mit den narzissengelben Gummiblumen wieder auftauchte, merkte Marianne, dass sie unwillkürlich die Luft angehalten hatte.

Und auch jetzt stellte sich eine Erinnerung ein. An eine Party von Rita und William, die wohl keines der riesigen rauschenden Feste gewesen war, Marianne entsann sich nur an ein paar Leute, sechs vielleicht. Jedenfalls waren alle voll bekleidet ins Meer gesprungen, was sie durch ihr Zimmerfenster beobachtet hatte. Und sie wusste noch, dass sie damals auch die Luft angehalten hatte. Als könne sie damit alle beschützen. Als könne sie die Verantwortung für diese Erwachsenen übernehmen.

Jetzt kam Rita aus dem Wasser gewatet und rannte den Strand entlang, die Arme kreisend wie Windmühlenflügel.

»Was machst du da?«, rief Marianne ihr nach.

»Trocken werden«, schrie Rita, ohne anzuhalten.

»Du hast doch ein Handtuch!«

Aber Rita lief unbeirrt weiter.

Marianne bückte sich, um das Handtuch in Ritas Tasche zu verstauen. Dabei fiel ihr eine Flasche mit Pillen auf, die aus einem Seitenfach ragte. Ritas Name stand auf dem Etikett, ein langes lateinisches Wort und die

Angabe, dass das Medikament dreimal täglich eingenommen werden sollte. Wahrscheinlich etwas für die Knochendichte, die ließ bei älteren Menschen bekanntlich nach.

Als Marianne sich wieder aufrichtete, sah sie, dass ihre Mutter nicht mehr rannte, sondern vornübergebeugt dastand, die Hände auf die Knie gestützt. Vermutlich war sie jetzt endgültig außer Atem und machte eine Verschnaufpause.

Marianne wartete darauf, dass Rita wieder hochkam und zurückrannte. Oder gemächlicher zurückging, denn sie schien schwer Luft zu bekommen, ihr Rücken bewegte sich auf und ab.

Aus irgendeinem Grund bewegte sich Marianne jetzt langsam auf Rita zu, die plötzlich auf alle viere sank, als wolle sie eine Yogaübung machen. Das würde ihrer Mutter durchaus ähnlichsehen, ihr war schließlich fast alles zuzutrauen, sagte sich Marianne.

Doch irgendetwas bewog sie dazu, schneller zu gehen. »Rita!«, rief sie, aber ihre Mutter schaute nicht auf und drehte sich nicht um.

Marianne begann zu rennen.

Rita fiel vorwärts aufs Gesicht.

Und blieb reglos liegen.

Marianne legte einen Sprint hin, fiel neben Rita auf die Knie, drehte sie um. Ihre Augen waren geschlossen, die Lippen blau, das Gesicht kalkweiß.

»Rita!«, schrie Marianne, packte sie an den Schultern und rüttelte sie.

Nichts.

Marianne presste das Ohr ans Herz ihrer Mutter, konnte aber wegen des Meeresrauschens und des schrillen Möwengeschreis nichts hören.

Rasch zog sie Patricks Sweatjacke aus und legte sie über Rita. Setzte ihr vorsichtig die Bademütze ab, die einen roten Abdruck auf der Stirn hinterlassen hatte, bettete den Kopf ihrer Mutter auf den Schoß. Erst jetzt fiel Marianne auf, dass sie seit ihrer Rückkehr nach Ancaire Ritas Haare nicht gesehen hatte. Sie waren so dünn geworden, dass an einigen Stellen die rosa Kopfhaut durchschimmerte.

Hastig riss Marianne ihr Handy heraus und rief Patrick an. Im Rückblick wurde ihr dann später klar, dass sie als Erstes den Notruf hätte wählen sollen. Aber sie dachte nur an Patrick, der zum Glück sofort dranging.

»Atmet sie?«, fragte er. Marianne kniff die Augen zusammen, schüttelte den Kopf. »Weiß nicht, ich kann nichts hören.«

»Kannst du Herz-Lungen-Wiederbelebung?«

»Weiß nicht.«

»Du kannst das. Dreißigmal Herzdruckmassage, dann zweimal Mund-zu-Mund-Beatmung, okay?«

»Weiß nicht.«

»Du kannst das«, wiederholte Patrick. »Die Herzdruckmassage im Rhythmus von ›Staying Alive‹, hast du das verstanden?«

»Weiß nicht.«

»Du kannst das. Mach es. Ich ruf den Krankenwagen.«

Marianne ließ das Handy fallen und sah ihre Mutter an, deren Gesicht jetzt beinahe bläulich wirkte, die Haut seltsam durchscheinend.

Einmal hatte Marianne auf dem Rückweg von ihrer jährlichen Zahnreinigung im Park eine Wiederbelebung gesehen. In einem offenen Krankenwagen, beim Tag der offenen Tür der Sanitäter.

Sie legte eine Hand auf Ritas Brustkorb, der sich anfühlte, als bestünde ihre Mutter nur noch aus Haut und Knochen. Die andere Hand darüber, dann den Ballen nach unten drücken. Marianne schauderte, es fühlte sich an, als würde sie Knochen zerbrechen. Sie versuchte einen Rhythmus zu finden. »Ha, ha, ha, ha, staying alive«, flüsterte sie vor sich hin, während sie presste. Keine Reaktion.

Marianne verstärkte den Druck. »Ha, ha, ha, ha, staying alive«, sagte sie, jetzt lauter. Sie geriet selbst außer Atem und vergaß zu zählen. Was hatte Patrick gesagt? Dreißigmal? Marianne hörte mit der Massage auf, beugte sich über Ritas Kopf, bettete ihn zurückgelegt in den Sand. Jetzt die Nase zuhalten? Marianne war sich nicht sicher, machte es aber vorsichtig, öffnete Ritas Mund, umfasste ihn mit ihren Lippen. Er fühlte sich weich und schlaff an.

Vorsichtig atmete Marianne Luft in Ritas Mund, sah aus dem Augenwinkel, wie sich der Brustkorb hob. Wiederholte die Beatmung, richtete sich erneut auf, setzte die Massage fort. Schrie jetzt beinahe: »Ha, ha, ha, ha, staying alive!« Vielleicht wurde sie von Rita gehört.

Doch sie rührte sich nicht.

25

Als Patrick eintraf, brachte er warme Decken mit. Eine legte er Marianne um die Schultern, die noch immer mechanisch auf Ritas Brust drückte. Erst jetzt merkte Marianne, wie durchgefroren sie war. Ihre Zähne schlugen aufeinander, ihre Hände fühlten sich eiskalt und starr an.

Patrick legte seine Hände auf die ihren und sagte sanft: »Du kannst jetzt aufhören, Marianne.«

»Wieso denn?«, schrie sie keuchend. Ihre Stimme klang kratzig und rau und viel zu laut in ihren Ohren.

Patrick wies auf zwei Männer, die mit einer Trage angelaufen kamen. Mühsam richtete sich Marianne auf, ihre Beine schmerzten vom langen Knien. Patrick und sie sahen zu, wie die Sanitäter Rita auf die Trage legten und in eine Rettungsdecke hüllten.

Marianne fühlte sich nicht imstande, Fragen zu stellen. Sie nickte nur, als der Sanitäter vorschlug, einer aus der Familie solle im Krankenwagen mitfahren, der andere mit einem Auto nachkommen.

Nachdem Marianne die Strandtreppe hochgerannt und durch den Garten gehastet war, hämmerte ihr Herz so heftig, als wolle es aus ihrer Brust springen. Sie stürzte abrupt durch die Hintertür, die knallend an den Rahmen schlug, in die Küche.

»Immer schön langsam, Marianne«, mahnte Tante Pearl. Sie war gerade dabei, ein Ei auf einem Esslöffel in kochendes Wasser zu versenken, und warf einen Blick auf ihre Uhr.

»Rita«, keuchte Marianne nur atemlos.

Pearl blickte auf, die Hand über dem dampfenden Topf. »Was ist mit Rita?«

»Ich muss ins Krankenhaus.« Marianne konnte kaum sprechen, weil ihre Lunge höllisch brannte.

Pearl nickte, rückte den Topf beiseite, schaltete den Herd aus. »Ich fahre«, verkündete sie und marschierte voraus in den Flur, wo sie ihre Autoschlüssel von dem Haken über dem Tisch nahm und in ihren Trenchcoat schlüpfte. Dann ging sie zur Tür und hielt sie auf. »Na, komm schon.«

Marianne zögerte. »Ich … habe Angst«, murmelte sie. »Dass Rita … vielleicht tot ist, wenn wir im Krankenhaus eintreffen.«

»Also, unsere An- oder Abwesenheit wird darauf keinen Einfluss haben«, sagte Pearl knapp. »Und jetzt hopphopp, Mädchen, ich habe nicht den ganzen Tag Zeit.«

Während der Fahrt lehnte Marianne den Kopf ans Fenster und schloss die Augen, dankbar, dass sie nicht selbst fahren musste und dass Pearl kaum sprach. Sie machte nur gelegentlich Äußerungen über den Verkehr oder die günstigste Route zum Krankenhaus und schien keine Antwort zu erwarten. Auch dafür war Marianne dankbar. Sie umfasste ihr Handy in der Tasche und tröstete sich damit, dass es nicht klingelte.

Wenn es zum Schlimmsten käme, würde Patrick bestimmt anrufen.

Als Pearl vor dem Eingang zum Krankenhaus hielt, sagte sie: »Steig schon aus, ich parke den Wagen.«

Marianne löste ungeschickt ihren Gurt und legte die Hand auf den Türgriff. Tante Pearls Auto war tadellos sauber und roch eigenartigerweise nach Zuckerwatte. Es war still im Wagen, hier war alles in Ordnung. Marianne umklammerte krampfhaft den Türgriff.

»Und jetzt sei brav und steig aus«, sagte Tante Pearl. Ihre Stimme klang sanfter als sonst.

Marianne öffnete die Tür, und die Geräusche der Welt brachen ebenso über sie herein wie der gnadenlose Wind.

Am Empfang fragte Marianne die Rezeptionistin nach Rita. Die Frau sah Marianne gar nicht an, sondern hackte auf die Tastatur ein und starrte dann verbissen auf den Monitor.

»Station St. Luke«, sagte sie schroff. »Fahrstuhl auf diesem Gang weiter hinten links. Zweiter Stock, linker Gang. Sie liegt in dem Zimmer rechts am Ende.«

»Wissen Sie, ob …?«, begann Marianne, aber die Frau wandte sich – jetzt lächelnd – bereits einem Mann zu, der sich dem Tresen näherte. »Guten Tag, Sir, wie kann ich Ihnen helfen?«

Als Marianne am Fahrstuhl den Knopf drückte, tat sich nichts, und sie schlug fast darauf ein. Ein Mann neben ihr musterte sie aufgebracht und schaute rasch weg, als sie ihn wütend anstarrte.

Im zweiten Stock war es still bis auf das Summen von Geräten, das entfernte Schlurfen von Pantoffeln und leise vergnügte Pfeifen eines Pflegers, der ein Bett den Flur entlangschob. Marianne bog nach links ab und ging bis zum Ende des Korridors. Wo sie Rita hörte, bevor sie überhaupt zu sehen war.

»Was machen Sie da mit dieser Spritze? Wagen Sie es bloß nicht … aua! Das hat wehgetan! Und was soll das ganze Theater, wegen nichts und wieder nichts?«

Dann eine einfühlsame, aber gestresste Frauenstimme: »So schlimm wie Sie war wirklich noch niemand in meiner ganzen Berufslaufbahn. Und ich musste schon mal einem hochkarätigen Politiker eine Spritze in den Arsch jagen.«

Darauf Ritas Kichern, wie die Hexe in einem Cartoon. Hihihi.

Marianne spähte in das Zimmer. Ihre Mutter saß aufrecht im Bett, während die Ärztin, bekleidet mit einem weißen Kittel, Hijab und hochhackigen Schuhen, ein Stethoskop an Ritas Brust hielt.

»Das Ding ist eiskalt«, sagte Rita verdrossen.

»Ich habe es vorher zwischen den Händen angewärmt«, erwiderte die Ärztin. »Sie sind ja vielleicht ein Jammerlappen.«

»Und Sie, sind Sie überhaupt eine echte Ärztin?«

»Wenn Sie nicht aufpassen, kriegen Sie gleich noch mehr Pikser.«

Marianne hüstelte dezent, um ihre Anwesenheit kundzutun, und beide Frauen schauten auf.

»Es scheint dir … besser zu gehen«, sagte Marianne.

»Sie müssen die Tochter sein«, sagte die Ärztin lächelnd. Sie war eine dieser Frauen, die rundum strahlend und gesund aussahen. Zarte, schimmernde Haut, glänzende Augen, rosa Nägel, perfekte Zähne. »Sie sind der Mama ja wie aus dem Gesicht geschnitten.«

Die Ärztin hängte sich das Stethoskop um und stand auf. »Ich lasse Sie beide jetzt mal alleine.« Sie berührte Ritas Hand, drückte sie ein bisschen, und Rita nickte.

Als die Ärztin hinausgegangen war, wurde es sehr still im Zimmer.

»Ich dachte, du wärst … Tante Pearl ist fast über Rot gefahren, um schnell herzukommen.« Marianne merkte, wie schrill und vorwurfsvoll ihre Stimme klang.

»Pearl ist auch hier?«

»Du warst bewusstlos«, sagte Marianne statt einer Antwort. »Wir wussten nicht, was …«

»Ach, mir war nur ein bisschen flau«, sagte Rita schulterzuckend. »Ich hatte heute Morgen vergessen zu frühstücken. Und vielleicht hast du tatsächlich recht mit dem Meer. Es ist um diese Jahreszeit wirklich verdammt kalt, vor allem für so ein altes Knochengerüst wie mich.«

»Du gibst doch sonst nicht zu, dass du alt bist.«

Rita grinste. »Muss der Schock sein.«

Marianne schüttelte den Kopf und setzte sich auf den Bettrand. Jetzt, da die Anspannung nachließ, begannen ihre Beine zu zittern. »Ich dachte, du liegst noch irgendwo in der Notaufnahme.«

»Hab wohl Glück gehabt«, erwiderte Rita leichthin.

»So viel Glück hat niemand in einem irischen Krankenhaus.«

»Haben vielleicht gedacht, ich hetze ihnen Patrick auf den Hals, wenn sie mich nicht gleich drannehmen.«

»Wo ist er überhaupt?«, fragte Marianne.

»Wollte wiederkommen, nachdem Fadela mich untersucht hat«, antwortete Rita.

»Ist das die Ärztin?«

»Ja.«

»Du bist so vertraut mit der.«

»Kennst mich doch«, sagte Rita lässig. »Ich freunde mich schnell mit allen an.«

Patrick kam mit drei Pappbechern Tee und einer Tüte voller Obst, Kekse und Schokolade herein. Obendrauf hockte ein Teddybär mit einem blauen T-Shirt, auf dem stand »Es ist ein Junge«.

»Andere Teddys gab es nicht mehr«, erklärte Patrick, stellte den Tee auf den Nachttisch und steckte den Plüschbären zu Rita ins Bett.

»Aber das Krankenhaus hat doch gar keine Geburtsstation«, sagte Marianne verwundert.

»Gab eine Verwechslung. Die Gute-Besserung-Teddys wurden an die Geburtsklinik geliefert.« Er reichte Marianne einen der Pappbecher.

»Und an mich hat wohl keiner gedacht.« Tante Pearl stand in der Tür, die Arme vor der Brust verschränkt.

»Du kannst meinen haben«, sagte Patrick, aber Marianne kam ihm zuvor und reichte Pearl ihren Becher.

»Hier, nimm meinen. Er ist so, wie du ihn magst, schwarz und ohne Zucker.«

Tante Pearl nahm den Tee in Empfang und ließ sich widerstandslos zur einzigen Sitzgelegenheit im Raum geleiten, einem Stuhl am Fenster. Bevor Pearl sich niederließ, besprühte sie ihn mit Desinfektionsmittel, das ebenso aus ihrer Handtasche zum Vorschein kam wie ein Tuch zum Trockenreiben.

Nachdem Pearl sich gesetzt und einen Schluck Tee getrunken hatte – woraufhin sie angewidert das Gesicht verzog –, sagte sie: »Du hast uns ja einen gehörigen Schrecken eingejagt.«

»Siehst du?«, erwiderte Rita. »Ich wusste doch, dass du mich magst. In einem verborgenen Winkel deines Herzens.«

»Ich bin mal kurz draußen«, verkündete Marianne, die das dringende Bedürfnis hatte, alleine zu sein, um sich zu sammeln. Sie ging den Flur entlang und versuchte trotz der stickigen Luft ruhig und tief zu atmen.

Wo Türen offen standen, schaute sie im Vorbeigehen in die Krankenzimmer. Sah eine junge Frau, blass und kahlköpfig, die auf ihrem iPad Solitaire spielte. Einen Mann um die dreißig, der ein Buch mit dem Titel *Wie ich den Krebs besiegte* las. Der Mann hatte schüttere Haare und keine Augenbrauen mehr. Am Bett einer etwa vierzigjährigen Frau saß ein älteres Paar und lachte über etwas, das die Frau gesagt hatte. Sie trug ein buntes Kopftuch.

Marianne war an der Schwesternstation angekommen und blieb dort stehen.

»Ist alles in Ordnung mit Ihnen, Marianne?« Die Frage kam von der Ärztin, Fadela, die hinter dem Tresen am Computer saß.

Marianne schaute auf das Namensschild der Ärztin. *Prof. Fadela Rahaman.*

»Sie sind Fachärztin«, sagte Marianne.

Fadela nickte. »Ja.«

»Onkologin.« Marianne fand ihre Stimme überlaut. Alles war hier lauter: Telefonklingeln, das Rascheln von Papieren, das Klappern von Ringen an der Vorhangstange.

Marianne trat einen Schritt zurück, als könne sie damit dem Lärm entkommen. Und der Wahrheit, die ihr jetzt schlagartig bewusst wurde, während ihr Gehirn die Zusammenhänge herstellte.

»Gut, dass Rita Sie eingeweiht hat«, sagte Fadela. »Ich habe es ihr geraten, als sie letzte Woche zur Bestrahlung hier war. Es wird ihr guttun, Ihre Unterstützung zu haben.«

»Letzte Woche?« Marianne hob langsam die Hände und umklammerte das Fensterbrett, neben dem sie stand. Die Bewegung war so mühevoll, als müsse sie etwas Bleischweres hochheben.

»Ja.« Fadela sah Marianne etwas fragend an. »Rita ist so froh, dass Sie ihr mit der Alles-wird-gut-Gruppe helfen.« Die Ärztin lächelte. »Und sie ist ganz begeistert davon, wie prima Sie mit allen zurechtkommen.«

»Sie hat Lungenkrebs«, sagte Marianne tonlos. Was keine Frage, sondern eher eine Feststellung war.

Fadela nickte langsam. »Wir waren zuversichtlich, bis der Krebs in die Knochen gestreut hat.« Sie beäugte Marianne jetzt forschend. »Rita hat doch mit Ihnen darüber gesprochen, oder nicht?«

»Wieso macht sie keine Chemotherapie?«

»Es hätte ihre Lebensqualität sehr beeinträchtigt, und das wollte sie Ihnen wegen ein paar Monaten mehr Lebenserwartung nicht antun. Sie wissen ja, wie Ihre Mutter ist«, fügte Fadela ruhig hinzu.

»Nein«, sagte Marianne mit brüchiger Stimme. »Nein, ich weiß nicht, wie meine Mutter ist. Ich habe nicht die geringste Ahnung.«

»Es tut mir sehr leid.« Fadela berührte Marianne am Arm, doch sie wich zurück und starrte die Ärztin aufgebracht an. »Warum geht sie dann überhaupt zur Bestrahlung?«

Marianne wusste, dass sie zu laut sprach, aber es war ihr einerlei. In diesem Moment war ihr alles vollkommen gleichgültig.

Alles und jeder.

»Marianne?« Patrick näherte sich ihr so vorsichtig, als sei sie ein bockendes Pferd, das gesattelt werden sollte.

»Du hast es doch bestimmt gewusst, oder?«, fuhr sie ihn an.

»Ich …«

»Natürlich. Du bist ja ihr Liebling. Der einzige Mensch, den sie nicht zugrunde gerichtet hat.«

»Marianne, bitte, du …«

»Wie lange hat sie noch zu leben?«

»Du solltest jetzt …«

»Wie lange?« Marianne schrie fast.

Patrick holte tief Luft und schien plötzlich in sich zusammenzusinken. »Etwa drei Monate.«

Marianne starrte Fadela an. »Ist das wahr?«

Die Ärztin nickte langsam. »Es tut mir so leid, Marianne.«

26

Obwohl ihre Handtasche und ihr Anorak in Ritas Zimmer lagen, ging Marianne nicht dorthin zurück. Sie wartete auch nicht auf den Fahrstuhl, sondern sprintete die Treppe hinunter. Im Erdgeschoss marschierte sie schnurstracks auf den Ausgang zu, wurde dann aber von einem Kiosk abgelenkt.

Marianne versuchte sich zum Weitergehen zu zwingen, aber ihre Füße schienen so schwer zu sein, als könnten sie sich kaum noch vom Boden lösen. Durch das Fenster sah sie Zeitschriftenregale. Schokoriegel und Pralinen. Grußkarten mit der Aufschrift »Gute Besserung«. Trauben in Körbchen. Kreuzworträtselhefte. Sudoku.

Von alldem brauchte sie nichts. Von alldem wollte sie nichts haben.

Sie betrat den Kiosk.

An der Kasse saß ein stumpf blickender Mann mit dicker Brille. Sein Gesicht wirkte so farblos und verblasst wie ein Foto, das jahrelang auf dem Kaminsims gestanden hat. Er schien Marianne gar nicht zu bemerken, und sie sah sich um. Sie schien momentan die einzige Kundschaft zu sein.

Marianne ging in den hinteren Teil des Ladens, blieb

am Kosmetikregal stehen und griff nach einem Deostift. Sie schraubte ihn auf und roch daran. Der Geruch war so penetrant, dass ihr beinahe übel wurde. Schnell steckte sie den Stick in die Tasche ihrer Jogginghose, in die andere eine Flasche extra mildes Babyshampoo: »Keine Tränen, garantiert«.

Dann ging sie zu den Illustrierten, blätterte eine durch. *Wie man in zwei Wochen fünf Kilo abnehmen kann. Zehn Tipps für ein heißes Sexleben.* Fotos von einem Schauspieler, der im Supermarkt an einer Melone schnüffelte. Kummerkasten. *Ich glaube, mein Mann hat ein Verhältnis mit meinem Bruder.* Horoskope. *Eine Veränderung in Ihrem Leben steht bevor. Seien Sie offen dafür.* Anzeigen für Kollagen-Spritzen und Schönheitsoperationen. Botox. *Wie Sie das Verhältnis zu Ihrer Schwiegermutter verbessern können. Wie man nackt eine gute Figur macht. Wie man angezogen eine gute Figur macht. Wie man in einem Bikini eine gute Figur macht. Wie man schwanger eine gute Figur macht.*

Marianne rollte die Zeitschrift fest auf und stopfte sie in den Hosenbund. Dann steuerte sie zum Ausgang. Der Mann an der Kasse schaute langsam zu ihr auf und betrachtete sie blinzelnd.

»Kann ich Ihnen helfen?«, fragte er schließlich.

Jetzt glitt die Zeitschrift aus dem etwas ausgeleierten Hosenbund und begann an Mariannes Bein hinunterzurutschen. Das Hochglanzpapier fühlte sich kalt an, und sie fröstelte. Erst ganz unten, vor dem Bündchen, über das Shirley sich ereifert hatte, machte die Zeitschrift Halt.

»Nein, danke«, brachte Marianne hervor.

Der Mann musterte sie jetzt von Kopf bis Fuß. »Möchten Sie etwas kaufen?«, fragte er nach einer gefühlten Ewigkeit, in der Marianne vom süßlichen Gestank des Deos gepeinigt wurde.

»Ich … wollte mich nur mal umschauen.«

»Hm.« Sein Blick richtete sich auf die Wölbung an der Hosentasche. Marianne ärgerte sich, dass sie keine kleinere Flasche genommen hatte.

Warum hatte sie überhaupt etwas eingesteckt?

Was wollte sie mit dem verfluchten Keine-Tränen-Babyshampoo? Es Brian für die Zwillinge schenken?

»Haben Sie eine Zeitschrift im Hosenbein?«, fragte der Mann, eher neugierig als aggressiv. Marianne sah ihn stumm an.

»Wenn das so ist, muss ich die Polizei rufen«, sagte der Mann kopfschüttelnd. »Das mache ich aus Prinzip. Weil es wirklich alle machen. Patienten, Besucher, Krankenschwestern. Einmal hat es sogar einer der Scheißärzte probiert. Was bin ich hier, ein Spendenladen?« Der Blick des Mannes wirkte beinahe flehend, als bitte er Marianne um Verständnis. Als hoffe er, dass ihr Hosenbein nicht wegen Diebesgut ausgebeult war, sondern wegen etwas anderem. Einer Prothese vielleicht. Sie war immerhin hier in einem Krankenhaus.

Plötzlich spürte Marianne, wie alle Widerstandskraft aus ihr wich. Sie fühlte sich wie ein Reifen, aus dem die Luft entwich, hörte förmlich das Zischen. Sie bückte sich und zog ihr Hosenbein hoch, die Zeitschrift fiel heraus und klappte auf. Auf dem Cover war eine wunderschöne schwangere Frau in einem hautengen Paillettenkleid abgebildet. Es stimmte wahrscheinlich, dachte sich Marianne, manchen Frauen gelang es wirklich, alles zu haben: Schönheit, Kinder, Karriere. Nichts davon hatte Marianne begehrt. Sie war mit ihrem Leben zufrieden gewesen. Aber jetzt schien alles um sie herum zusammenzubrechen. Als stünde sie mitten in einem Orkan in einem baufälligen Haus, bei dem die Ziegel davonflogen und die Rohre brachen. Sie fror und fühlte sich einsam. Dabei hatte ihr Alleinsein früher nichts ausgemacht. Weshalb fühlte sie sich jetzt so verloren?

»Und Sie brauchen gar nicht erst das Wasser aufzudrehen«, sagte der Ladenbesitzer und legte den Telefonhörer auf. Hatte er die Polizei schon angerufen? »Hätten Sie sich vorher überlegen sollen, anstatt mich zu bestehlen.«

Marianne hob die Zeitschrift auf und legte sie neben die Kasse. Dann nahm sie Deo und Shampoo aus den Hosentaschen und stellte beides auf den Tisch. Der Mann blickte kopfschüttelnd auf die Gegenstände. »Ich weiß einfach nicht, was das soll.« Er sah Marianne so fragend an, als versuche er das tatsächlich zu begreifen. Sie wandte sich ab, ging zum Ende des Ladens und setzte sich auf den Boden, den Kopf an die Wand gelehnt. Sie schloss die Augen und dachte, dass sie auf der Stelle einschlafen könnte, hier in diesem kleinen Kiosk auf dem kalten fleckigen Boden.

»Raus hier!«, rief der Mann. »Ich muss an meine Kunden denken! Manchmal zahlt hier auch einer!«

Marianne beachtete ihn nicht, sondern versuchte an nichts zu denken. Aber das war viel schwieriger als früher.

Sie dachte an Flo.

Dabei hatte sie sich so angestrengt bemüht, nicht an Flo zu denken.

Marianne hatte Flo das Radfahren beigebracht. Im September des Jahres, in dem sie fünf geworden war. Flo, die wie wild in die Pedale trat, die hohe Kinderstimme ein bisschen zittrig. Marianne, die nebenherlief und versuchte, nicht über Bruno zu stolpern, der auch mitlaufen wollte.

»Hältst du mich noch fest, Marianne?«, schrie Flo. »Hältst du mich noch fest?« Und Marianne ließ den Sattel los und rief »Ja!«, und Flo fuhr weiter, eifrig tretend, die Wangen gerötet vor Anstrengung.

Marianne wurde langsamer und langsamer und blieb schließlich stehen. Flo fuhr weiter, schrie ein weiteres Mal: »Hältst du mich noch fest?«, schien aber nicht zu bemerken, dass keine Antwort kam. Sie fuhr jetzt alleine. Sie konnte alleine Radfahren.

Die Erinnerung an diese Szene war für Marianne von intensiver Angst geprägt. Angst, dass ihre kleine Schwester stürzen könnte. Dass sie sich verletzen könnte. Und dass sie Marianne beschuldigen würde, weil sie versprochen hatte, nicht loszulassen.

27

»Um wie viel Uhr genau bin ich geboren?«, fragte Flo an jenem Morgen. Sie hockte im Schneidersitz auf ihrem Bett und versuchte dem geduldigen Bruno eine rosa Schleife um den Hals zu binden, während Marianne ihren Schlafanzug ordentlich zusammenlegte.

»Caroline Cassidy weiß ganz genau, wann sie auf die Welt gekommen ist«, fuhr Flo mit etwas beleidigtem Unterton fort. »Weil ihre Mama das in ein Buch geschrieben hat.«

»Warum ist denn die Uhrzeit so wichtig?« Marianne griff über die Linie zwischen den beiden Betten hinweg, um Flos Jeansjacke aufzuheben und sie in den Schrank zu hängen.

»Damit ich genau weiß, wann ich zehn werde«, antwortete Flo, einen ernsthaften Ausdruck auf dem kleinen herzförmigen Gesicht. »Glaubst du, Mum weiß es?« Flos große blaue Augen blickten Marianne so erwartungsvoll an, als wisse sie alles. Als habe sie Antworten auf sämtliche Fragen parat.

»Um elf Uhr«, sagte Marianne und schloss die Schranktür.

»Woher weißt du das?«

»Von Tante Pearl.«

Flo nickte. Wenn Tante Pearl etwas sagte, musste es wahr sein.

»So, und jetzt such dir ein anderes Plätzchen, ich will dein Bett machen«, sagte Marianne.

»Elf Uhr morgens oder abends?«, fragte Flo hartnäckig weiter.

»Abends.«

Flo hielt Bruno einen Handspiegel vor, damit er seine hübsche Schleife bewundern konnte.

»Hol deine Bürste, damit ich dich frisieren kann«, sagte Marianne.

»Machst du mir den französischen Zopf?«

»Ach, Flo, der dauert doch ewig!«

»Aber ich hab Geburtstag!«

»Also gut. Aber du musst mir versprechen, nicht zu zetern, wenn ich die Knoten rausbürste.«

»Ich versprech's.«

Rita und William begingen den zehnten Geburtstag ihrer jüngeren Tochter mit einem ihrer rauschenden Feste. Es war April, aber Ancaire wirkte mit den vielen Lichterketten und Kerzen an den Fenstern wie an Weihnachten. Im Salon baute eine Jazzband ihre Instrumente auf, Platten mit Räucherlachs, Quiche Lorraine, Beef Wellington, Pellkartoffeln, Salaten und Apfelkuchen mit Schlagsahne wurden hereingetragen. Gegen zwölf Uhr mittags trafen nach und nach die Gäste ein, bis das Haus so voll war, dass es fast aus den Nähten zu platzen schien.

Marianne, Flo und Bruno hatten sich auf dem breiten Fenstersims im ersten Stock niedergelassen und beobachteten stundenlang das Treiben, als säßen sie im Theater.

Dieses Bild von ihrer kleinen Schwester war Marianne am deutlichsten im Gedächtnis geblieben: Flo in dem mitternachtsblauen Seidenkleid, das schon Marianne an ihrem zehnten Geburtstag getragen hatte. Beide liebten dieses Kleid heiß und innig, weil es mit seinem Tüllunterrock an ein Ballett-Tutu erinnerte.

Flo, klein und zart in einem Meer blauer Seide, den Arm um Brunos Hals gelegt, während sie beide Rita und William zusahen, die abends eng umschlungen auf dem Rasen tanzten. Oder vielmehr sich gegenseitig aufrecht hielten.

Als die Standuhr unten zehn Uhr schlug, zählte Marianne wie immer die Schläge und beschloss, für Flo und sich etwas zu essen zu holen. »Bin in fünf Minuten wieder da, ja?«

»Wie lange dauert's noch, bis ich zehn bin?«, fragte Flo gähnend.

»Eine Stunde.«

Im Speisezimmer stand Rita am Büfett und goss eine Flasche Gin in eine gläserne Punschschale voller Obststücke. Dann griff sie nach einem Schöpflöffel und rührte die Bowle so heftig um, dass der Gin herausspritzte und die Hose eines Mannes traf, der neben Rita stand. Sie schlug die Hand vor den Mund, um das Lachen zu unterdrücken, aber dann begann der Mann auch lauthals zu lachen.

Auf der anderen Seite des Raums beugte sich William

zu einer jungen grazilen Frau in einem Paillettenkleid hinunter, die an der Wand lehnte. Er raunte ihr etwas ins Ohr. Als sich aus ihrer kunstvollen Frisur eine Haarsträhne löste, spielte William damit, und die Frau kicherte, als würde sie gekitzelt.

Marianne überlegte, ob es ihr gelingen könnte, unbemerkt etwas vom Büfett zu stibitzen. Sie wollte auf keinen Fall von ihrer Mutter bemerkt werden, denn dann würde sie sich erinnern und darauf bestehen, dass Flo herunterkommen sollte. Rita würde garantiert schreien, dass alle still sein sollten, und dann darauf beharren, dass »Happy Birthday« gesungen wurde. Auch würde sie die Räucherlachsreste mit Kerzen spicken, weil niemand daran gedacht hatte, die bestellte Geburtstagstorte vom Konditor abzuholen. Oder Flo womöglich auf die Schultern eines Gastes setzen, wie im letzten Jahr. Flo hatte nicht geschrien, als der Mann gestolpert war, und nicht geweint, als er stürzte. Zum Glück war sie unverletzt geblieben, aber danach hatte sie sich verängstigt an Marianne geklammert, als sie ihre kleine Schwester nach oben getragen hatte.

Schließlich schlich Marianne in die Küche, in der sich so viele Leute drängten, dass es leicht war, unbemerkt zu bleiben. Am Kühlschrank stand allerdings eine weinende Frau, die Marianne am Arm ergriff und sagte, sie solle sich bloß niemals verlieben, Männer würden einem nur das Herz brechen. »Verstehst du?«, schluchzte die Frau. Marianne nickte, und die Frau packte ihren Arm noch fester und schrie beinahe: »Verstehst du?«

Marianne nickte mehrmals, weil sie längst wusste, dass man besser mit Erwachsenen zurechtkam, wenn man ihnen uneingeschränkt zustimmte. Vor allem konnte man sich schneller wieder verdrücken. Der Atem der Frau roch unangenehm sauer nach Alkohol.

»Findest du, dass ich alt aussehe?« Jetzt krallte die Frau ihre Finger in Mariannes Schultern.

Als sie nur den Kopf schüttelte, fragte die Person: »Kannst du nicht sprechen?«

»Na, komm schon, Bea, wir holen dir mal was zu essen, ja?« Ein Mann mit Baskenmütze und Halstuch legte der betrunkenen Frau den Arm um die Taille und zwinkerte Marianne zu.

Als die beiden hinausgingen, öffnete Marianne den Kühlschrank und stellte sich auf die Zehenspitzen, um an zwei Mini-Quiches und einen halben Apfelkuchen zu kommen. Dann klemmte sie sich noch eine Packung Orangensaft unter den Arm und spazierte mit ihrer Beute wieder nach oben.

Auf der Standuhr war es zwanzig nach zehn.

In vierzig Minuten würde Flo zehn Jahre alt werden.

Bruno und sie saßen nicht mehr auf dem Fenstersims, als Marianne zurückkam. Sie waren auch nicht im Badezimmer und nicht im Atelier, wo Flo sich manchmal aus Ritas Gemälden ein Fort baute.

Marianne durchsuchte alle Schlafzimmer, bis auf das von Tante Pearl, und öffnete sogar die Tür zur Dachbodentreppe.

»Flo?«, rief sie von unten, aber nichts rührte sich.

Als Marianne beunruhigt wieder nach unten lief, tanzte Rita gerade mit einer großen schlanken Frau, die schwarz lackierte Fingernägel und ein Diamant-Piercing im Nasenflügel hatte. Die beiden wiegten sich zur Musik, mit geschlossenen Augen, die Arme in der Luft.

Marianne tippte ihrer Mutter auf den Rücken und zog schließlich an ihrem Kleid, als Rita nicht reagierte.

»Was ist denn, Schatz?« Rita hatte jetzt immerhin die Augen geöffnet und sah ihre Tochter mit verschleiertem Blick an.

»Ich kann Flo nicht finden.«

»Was soll das heißen?«

»Sie war mit Bruno oben, aber da ist sie jetzt nicht mehr.«

»Du hast bestimmt nur nicht richtig geschaut«, erwiderte Rita.

»Doch, habe ich.«

»Hast du Daddy schon gefragt? Er weiß bestimmt, wo sie steckt.« Rita schob den Träger ihres schwarzen Samtkleids zurecht, der ihr von der Schulter gerutscht war. Sie trug den Perlring, den sie von William zu Weihnachten bekommen hatte, und ihre langen Fingernägel waren scharlachrot lackiert. In diesem Moment fand Marianne ihre Mutter wunderschön mit ihrem schimmernden dunkelbraunen Haar, das ihr fast bis zur Taille reichte, und den blauen Augen in dem schmalen, hellhäutigen Gesicht.

Marianne zupfte ihre Mutter erneut am Kleid. »Daddy weiß es ganz sicher nicht.«

»Hör auf, du zerreißt ja noch mein Kleid«, fauchte Rita und befreite sich von Mariannes Zugriff. Sie blieb unbeirrt stehen und sah ihre Mutter an.

»Entschuldige bitte«, sagte Rita zu der großen eleganten Frau. Die zuckte mit den Schultern und zündete sich eine Zigarette an.

Schließlich machten sich alle auf die Suche. Durch den ganzen Garten streiften schattenhafte Gestalten und riefen: »Flo! Flo, wo bist du?«

Eine Frau fragte Marianne, wie der wirkliche Name ihrer Schwester sei, »Flo« sei ja eine Abkürzung.

»Weiß ich nicht. Florence vielleicht?«, antwortete Marianne, die darüber nie nachgedacht hatte.

Auch als Rita in Panik geriet, hektisch mit einer Taschenlampe durch den Garten rannte und mit schriller Stimme »FLO!« schrie, glaubte Marianne noch daran, dass alles in Ordnung kommen würde. Flo war sicher irgendwo eingeschlafen. Im Hundekorb vielleicht. Da hatte Marianne sie einmal gefunden, eingerollt zwischen Brunos Vorderpfoten, während der Hund so kerzengerade dasaß, als wache er über sie.

Doch als Marianne nachsah, war der Korb leer und verlassen. Danach packte auch sie die Angst. Aus der Ferne hörte Marianne Polizeisirenen, brachte sie aber nicht mit Flo in Verbindung, sondern begann, an den unwahrscheinlichsten Orten zu suchen. Hinter der Anrichte im Salon. Im Putzschrank in der Waschküche. Im Kohlenschuppen. In der Kammer am Ende des Flurs, in der alte Bücher, Koffer, eine Schachtel voller rostiger

Schlüssel und Schwarz-Weiß-Fotos von Menschen herumstanden, die längst vergessen waren.

Die Sirenen kamen näher. Marianne hatte sich auf die unterste Stufe der Treppe gesetzt. Das flackernde Blaulicht drang durchs Oberlicht herein, erzeugte zuckende Schatten auf dem Boden. Die Haustür ging auf, mehr Licht flutete herein.

Marianne sah, wie ein Polizist aus dem Streifenwagen stieg und die hintere Tür öffnete. Bruno sprang heraus, und Marianne spürte eine immense Erleichterung. Alles war in Ordnung, wie erwartet.

Flo war mit Bruno rausgegangen, damit er sein Geschäft erledigen konnte. Und er hatte die Fährte eines Hasen gewittert und war weggerannt. Das kam bei Bruno öfter vor.

Und Flo war ihm gefolgt.

Und in der Dunkelheit hatte sich Bruno vielleicht weiter entfernt als sonst.

Und Flo war ihm gefolgt.

Das war alles.

Marianne wartete darauf, dass Flo aus dem Auto kletterte.

Der Polizist, ein großer schwerfälliger Mann mit weichem Gesicht, trat zu Rita und sagte etwas. Er sah sehr gequält aus.

»Der Fahrer ist dem Hund ausgewichen«, sagte der Polizist.

Und dann: »Der Mann hat sie erst gesehen, als es zu spät war.«

Ritas Gesicht, erstarrt. Die Hände ausgestreckt, als wolle sie den Polizisten abwehren. Sie schüttelte unablässig den Kopf, als wolle sie »Nein« sagen. Oder schreien.

Dann erinnerte sich Marianne nur noch, wie sie hinten in einem Auto saß, die Wange ans Fenster gepresst. Wie Bruno ihnen folgen wollte, an der Leine gehalten von einem elegant gekleideten Mann, den Marianne nie wiedersah.

Auch Bruno sah sie nie wieder, und sie fragte nicht, was aus ihm geworden war.

Das Krankenhaus. Endlose graue Flure im Neonlicht, Türen, die auf und zu schwangen, und die Gänge nahmen kein Ende, alles sah gleich aus. Der durchdringende Geruch von Desinfektionsmitteln.

Ein blauer Kittel. Eine sanfte, einfühlsame Krankenschwester mit schmalen Handgelenken. Rita hemmungslos schluchzend. William, der sich die Ohren zuhielt, um die Worte der Schwester nicht hören zu müssen.

Ihre Stimme, leise und behutsam. Die Stimme einer Frau, die Dinge sagen muss, die niemand hören will.

Aber Marianne hörte sie und würde sie nie vergessen.

»Sie hat nichts gespürt.«

28

Der Raum im Polizeirevier wirkte nicht wie eine Zelle, eher wie ein Wartezimmer. Allerdings eines, in dem man es sich nicht bequem machen sollte. Das Mobiliar bestand aus einem Tisch, der jedes Mal wackelte, wenn Marianne sich darauf stützte, und einem harten Holzstuhl. Weit oben war ein kleines Fenster in der Wand, durch das kaum Tageslicht hereindrang. An der Decke flackerte eine Neonlampe auf so entnervende Art, dass Marianne sie zerschmettert hätte, wenn sie einen Baseballschläger zur Hand gehabt hätte.

Ihre maßlose Wut auf die Lampe erschreckte Marianne selbst.

Wie lange sie schon in diesem Raum war, wusste sie nicht. Sie hatte alle Fragen des kleinen stämmigen Polizisten beantwortet, dem die Befragung ziemlich unangenehm zu sein schien. Er war rot angelaufen, als er vorlas, welche Dinge Marianne zu stehlen versucht hatte. Sie hatte die Liste, auf der die Gegenstände in riesiger Schrift aufgeführt waren, unterschrieben und entschieden abgelehnt, als der Polizist fragte, ob sie Tee haben wolle. Der Mann zuckte mit den Schultern, sammelte seine Papiere ein und ging hinaus. Die Tür fiel mit ohrenbetäubendem Krachen zu, der Schlüssel wurde im

Schloss gedreht. Schritte draußen im Gang, die sich entfernten, leiser wurden, bis sie verhallt waren. Schließlich Stille bis auf Mariannes hektische, hitzige und wütende Atemzüge. Sie wollte schreien, brüllen, diesen ganzen überschüssigen Atem loswerden, sich verausgaben, bis sie innerlich leer, bis alle Luft in ihrer Lunge verbraucht war.

Marianne überlegte, ob sie auf und ab gehen sollte, um diese mörderische Energie in sich zu verbrauchen. Aber der Raum war in jeder Richtung nur zwei Schritte breit, hin wie her, und dann wohin?

Letztlich blieb sie dann sitzen und schrie und brüllte auch nicht, sondern atmete nur ihre hitzigen, wütenden Atemzüge.

Als die Tür plötzlich aufging, fuhr Marianne so abrupt hoch, dass sie sich den Fußknöchel am Tischbein stieß. Der Schmerz durchzuckte sie heftig, beförderte sie schlagartig in die Wirklichkeit zurück und war erstaunlich belebend.

Im Türrahmen stand Rita, und einen Moment lang kam es Marianne vor, als sähe sie eines der Selbstporträts ihrer Mutter. Sie war perfekt geschminkt, und ihr knallig violetter Turban stand in wüstem Kontrast zum grellen Grün ihres Cocktailkleids. Rita selbst hätte dieses Outfit vermutlich als »grandios wunderbar« beschrieben.

»Was machst du hier?«, fragte Marianne. Trotz der gigantischen Luftmenge in ihrem Körper hörte sich ihre Stimme dünn und piepsig an.

»Dich auf Kaution hier rausholen, Liebes«, antwortete Rita und sah sich naserümpfend um. »Man könnte doch heutzutage wohl ein bisschen mehr Komfort erwarten. Wenigstens einen bequemen Sessel, mit einer weichen bunten Wolldecke. Das wäre schon eine echte Verbesserung, oder?«

»Du musst mich nicht rausholen«, sagte Marianne, die sicher war, dass sie die Fäuste ballte. Sie fühlte sich so angespannt wie eine zusammengedrückte Sprungfeder, die im nächsten Moment hochschnellen würde.

»Ach, Blödsinn, Marnie.« Rita durchforstete ihre Handtasche nach ihrer E-Zigarette. »Jeder muss mal irgendwann aus dem Knast geholt werden. Das kommt eben vor. War bei mir auch so.«

»Ich bin nicht wie du«, sagte Marianne laut. Rita hörte mit dem Kramen auf und schaute hoch. »Ich bekomme mein Leben alleine in den Griff. Ich brauche keinen Gutmenschen wie dich, der mich aus dem Knast holt. Ich bin keines von deinen Alles-wird-gut-Schäfchen.«

»Komm schon«, sagte Rita. »Gehen wir, Marnie.«

»Hör auf, mich so zu nennen!«, knurrte Marianne.

»Entschuldige, Liebes. Alte Gewohnheit.«

»Zwischen uns gibt es keine Gewohnheiten«, widersprach Marianne. »Zwischen uns gibt es nicht einmal eine Beziehung. Das wolltest du nicht, hast du das vergessen? Ich war dir lästig.«

»War jedenfalls schön, dich jetzt in letzter Zeit zu Hause zu haben«, erwiderte Rita unbekümmert.

»Solltest du nicht im Krankenhaus sein?«, sagte Marianne scharf. »Weil du ja sterben wirst?« Das Wort »sterben« fühlte sich in ihrem Mund so glühend heiß wie Lava an.

Rita lächelte vergnügt. »Sterben tun wir alle, Marnie.«

»Ja, aber du stirbst schon bald.« Marianne schien sich nicht mehr bremsen zu können und war gleichzeitig abgestoßen und fasziniert von der Gehässigkeit, die sie offenbar in sich trug. Davon hatte sie bislang nichts geahnt. »In drei Monaten, sagen das nicht die Ärzte?«

Rita hatte ihre E-Zigarette inzwischen entdeckt. Sie kam herein, setzte sich auf den Tisch und ließ die Beine baumeln. »Du weißt doch, wie Ärzte sind, Marnie, die müssen einem irgendwas sagen, ob es nun stimmt oder nicht.«

»Warum lehnst du die Chemo ab?«

»Weil mir davon nur übel wird. Und weil sie nichts mehr ändern wird, die könnte nur noch das Unvermeidliche hinauszögern. Ich möchte niemandem zur Last fallen. Und ganz besonders nicht dir.«

»Das hat dich doch noch nie von irgendwas abgehalten«, entgegnete Marianne. Damit hatte sie einen Nerv getroffen, aber es war ihr egal. Sie redete weiter. »Wieso hast du mir nichts gesagt?«

Rita richtete sich auf und wedelte mit der Hand, als läge ein unangenehmer Geruch in der Luft. »Ist so ein ödes Thema, ich wollte dich nicht damit langweilen.«

»Also wolltest du wieder deine übliche Nummer durchziehen und so tun, als sei nichts? Dich einfach neu erfinden? Als Mensch, der nicht krank ist? Der nicht bald an seiner Krankheit sterben wird? Der keine Tochter verloren hat?« Mariannes Stimme war immer lauter und schriller geworden, klang wie ein misstönender Chor.

Rita hörte auf, mit den Beinen zu baumeln, legte ihre E-Zigarette beiseite und stützte sich mit beiden Händen auf den Tisch. Dann holte sie tief Luft und entließ sie durch ihre orangerot geschminkten Lippen. »Doch, ich habe eine Tochter verloren«, sagte sie leise, aber deutlich.

»In Ancaire geht es zu, als hätte es Flo nie gegeben«, redete Marianne weiter. »Ihr Schrank ist ausgeräumt, nirgendwo gibt es ein Foto von ihr. Als hätte sie gar nicht existiert.«

»Ich denke jeden Tag an sie«, erwiderte Rita.

»Und was nützt das jetzt noch?«, tobte Marianne. »Sie ist tot! Und anstatt dich dafür verantwortlich zu fühlen, hast du dir einfach eine neue Identität zugelegt, wie?« Noch nie hatte Marianne so einen blinden Hass empfunden. Sie zitterte am ganzen Körper und fürchtete sich vor der Kraft dieser immensen Wut. Aber sie fühlte sich auch enorm stärkend an. »Du dachtest dir wohl, ach, dann höre ich einfach zu trinken auf. Dann ist die Schuld getilgt. Aber so läuft das nicht.«

Rita schüttelte den Kopf. »Es tut mir leid, Marianne, ich weiß, dass du …«

»Wage es nicht!«, brüllte Marianne. »Wage es bloß nicht, dich zu entschuldigen! Und glaub bloß nicht, ich würde dir verzeihen, weil du stirbst. Es ist mir völlig egal, dass du stirbst.«

Rita fixierte sie. »Das meinst du nicht so.«

»Du hast doch keine Ahnung, was ich meine und was ich nicht meine! Du weißt nicht das Geringste über mich!«

»Ich weiß, dass ich dich liebe.«

»Nein, das tust du nicht. Du fühlst dich nur schuldig, weil deine Tochter – diejenige, die es geschafft hat, ihre Kindheit mit dir zu überleben – zur Diebin geworden ist.«

»Das ist nicht w…«

»Schau mich doch an, um Himmels willen. Ich sitze in einem Polizeirevier. Ich stehle. Und zwar immer wieder.«

»Du bist gestresst, du brauchst nur …«

»Geh jetzt«, sagte Marianne. Sie war heiser, ihr Hals tat weh. Sie fühlte sich so ausgelaugt wie ein alter Wischlappen.

Jetzt trat Stille ein, aber es war eine ominöse, drohende Stille, wie wenn man ahnt, dass man bald schreckliche Kopfschmerzen bekommen wird. Rita hangelte sich vom Tisch, strich über ihr Kleid, als wolle sie Krümel entfernen. Dann verstaute sie die E-Zigarette in ihrer Tasche und hängte sie über den Arm. »Deine Kaution ist bezahlt. Du kannst also frei entscheiden, wann du gehen willst.« Rita betrachtete eingehend den Schnappverschluss ihrer Handtasche.

Marianne beugte sich vor, stützte die Hände auf die Knie und schloss die Augen. Ihr Atem ging stoßweise.

An der Tür blieb Rita stehen. »Marianne?«

»Lass es.« Marianne richtete sich auf. »Ich bin keine von deinen Klientinnen, mit denen man nur quatschen muss, damit alles wieder gut wird.«

»Das weiß ich. Ich …«

»Danke, dass du die Kaution gestellt hast. Ich zahle dir das Geld zurück, sobald ich kann. Und ich bin dankbar, dass du mich in Ancaire aufgenommen hast.«

»Das ist dein Zuhause. Du bist dort jederzeit willkommen.«

»Ich hasse es, dort zu sein.« Jedes Wort fühlte sich so hart an, als sei es vor Bitterkeit verkrustet. Mariannes Kiefer schmerzte, als sie die Worte hervorbrachte, eines nach dem anderen, mit Pausen dazwischen. »Ich bin nur dort, weil ich nirgendwo anders hinkann. Weil ich keinen anderen Menschen habe. Weil ich meine Arbeit, meinen Mann und mein Zuhause verloren habe. Und ich hätte wissen müssen, dass ich das alles verlieren würde. Das habe ich verdient.«

»Sag so etwas nicht.«

»Und du auch. Du hast auch Schreckliches verdient. Wegen Flo.«

Rita sah ihre Tochter an. »Ich weiß«, flüsterte sie.

Als sie hinausgegangen war, wirkte der Raum noch kleiner – viel zu klein für Marianne und ihren hemmungslosen Zorn. Sie hätte die Wände wegschieben müssen, um Platz zu machen für sich selbst mitsamt der monumentalen Wut, die durch ihren Körper tobte. Marianne setzte sich – dass sie aufgestanden war, hatte sie gar nicht gemerkt – und steckte den Kopf zwischen die Knie, verharrte so. Eigentlich glaubte sie nicht, dass sie in Ohnmacht fallen würde. Vielmehr spürte sie so etwas wie eine intensivierte Wahrnehmung. Die Luft schien mit Spannung aufgeladen, die Härchen an ihren Armen richteten sich auf, der Atem brach aus ihrem Körper hervor, heiß und feucht und keuchend, als sei sie gegen einen Sturm angelaufen. Aber sie war nicht gelaufen. Sie konnte nirgendwohin.

Davongelaufen war sie, das traf eher zu.

Doch dafür war sie zu alt. Zu müde und erschöpft. Aber was sollte sie sonst tun? In diesem stickigen Raum, der zu klein und eng für sie war, fand sie keine Antwort auf ihre Frage.

29

Als Marianne aus dem Polizeirevier trat, peitschte ihr heftiger Regen ins Gesicht. Sie setzte ihre Kapuze nicht auf, sondern blieb einfach mitten auf dem Gehweg stehen. Das Wasser strömte ihr übers Gesicht, Tropfen blieben in ihren Wimpern und an ihrer Nase hängen, ihre Haare waren binnen Kurzem triefnass.

Passanten schnalzten ärgerlich mit der Zunge, weil Marianne ihnen den Weg versperrte, aber sie rührte sich nicht vom Fleck. Ihre hellgraue Jogginghose haftete nass und kalt an ihren Oberschenkeln, die Kälte ging ihr durch Mark und Bein.

Dennoch blieb sie reglos stehen. Sie wusste einfach nicht, was sie stattdessen tun sollte.

»Wenn du nicht einsteigst, nisten bald Tauben in deinen Haaren«, hörte sie plötzlich eine Stimme.

Marianne wandte langsam den Kopf. Hugh hatte mit Warnblinkanlage im Halteverbot geparkt und schaute zu ihr herüber.

Sie versuchte zu sehen, ob jemand auf dem Rücksitz saß, konnte aber durch den Regen nichts erkennen.

Hugh schüttelte den Kopf. »Rita ist schon weg. Ich hab einen der anderen Taxifahrer für sie bestellt. Sie hat mich gebeten, auf dich zu warten.«

»War nicht nötig«, sagte Marianne tonlos.

»Komm, steig ein«, sagte Hugh und öffnete ihr die Beifahrertür.

»Ich mache den Sitz nass.«

»Trocknet wieder«, erwiderte Hugh mit einem Schulterzucken. »Beeil dich, ich hab nicht den ganzen Tag Zeit.«

»Du musst dir wegen mir keine Umstände machen.« Marianne verschränkte die Arme vor der Brust.

»Sei jetzt bitte nicht schwierig, sondern steig schnell ein, ja?« Hugh überprüfte im Rückspiegel, ob bereits ein Stau entstand.

»Ich bin nicht schwierig, ich meine nur …«

»In fünf Sekunden fahre ich weg«, verkündete Hugh entschieden.

»Ich wollte ja nur …«

»Vier … drei …«

»Okay, schon gut.« Marianne stieg ein und knallte die Tür zu. Ein Sattelschlepper donnerte vorbei und hupte erbost, weil er Hughs Wagen ausweichen musste.

»Du hättest hier wirklich nicht stehen dürfen«, sagte Marianne knapp, während sie sich anschnallte.

»Und du solltest wirklich keine Sachen stehlen«, konterte Hugh und raste so abrupt los, dass Marianne in den Sitz gedrückt wurde.

»Fahr langsamer, sonst wirst du verhaftet«, sagte Marianne. »Willst du mir jetzt moralisch kommen, weil ich verhaftet worden bin?«

Hugh schüttelte stumm den Kopf.

»War sicher Rita, die dir erzählt hat, dass ich geklaut habe, oder?«

»Nee, sie hat kein Wort darüber verloren«, antwortete Hugh und hielt an, damit sich jemand einfädeln konnte.

»Woher weißt du das dann?«

»Nun ja, ich habe dich – eine erfahrene Ladendiebin – vor einem Polizeirevier abgeholt. Ich benutze meinen hübschen Kopf auch zum Denken, weißt du?«

»Macht es dir was aus, nicht zu reden?«, sagte Marianne.

»Ganz und gar nicht.« Hugh schaltete das Radio ein.

Marianne wusste nicht, ob sie erleichtert oder beleidigt sein sollte. Hugh suchte nach einem Sender, entschied sich dann für Countrymusik. Ein Mann mit einer Stimme wie ein Nebelhorn sang klagend, dass seine Frau ihn verlassen hatte.

»Macht es dir was aus, wenn ich es lauter mache?«, fragte Hugh und stellte sofort die Lautstärke hoch, ohne Mariannes Antwort abzuwarten. Das »Ja« ging in einem Geheul aus jammernden Mundharmonikaklängen unter.

Erst an der Abzweigung nach Loughshinny stellte Hugh das Radio wieder auf normale Lautstärke – inzwischen beklagte sich eine Frau über ihren untreuen Mann – und fragte: »Wo soll es hingehen?«

»Ha! Gute Frage«, sagte Marianne.

»War jetzt nicht philosophisch gemeint.«

»Ich kann dir jedenfalls sagen, wo ich *nicht* hinwill.«

»Und ich wage mal zu behaupten, dass du wohl wenig Erfahrung mit Taxifahren hast«, erwiderte Hugh.

»Ich will nicht nach Ancaire«, fuhr Marianne fort, ohne auf seine Bemerkung einzugehen.

»Damit scheidet schon mal ein Fahrziel aus«, sagte Hugh und nickte bekräftigend. »Und weiter?«

»Ich will nach Hause«, sagte Marianne unvermittelt. Ihr war klar, dass sie sich wie ein quengeliges Kind anhörte. Aber sie hatte plötzlich eine überwältigende Sehnsucht nach ihrem Haus in der Carling Road. Nach dem ordentlichen Vorgarten mit dem Kunstrasen, den sie nie mähen musste. Der Terrasse mit den glänzenden Steinplatten im hinteren Garten. Den sauberen, gepflegten Räumen, in denen für alles Platz war und in denen alles seinen festen Ort hatte. Nach dem Geruch des Hauses. Wenn Marianne die Augen schloss und sich vorstellte, dass sie dort im Flur stand, kam sofort die Erinnerung an den Geruch zurück. Holz und Politur und der getrocknete Lavendelstrauß am Haken neben dem Kleiderständer.

Und der solide, wuchtige Kleiderständer selbst. Eine wunderschöne Holzarbeit mit vier Haken, zwei für sie (für den Winteranorak und den Sommerregenmantel), zwei für Brian (seine Tweedjacke für alle Jahreszeiten und den dunkelblauen Allwettermantel).

Hugh hielt an einer Kreuzung und sah Marianne an. »Ich brauche eine Adresse«, sagte er ruhig.

»Habe ich nicht.«

Als die Straße frei war, fuhr Hugh weiter.

Marianne war es einerlei, welchen Weg er einschlug, und sie fragte auch nicht danach. Hauptsache, er brachte sie nicht nach Ancaire. Nicht zu Rita.

Als er schließlich stoppte, den Motor ausschaltete und die Handbremse anzog, blickte Marianne auf. Hugh hatte vor seinem Haus in Rush geparkt.

»Wieso sind wir hier?«, fragte sie.

»Ich habe vorhin Tomatensuppe gekocht«, antwortete Hugh. »Das ist ein Allheilmittel.«

»Wusstest du Bescheid über Ritas Zustand?«

Nach dieser Frage trat ein Schweigen ein, das Antwort genug war. Natürlich hatte Hugh alles gewusst. Genauso wie Patrick und Pearl und die gesamte Alles-wird-gut-Truppe. Vermutlich sogar Sheldon und Harrison.

Nur Marianne nicht. Sie war in ihre übliche Position gedrängt worden: ausgeschlossen. Plötzlich wurde ihr so heiß, als sei die Wut in ihr ein Feuer, das in ihrem Körper loderte und alles versengte.

»Es tut mir leid, Marianne.« Hugh stieg aus, ging ums Auto herum und öffnete die Beifahrertür. »Komm ins Haus.«

»Ich bin zu wütend. Ich werde irgendetwas kaputtmachen.«

»Und ich bin versichert«, erwiderte Hugh.

Marianne stieg aus. Inzwischen hatte es aufgehört zu regnen, aber aus ihren Haaren und ihrer Kleidung tropfte nach wie vor Wasser.

Hugh öffnete die Haustür und hielt sie für Marianne auf. »Ich mache uns gleich Tee.«

»Ich will keinen Tee.«

»Ich mache trotzdem welchen.« Hugh verschwand in der Küche.

Marianne tigerte im Wohnzimmer auf und ab. Auch dieser Raum fühlte sich zu klein an für sie und ihre gewaltigen Gefühle, die in ihr rumorten und aus ihr herausbrechen wollten.

Sie blickte wild um sich. Im obersten Fach des Bücherregals stand *Wie man in achtzig Tagen die Welt bereist*, einer der Ratgeber von Ritas Eltern. Nicht einmal hier war es möglich, Ancaire zu entkommen. Die wütenden Flammen schienen durch Mariannes ganzen Körper zu züngeln. Aus der Küche hörte sie das Rauschen von Wasser, das Klacken, als der Herd eingeschaltet wurde, das Klappern von Tassen. Normale Geräusche, obwohl in ihrem Leben nichts mehr normal, sondern alles fremd war. Dass sie versucht hatte, ein ruhiges und geordnetes Leben zu führen, war vollkommen vergeblich gewesen.

»Wie geht's dir?«

Hugh stand in der Küchentür und beobachtete Marianne mit besorgtem Blick.

»Hör auf, mich zu bemitleiden«, sagte sie. Ihre Stimme klang laut und hart. »Ständig bemitleidest du mich.«

Er schüttelte den Kopf und trat auf sie zu, und Marianne hob die Hände, um ihn fernzuhalten. »Du hast auch nur aus Mitleid mit mir getanzt. Die arme unbeholfene Marianne. Ich muss sie aus ihrer Misere erlösen.«

»Das war keineswegs der Grund«, erwiderte Hugh sanft und gelassen, und diese Stimmlage gab Marianne den Rest. Am liebsten hätte sie sich selbst an den Haaren gerissen, fest und brutal.

»Ich habe mit dir getanzt«, fuhr Hugh fort, »weil … ich dich mag.«

Marianne starrte ihn aufgebracht an. »Mich mag niemand. Warum denn auch, wo ich selbst niemanden mag. Ich will einfach nur in Ruhe gelassen werden.«

»Das will kein Mensch«, erwiderte Hugh behutsam. »Auch du nicht.«

»Und was will ich dann, deiner Meinung nach?«, knurrte Marianne. »Nachdem du ja offenbar ein Experte bist?« Sie atmete so hektisch, als sei sie gerannt.

Der Teekessel begann zu pfeifen, ein schriller Laut, der immer lauter wurde, bis es Marianne vorkam, als würde ihr Kopf gleich platzen. Hugh sagte etwas. Sie sah, dass sich sein Mund bewegte, hörte aber nichts. Sein Mund. Seine Lippen waren weich und so rosig wie ein reifer Pfirsich. Während Marianne sie fixierte, dachte sie plötzlich: sinnlich. Die Farbe passte nicht zu dem leuchtenden Orangerot seiner Haare. Ihr Blick richtete sich jetzt auf seine Augen. So lebhaft. Und einfühlsam.

»Hör auf!«, schrie sie, worauf Hughs Lippen die Bewegung einstellten. Der Kessel pfiff weiter, aber das Hämmern von Mariannes Herz und das Dröhnen ihres Pulsschlags übertönten jetzt beinahe den schrillen Laut. Sie trat vor, schaute zu Hugh auf. Und dann küsste sie ihn.

Wie erwartet musste sie sich dazu auf die Zehenspitzen stellen.

Und wie erwartet fühlte sein Mund sich herrlich an, als beiße man in einen saftigen Pfirsich, und ja, das Wort tauchte wieder auf: Seine Lippen waren sinnlich. An mehr konnte sie aber nicht denken, sie dachte überhaupt nichts mehr, fühlte nur noch. Spürte seinen festen Körper an ihrem. Die weichen Locken an ihrer Wange. Seine Hände, die zärtlich ihren Hals streichelten. Den aufregenden Tanz, den ihre Münder vollführten. Die Geräusche, die sie selbst erzeugte. Als koste sie Hughs Mund wie etwas Essbares. Als habe sie seit Ewigkeiten gehungert. Sie konnte gar nicht genug von ihm bekommen. Packte seine Haare, zog ihn dichter an sich. Als er sie hochhob, schlang sie die Beine um seine Hüften, und auch jetzt hatte sie keinerlei Gedanken, obwohl sie sich in dieser Position noch nie im Leben befunden hatte.

Nur Gefühle. Hitzige, begehrliche Gefühle und Empfindungen. Ihr Puls pochte wie wild, überall in ihrem Körper. Am Hals, an den Armen, zwischen ihren Beinen. Sogar die Fußknöchel, hinter Hughs Rücken verschränkt, schienen zu pulsieren.

Überall war Bewegung, Hugh stolperte wie ein Betrunkener durchs Zimmer, sie sah es nicht, spürte es nur, und hörte ihre Laute. Ihren keuchenden Atem, das Saugen und Gleiten von Zunge und Lippen. Das Stöhnen, das ihr entfuhr, als sie an eine Wand stießen, das Ächzen des Sofas, als sie es endlich erreichten und Hugh sie behutsam darauf bettete und sich dann auf sie legte. Sein Körper, sein Gewicht, fühlte sich so berauschend an, dass Marianne etwas erlebte, was sich wie eine Serie von Explosionen in ihrem Körper anfühlte, so wuchtig und scharf, dass es beinahe schmerzhaft war. Sie schrie, konnte den Laut nicht unterdrücken, der aus ihr hervorbrach, irgendwo von weit innen. Hugh hob den Kopf und sah sie an, fragte »Alles okay?«, und Marianne nickte nur keuchend, während ein Orgasmus durch ihren Körper tobte wie ein Erdbeben.

Sie wusste längst nicht mehr, wann sie so etwas zum letzten Mal erlebt hatte. Brian hatte sich gerne etwas darauf eingebildet, dass er durchhalten konnte, bis sie zum Höhepunkt kam – bei den seltenen Gelegenheiten, wenn sie tatsächlich einmal Sex hatten. Marianne hatte dann oft behauptet, sie hätte einen Orgasmus gehabt, obwohl es gar nicht stimmte.

Sie packte Hughs Haar und zog ihn wieder zu sich. Er sah sie an, irgendwie benommen, die Pupillen groß und dunkel in seinen Augen. Dann löste er sich von ihr und setzte sich auf.

»Was ist?«, fragte Marianne.

Er schüttelte den Kopf und strich sich übers Gesicht. »Wir müssen aufhören.«

»Wieso das denn?« Marianne richtete sich auf.

Hugh sah sie an, strich ihr behutsam das Haar aus dem Gesicht. Marianne schlug seine Hand weg. »Ich will nicht, dass du zärtlich bist, ich will Sex mit dir.«

»Nein.« Er stand auf und zog seinen Kilt zurecht. »Du bist außer dir, bist nicht du selbst. Ich käme mir vor, als würde ich die Situation ausnutzen.«

»Ist mir egal. Ich will, dass du mich ausnutzt.«

Hugh schüttelte erneut den Kopf. »Das kann ich nicht. Es wäre nicht fair, für beide von uns.«

»Was hat denn Fairness damit zu tun?«, schrie Marianne aufgebracht. »Ich will einfach nur was fühlen! Ich muss etwas fühlen! Meine Mutter stirbt, und ich habe keinerlei Gefühl dazu. Nicht mal benommen fühle ich mich, sondern einfach gar nicht. Ich will irgendetwas fühlen!«

Hugh nickte. »Das kann ich gut verstehen.«

»Das ist alles? Du willst keinen Sex mit mir?«

»Nein. Aber wir können reden.«

»Ich will nicht reden. Ich will etwas fühlen.«

»Du wirst etwas fühlen«, sagte Hugh. »Du stehst jetzt noch unter Schock. Ich hätte lieber …«

»Du redest immer noch.«

»Ich hätte lieber Tee machen sollen«, vollendete Hugh den Satz und ging in die Küche.

Marianne rappelte sich hoch, stand auf und blickte an sich hinunter. Die Beine der Jogginghose waren hochgerutscht, ansonsten sah sie jedoch aus wie immer, nur nass. Sie trug sogar noch ihre Sneakers.

Marianne fühlte sich gleichzeitig vollkommen erschöpft und energiegeladen. Ihr Blut pulsierte so heftig in ihren Adern, als suche es einen Weg nach draußen. Sie sah sich nach ihrem Anorak um, merkte aber dann, dass sie ihn nicht ausgezogen hatte.

Kein Wunder, dass Hugh keinen Sex mit ihr wollte. Anorak und Sneakers konnte wohl niemand erotisch finden.

Und es war ja auch nicht zu Sex gekommen.

Weil Hugh nicht wollte.

Schon jetzt fühlte sie sich so gedemütigt, dass ein trockenes Schluchzen in ihrer Kehle aufstieg.

»Marianne?«, rief Hugh aus der Küche. »Ich habe nur Earl Grey, ist das okay?«

Sie hörte, wie eine Packung Kekse aufgerissen wurde, hörte das Klappen der Schranktür, das Gluckern von Milch in einem Kännchen, das Öffnen und Schließen einer Besteckschublade.

Diesmal hielt sich Marianne nicht wie anfangs in Ancaire die Ohren zu, um die Geräusche nicht zu hören, diese gewöhnlichen Alltagsgeräusche.

Sie ging vielmehr zur Eingangstür, öffnete sie lautlos und verließ das Haus.

30

Als Marianne am nächsten Morgen aufwachte, fühlte sie sich verkatert. Sie nahm jedenfalls an, dass man sich mit einem Kater so fühlte. Ihr Mund war wie ausgetrocknet, und die Erinnerungen an den vorherigen Tag hatten einen üblen, bitteren Nachgeschmack hinterlassen.

Die brachiale, rohe Wut, die sie empfunden hatte, war abgeflaut und einem unangenehmen Zustand gewichen, der sich nach Reue anfühlte. Sie kam sich vor wie ein altes Stück Treibholz: aufgequollen, unförmig, nutzlos.

Rita.

Rita würde sterben.

Marianne zog ihre Füße unter George hervor, der noch am Bettende schlief, hangelte sich hoch und stellte mit einem Blick auf ihre Uhr fest, dass es erst sechs war. Sie zog den Vorhang ein Stück beiseite und spähte hinaus. Nach Morgen sah es draußen nicht aus, eher wie mitten in der Nacht. Sie konnte nichts erkennen, hörte nur den Regen ans Fenster pladdern.

Als Marianne die Füße auf den Boden stellte, wartete sie auf den üblichen Kälteschock. Aber diesmal dauerte es länger, bis er sich einstellte.

Flos kleine Porzellaneule auf dem Nachttisch schien Marianne mit ihren riesigen gelben Augen vorwurfsvoll anzustarren. Sie streckte die Hand aus und berührte die Figur, die sich kalt und hart anfühlte. Marianne fragte sich, warum sie Flo etwas so Kaltes und Hartes zum Geburtstag geschenkt hatte. Es hätte doch auch eine weiche, kuschelige Plüscheule sein können.

Am liebsten hätte sie sich wieder in die Kissen zurücksinken lassen, die Versuchung war beinahe unwiderstehlich. Unter der Decke vergraben. Die Augen schließen. Sich der Dunkelheit und der Stille hingeben. Es gab doch Menschen, die das machten, oder? Die sich tagtäglich komplett ausklinkten.

Jetzt fiel ihr das Ereignis in Hughs Haus wieder ein.

Das Ereignis.

Dieses Wort hörte sich seltsam förmlich und offiziell an. Als sei da etwas Wichtiges passiert, etwas Bedeutsames. Anstatt des peinlichen Versuchs einer kopflosen Frau, sich in den Griff zu bekommen.

Marianne zog Strümpfe an und tastete nach ihrer Jogginghose, die am Boden lag. In den letzten Wochen hatte sie gelernt, sich im Dunkeln anzuziehen.

»Komm, George«, sagte Marianne leise und ließ die Schlappohren des Hundes durch ihre Hände gleiten. »Lass uns zum Strand gehen.«

Dass sie das einmal zu dem Hund sagen würde, hätte Marianne sich vor kurzer Zeit noch nicht vorstellen können. Vor allem nicht an einem düsteren, regnerischen Morgen.

Sie tappten hinaus. Vor Ritas Zimmer blieb Marianne stehen und horchte. Als nichts zu hören war, ging sie weiter.

Jetzt wusste sie jedenfalls von sich, dass sie imstande war, grausam zu sein. Sie hatte grausame und gemeine Dinge zu ihrer Mutter gesagt. Dass sie der Wahrheit entsprachen, machte die Sache nicht besser.

Marianne ging nach unten, ihre Schuhe hinterließen kaum ein Geräusch auf den Böden. In der Küche war es dunkel und kalt, und sie wirkte leer, wenn Rita nicht herzförmige Kartoffelfrikadellen buk, Spiegeleier briet und »Everybody Loves A Lover« von Doris Day schmetterte.

Patrick schien noch nicht auf zu sein, und Marianne fragte sich, seit wann er Bescheid wusste. Ihn hatte Rita wahrscheinlich zuerst eingeweiht. Ihm erzählte sie vermutlich alles, ebenso wie er ihr. Diese beiden vertrauten einander alles an.

Weil sie sich mochten.

Weil sie sich liebten.

Als Marianne aus dem Haus trat, setzte sie die Kapuze ihres Anoraks auf und ging zu der Pforte am Ende des Gartens, die Patrick natürlich inzwischen repariert hatte.

Schwerfällig tappte Marianne die Stufen zum Strand hinunter. Sie fühlte sich so schlapp, dass jeder Schritt anstrengend schien. Das musste mit dem Kater zu tun haben. Mit dieser Reue. Die war ein anstrengender Zustand. Und furchtbar nutzlos, aber er ließ sich schwer abschütteln. So unangenehm wie der Gestank von George, wenn er sich in verrottendem Tang gewälzt hatte.

Als Marianne endlich unten ankam, warf sie freiwillig Steine für den Hund, ohne dass er darum betteln musste. Das Meer war wie immer laut und ruhelos, schmetterte Wellen auf den harten Sand, die Gischt überflutete zischend die Kiesel am Strand. George machte sein übliches Spiel, ließ die erbeuteten Steine vor Mariannes Füßen fallen und wartete dann mit schiefgelegtem Kopf auf den nächsten Wurf.

Marianne hatte plötzlich den Impuls, George zu sagen, dass sie ihn liebte. Vor dem struppigen Hund in die Hocke zu gehen, ihn in die Arme zu nehmen, ihr Gesicht in das müffelnde Fell zu drücken. Die Worte zu flüstern.

Sie stellte sich vor, wie sie »Ich liebe dich« sagte.

Zum allerersten Mal in ihrem Leben.

Und zu einem Hund.

Brian und sie hatten das nie zueinander gesagt. So etwas kam doch nur in Liedern und Filmen vor. Darüber hatten die beiden zwar nie gesprochen, waren sich aber dennoch einig gewesen. Ihre Ehe war eine zweckmäßige Verbindung. Wenn man Rechnungen zu begleichen und eine Hypothek abzuzahlen hatte, war man zu zweit besser dran als alleine.

Auch bei Städtetouren, die sie gelegentlich gemacht hatten. Zu zweit bekam man günstigere Zimmerpreise. Unterhaltungen mit anderen Menschen waren einfacher, wenn man nicht alleine war, die Leute entspannten sich dann gleich. »Brian, mein Mann, ist gerade zur Bar gegangen.«

Aber vielleicht empfand Marianne das nur so, weil es ihr nicht gelang, von sich aus ein entspanntes Gespräch in Gang zu bringen. Das war ihr allerdings nie ein Anliegen gewesen. Brian hatte gesagt, sie würde sich einigeln. »Du bist eben stachlig«, hatte er geäußert, dabei aber gelächelt. Deshalb hatte Marianne den Eindruck gehabt, dass er das an ihr mochte.

Doch auch das war ein Irrtum gewesen.

Sie warf einen Stein für George ins Meer, aber so weit, dass er ihn nicht holen konnte. Dennoch hechtete er begeistert ins Wasser.

In einem Felstümpel sah Marianne zwei kleine Fische, die so identisch aussahen wie Zwillinge. Weshalb sie wieder an Brian denken musste. Und an Helen. Aber der Gedanke verflüchtigte sich so schnell, wie die Fische hinter einem Stein verschwanden, er setzte sich nicht mehr in ihrem Kopf fest.

Was hatte das zu bedeuten? Dass sie die Trennung verkraftet hatte? Oder dass sie Brian ohnehin nie geliebt hatte?

»Ich bin aber nicht so der Typ für die Ehe«, hatte Marianne gesagt, als Brian das Thema aufbrachte.

»Ich auch nicht«, hatte er mit breitem Lächeln erwidert, als sei das von Vorteil. Was es anfänglich vielleicht auch gewesen war.

Beide hegten ein tiefes und unerschütterliches Misstrauen gegenüber Beziehungen. Das hatten sie gemein, so wie andere die Liebe zum Theater. Oder die Leidenschaft für Badminton.

Vielleicht hatten sie auch geglaubt, wenn sie beide eine Bindung eingingen, seien sie vor anderen Beziehungen geschützt. Marianne wusste durchaus, dass das keine romantische Haltung war, aber sie sagte ihr zu. Und nicht sie hatte gegen die Abmachung verstoßen, sondern Brian.

George hatte eine Krabbe entdeckt, die seitwärts zum Wasser eilte, und sprang um sie herum. Er stupste sie mit der Nase an und wich zurück, wenn sie mit ihren Scheren fuchtelte. Marianne packte den Hund am Halsband und hielt ihn fest. Dann beobachteten sie, wie die Krabbe zuerst vorsichtig, schließlich mit zunehmendem Tempo ihren Weg fortsetzte, bis sie zu guter Letzt in der Gischt verschwand.

Das wünschte sich Marianne auch. Verschwinden zu können.

Sie blickte an dem Felsen hinauf. Ancaire wirkte so einsam und verfallen, wie Marianne sich fühlte. Sie wünschte sich sehnlich, weggehen zu können, Ancaire und ihre Mutter weit hinter sich zu lassen.

Aber nun war es Rita, die zuerst weggehen würde.

31

Als Marianne ins Haus zurückkehrte, war Rita noch immer nirgendwo zu sehen. Vielleicht wollte sie mal richtig ausschlafen.

Aber das machte sie eigentlich nicht mehr, sie stand grundsätzlich früh auf.

Andererseits war gestern so viel passiert, dass selbst die stärkste Person erledigt sein konnte. Sogar Rita.

Von Patrick auch keine Spur. Marianne fiel plötzlich ein, dass Samstag war. Da war Patrick vermutlich mit dem Rad unterwegs, um seine Gartenerzeugnisse an Restaurants und Cafés zu liefern.

Ancaire war so still, als habe sich das Haus in den Winterschlaf begeben.

Aber es war nicht Winter, sondern Frühling. März. Marianne schaute aus dem Fenster. Die Sonne versuchte gerade aufzugehen, aber ihre Bemühungen wirkten angesichts tief hängender grauer Wolken, die nach Regen aussahen, ziemlich vergeblich.

Jetzt knarrten oben Dielen, und Marianne hörte, wie die Zimmertür von Tante Pearl aufging. Dann das Klacken ihrer Absätze, die widerspenstige Badezimmertür, die geöffnet und schließlich von innen mit dem Riegel verschlossen wurde.

Marianne warf einen Blick auf ihre Uhr. Es war zu früh, um alle abzuholen, aber die Küche kam als Aufenthaltsort auch nicht infrage, weil Tante Pearl dort gleich die Zeitung lesen würde. Und vermutlich Fragen stellen würde, die Marianne nicht beantworten konnte.

Sie griff nach den Schlüsseln vom Jeep. George spitzte sofort die Ohren, verließ sein warmes Plätzchen am Kamin und folgte Marianne nach draußen.

Nachdem der Hund angeschnallt war, tätschelte Marianne seinen Kopf und fuhr los.

Heute standen Narzissen an dem kleinen Holzkreuz am Straßenrand. Sie versuchte, nicht hinzuschauen, sah die leuchtend gelben Blumen aber aus dem Augenwinkel.

Wäre Marianne von jemandem bemerkt worden, hätte man sicher vermutet, sie sei eine ganz gewöhnliche Frau, die am Samstagmorgen eine Spazierfahrt mit ihrem Hund machte. Um mit ihm Gassi zu gehen. Oder ihn zu seinem Termin im Hundesalon zu chauffieren. Oder einfach, um aus Spaß ein wenig durch die Gegend zu gondeln.

Aber aus Spaß tat Marianne rein gar nichts. Bei diesem Gedanken kehrten schlagartig die Erinnerungen an das Erlebnis mit Hugh gestern zurück. Wie sie ihre Beine um ihn geschlungen hatte, einem Parasiten gleich, der von ihm zehrte. Hugh, wie er sich von ihr löste. Seine Miene, seine Blicke. Als könne er gar nicht zum Ausdruck bringen, wie sehr er Marianne bedauerte.

Sie hätte gerne die Augen geschlossen, um das Bild zu vertreiben, aber das ging ja nicht, weil sie am Steuer saß.

Und sie würde nicht mit geschlossenen Augen Auto fahren, so schlimm die Lage auch sein mochte.

Und sie war schlimm.

Der Polizeibeamte im Revier vermutete, dass man Marianne zu gemeinnütziger Arbeit verpflichten würde, weil sie schon zum zweiten Mal verhaftet worden war. Und wie der Mann ausgesehen hatte, als er das sagte. Nicht streng oder wütend, sondern traurig. Nicht so traurig wie Hugh, aber dennoch auf jeden Fall mitleidig.

Marianne war dankbar, dass sie am Steuer sitzen und einfach nur fahren konnte. Obwohl sie natürlich nicht aus Spaß herumfuhr, sondern weil sie nichts anderes zu tun wusste. Aber das ziellose Fahren fand sie gar nicht so ermüdend oder anstrengend, wie sie vermutet hätte. Was auch an der Strecke liegen mochte, der kurvigen Küstenstraße nach Skerries. Rechterhand erstreckte sich das Meer, linkerhand Felder bis zum Horizont, einige brachliegend und überwuchert, andere erdbraun mit geraden Furchen, in denen sich bald grüne Sprossen zeigen würden.

Marianne versuchte angestrengt, die Gedanken an Rita aus ihrem Kopf zu vertreiben. Wie sie am Strand kollabiert war. Dass sie sterben würde. Die bösen Worte, die gefallen waren.

Stattdessen konzentrierte Marianne sich auf den Jeep und ihre Erinnerungen an ihre erste Tour mit ihm. Auf die Geräusche: das bedrohliche Rasseln und Knattern, das Knirschen der Gänge, das Husten und Keuchen des Motors, wenn sie beschleunigte. Aber diese

Laute schienen verschwunden zu sein, sie hörte sie nicht mehr.

In Skerries hielt Marianne an, um im Café beim Supermarkt einen doppelten Espresso zu trinken. Die Kellnerin lächelte sie so liebenswürdig an, als seien sie befreundet, was nun gewiss nicht zutraf, obwohl Marianne seit ihrem Exil in Ancaire ein paarmal hier gewesen war. Die junge Frau hatte einen lustig hüpfenden Pferdeschwanz und trug ein T-Shirt, auf dem über der Aufschrift »Ich glaube an Einhörner« ein Einhorn abgebildet war.

»Guten Morgen, Marianne«, sagte die junge Frau. Statt zu fragen, woher sie ihren Namen kannte, erwiderte Marianne nur »Guten Morgen« und ließ sich nieder.

Auf dem Abtropfbrett hinter der Theke lagen Salatköpfe, an deren Wurzeln noch Erde haftete.

Unverkennbar.

Patrick war hier gewesen.

Als Marianne dann später die Alles-wird-gut-Truppe abholte, war sie immer noch zu früh dran, aber niemand schien es zu bemerken. Jedenfalls verlor keiner ein Wort darüber, und den Gesprächen nach zu schließen, wusste auch niemand Bescheid über die Ereignisse vom Vortag. Alle erwarteten wohl wie üblich in Ancaire die mitreißende, gut gelaunte Rita, und Marianne begann zu überlegen, was sie tun sollte, wenn ihre Mutter nicht da sein würde.

Dann mussten wohl alle eingeweiht werden, oder nicht?

»Du siehst ein bisschen erhitzt aus, Schätzchen«, bemerkte Bartholomew von hinten, beugte sich über die Sitze und legte Marianne seine weiche warme Hand auf die Stirn.

»Ich hoffe, du kriegst nichts Ansteckendes«, sagte Freddy ängstlich, zog seinen Pulli über die Nase und lehnte sich nach hinten. »Mein Immunsystem ist gar nicht mehr auf Zack, seit ich die Grippe hatte.«

Bartholomew warf ihm einen strengen Blick zu. »Du hattest ein Schnüpfchen. Das war nicht mal eine richtige Erkältung.«

Er betastete Mariannes Hals und verkündete anschließend fachmännisch: »Deine Lymphknoten sind nicht geschwollen, deine Temperatur ist normal. Du leidest wahrscheinlich nur unter deinem Kummer. Der ist schlimmer als das Pfeiffersche Drüsenfieber, dauert auch immer eine Ewigkeit, bis man ihn loswird.«

»Mir geht es gut«, sagte Marianne.

»Du solltest deine Gefühle nicht unterdrücken, Liebes«, mischte sich jetzt Ethel mit Ratschlägen ein. »Aufgestaute Gefühle tun dem Körper gar nicht gut.«

»Ich habe keine unterdrückten Gefühle«, erwiderte Marianne.

»Gefühle werden sowieso überbewertet«, warf Shirley gelangweilt ein.

»Du *hast* Gefühle«, sagte Bartholomew und streichelte Mariannes Schulter. Er klang so überzeugt, dass Marianne wider Willen neugierig wurde.

»Und woher willst du das wissen?«, fragte sie.

Freddy richtete sich auf und schob seine Brille zurecht. »Hast du am Ende von *Toy Story 3* geweint?«

»Ja«, gestand Marianne.

»Na, siehst du.« Freddy schlug sich triumphierend auf den Oberschenkel. »Damit wäre das bewiesen. Du hast also Gefühle.«

»Könnt ihr jetzt bitte endlich aufhören, über Gefühle zu quatschen?«, verlangte Shirley.

Als Marianne die Zufahrt entlangfuhr, versuchte sie zu erkennen, ob Rita wie üblich, wenn sie zu Hause geblieben war, vor dem Haus wartete. Sie pflegte dann wild mit beiden Armen zu winken und fröhlich »Hallihallo, ihr Lieben alle« oder »Juhu, da seid ihr ja!« oder dergleichen zu rufen.

Aber sie war nicht da.

Marianne schickte alle in den Salon und erklärte: »Ich mache Tee. Rita ist gleich bei euch.«

Die Küche war so leer wie zuvor. Der Teekessel war noch warm, in der Spüle standen ein Teller mit Toastkrümeln und eine Tasse ohne Lippenstiftspuren. Tante Pearl hatte also gefrühstückt und war dann wohl zur Messe gefahren. Hatte Rita sie vielleicht begleitet? Nein, völlig absurde Idee. Rita würde keinen Fuß über eine Kirchenschwelle setzen. Das sind alles Geier, pflegte sie zu sagen. Zehren von den Ängsten der Menschen.

Zwei Stufen auf einmal nehmend sprintete Marianne die Treppe hinauf, lief zu Ritas Zimmer und tippte mit den Fingerspitzen an die Tür. »Rita?«

Keinerlei Geräusch von drinnen. Marianne klopfte erneut, diesmal energisch mit den Knöcheln.

»Rita?«, rief sie laut.

Keine Antwort. Marianne legte die Hand auf den Türgriff, umklammerte ihn. Ihr Mund fühlte sich trocken an. Dann drückte sie den Griff nach unten und schob die Tür auf. Das Zimmer war dunkel.

»Rita?«

Marianne schaltete das Licht ein, blinzelte geblendet. Sie konnte sich nicht erinnern, wann sie zum letzten Mal im Zimmer ihrer Mutter gewesen war. Es lag jedenfalls viele Jahre zurück, aber hier schien sich nichts verändert zu haben. Die Rosentapete, inzwischen ausgebleicht und am Fenster aufgequollen von Feuchtigkeit. Der rechteckige Fransenteppich, der jetzt allerdings nicht mehr leuchtend gelb, sondern eher beige war.

Sie ging ein paar Schritte vorwärts, sah sich um. Überall waren Kleider von Rita verstreut: auf Stühlen, dem Standspiegel, der Lehne der abgewetzten Chaiselongue am Fenster. Und diese Kleider hatten noch die Vorzugsbehandlung bekommen; andere lagen einfach in Häufchen am Boden. Die Stellfläche der Frisierkommode war bedeckt von Make-up, Puder, Lippenstiften, Nagellackfläschchen, Haarbürsten, Kämmen und zwei Schatullen, aus denen Ketten und anderer Schmuck herausquollen. Das Zimmer roch so durchdringend nach Parfum und Ölfarbe, dass Marianne den Geschmack auf der Zunge spürte.

Auf dem altmodischen Pfostenbett gegenüber lagen eine Daunendecke, mehrere Wolldecken und Kissen, der Damast-Baldachin wurde sichtlich von Motten geliebt. Die Tapete längs des Betts war nicht mehr sichtbar, denn die Wand war förmlich gepflastert mit gerahmten Fotografien.

Auf allen Fotos waren Marianne und Flo zu sehen.

Zusammen am Ufer, über Wellen hüpfend. Marianne umklammerte Flos Hand.

Flo mit Zahnlücken auf einer selbst gebauten Bühne im Garten beim Stepptanz. Ihr üblicher Partyauftritt, bei dem sie immer ein Lied von Shirley Temple gesungen hatte.

Flo auf Mariannes Schultern, beim Jahrmarkt, strahlend und triumphal einen Stab mit Zuckerwatte schwenkend. Ein Stück haftete an ihrer Wange. Im Hintergrund die Schiffsschaukeln, die Marianne ihr nicht erlaubt hatte, weil sie hätte herausfallen können. Flo hatte geschmollt, aber nur kurz. Schmollen lag ihr nicht, sie konnte es nie lange durchhalten.

Ein Meer von Bildern. Alle Fotos, an deren Entstehung Marianne sich erinnern konnte, waren hier versammelt.

An der Wand am Fußende des Betts hing ein Gemälde. Marianne und Flo saßen auf dem Felsen vor Ancaire, einen Arm um die Schultern der anderen gelegt, schauten übers Meer. Das Gemälde war in hellen Pastellfarben gehalten, wirkte wie ein Bild aus einem Märchen. Einem Märchen mit Happy End.

Die Gesichter waren undeutlich, aber an Flos Kopfhaltung sah Marianne, dass sie am Daumen lutschte.

Wenn sie müde war, hatte sie am Daumen gelutscht. Daran hatte Marianne seither nicht mehr gedacht.

Sie schlug die Daunendecke zurück, strich sie glatt. Hob die Kleider vom Boden auf und drapierte sie über Stuhllehnen. Dann setzte sie sich auf den Bettrand. Die Matratze sackte unter ihr weg, war durchgelegen. Rita könnte eine neue gebrauchen, dachte Marianne. Dann fiel es ihr wieder ein.

Ihr Blick fiel auf die hohe Kleiderkommode aus schwerem dunklem Holz. Sie stand schief, weil ein Fuß weggebrochen war, mehrere Messinggriffe fehlten. Die Schubladen waren halb geöffnet, Tücher und Strumpfhosen hingen heraus, als versuchten sie zu entkommen.

Marianne sah sich noch einmal im ganzen Zimmer um, als hätte sie Rita vielleicht übersehen. Als sei sie unbemerkt aufgetaucht.

Dann schaute Marianne in ihrem Handy nach, ob Nachrichten oder Anrufe eingegangen waren. Als das nicht der Fall war, rief sie Rita an. Nach einer Weile meldete sich die Mailbox: »Hallo, ihr Lieben, danke für euren Anruf. Bitte hinterlasst mir hier keine Nachrichten, ich vergesse nämlich immer, die abzuhören. Das hat nichts mit meinem Alter zu tun, ich war immer schon zerstreut, das wisst ihr ja. Schreibt mir lieber eine SMS. Oder noch besser: Kommt auf einen Tee vorbei!«

Marianne kehrte in den Salon zurück und räusperte sich, um auf sich aufmerksam zu machen. Was nicht gelang, denn es herrschte Krieg wegen der Marmeladen-Tartelettes. Bartholomew und Freddy stritten sich um das einzige mit Himbeermarmelade, das Shirley auf einem Teller hoch über ihren Kopf hielt. Ethel versuchte für Ordnung zu sorgen, indem sie erklärte, es gäbe doch ganz viele mit Zitronencreme.

»Ich verstehe einfach nicht, weshalb Rita immer so viele mit Zitronencreme macht«, sagte Bartholomew schmollend, nachdem Ethel schließlich mit dem Vorschlag, die Himbeer-Tartelette durchzuschneiden, den Streit geschlichtet hatte. Doch als Shirley den Teller senkte, befanden sich nur noch Krümel darauf, und ihre Wangen sahen ziemlich dick aus.

»Okay, hört mal bitte alle zu, ich muss etwas sagen«, verkündete Marianne.

»Und was ist mit dem Himbeer-Tartelette?«, riefen Bartholomew und Freddy gleichzeitig, worauf sie sich angrinsten wie Schuljungen.

»Hab ich aufgegessen«, antwortete Shirley, puhlte sich mit dem Finger etwas aus den Zähnen und leckte ihn anschließend ab.

Freddy schüttelte den Kopf. »Gott gebe mir die Gelassenheit, Dinge hinzunehmen, die ich nicht ändern kann.«

»Das ist von den Anonymen Alkoholikern«, sagte Shirley patzig.

»Na und?«, konterte Freddy. »Deshalb kann ich das doch trotzdem sagen, wenn ich Lust darauf habe.«

»Alles in Ordnung, Liebes?«, sagte Ethel jetzt zu Marianne und beäugte sie prüfend. »Du bist so still heute.«

»Das ist sie doch eigentlich immer«, warf Bartholomew ein. »Nicht wahr, Marnie?«

»Bei eurem Geplapper kommt sie ja auch nie zu Wort«, sagte Shirley und deutete mit dem Zeigefinger auf die beiden Männer.

»Mit dem Finger auf jemanden zu zeigen gehört sich nicht«, erwiderte Freddy. »Ich stimme dir allerdings zu, dass es schwierig ist, sich bei Mister Boombox hier Gehör zu verschaffen.«

Bevor Bartholomew sich eine Retourkutsche einfallen ließ, fragte Ethel, die auf ihrem Stammplatz am Fenster saß: »Wo ist eigentlich Rita?«

»Genau darüber wollte ich mit euch reden«, antwortete Marianne.

»Über was?«, fragte Shirley misstrauisch.

»Über Rita«, sagte Marianne. »Ich … ich weiß nicht, wo sie ist.« Jetzt starrten sie alle an.

»Was soll das heißen – du weißt nicht, wo sie ist?«, fragte Bartholomew, als erlaube Marianne sich einen Scherz und habe Rita irgendwo versteckt.

»Ich … weiß eben einfach nicht, wo Rita ist.«

»Aber sie gibt uns immer vorher Bescheid, wenn sie bei den Treffen nicht dabei sein kann.« Freddy sah Marianne mit großen Augen an.

»Was hat sie denn gesagt, bevor sie weggegangen ist?«, erkundigte sich Bartholomew.

»Ich weiß es nicht«, wiederholte Marianne. »Ich meine … sie hat gar nichts gesagt. Jedenfalls nicht zu mir. Ich habe sie gestern zuletzt gesehen.«

»Aber sie muss doch irgendetwas geäußert haben.« Freddy sah verstört aus. »Zu irgendjemandem. Patrick. Bestimmt weiß Patrick Bescheid.«

»Der ist nicht da«, sagte Marianne. »Pearl ist in der Kirche, und Rita … ist eben auch nicht da.«

»Das sieht ihr gar nicht ähnlich.« Ethel nagte an ihrer Unterlippe.

»Bestimmt kein Anlass zur Sorge«, bemerkte Marianne jetzt. »Wahrscheinlich musste sie etwas Wichtiges erledigen und hat das Treffen einfach vergessen.«

Alle warfen ihr empörte Blicke zu, steckten dann die Köpfe zusammen und begannen zu raunen.

»Was ist?«, fragte Marianne.

»Du hast keine Ahnung«, sagte Shirley unverblümt. »Nicht böse gemeint.«

»Es ist eben so …« Ethel richtete sich auf. »Was Shirley damit sagen will, ist, dass es für Menschen, die kein Alkoholproblem haben«, sie lächelte liebenswürdig und wies mit ihrer knochigen Hand auf Marianne, »schwierig ist zu verstehen, wie wichtig diese Treffen sind.«

Marianne nickte. Das stimmte. Sie hatte keine Ahnung. Keine Ahnung von gar nichts. Vor allem nicht von Menschen und Beziehungen. Sie kam nicht zurecht mit der Welt. Alles war zu verwirrend, zu anstrengend, zu viel.

Sie fing an zu weinen.

Das kam bei ihr sehr selten vor. Schon allein deshalb, weil sie dann so furchtbar aussah, tränenüberströmt und mit knallroten Augen.

Und sie war auch viel zu groß. Große Menschen sahen besonders schlimm aus, wenn sie weinten, wie ein Elefant im Porzellanladen. Nur Kinder und eher kleine Erwachsene sollten öffentlich weinen, die großen sollten sich lieber verstecken.

Zu allem Überfluss weinte Marianne auch noch sehr laut. Weil sie ständig die Nase putzen musste und sich dabei anhörte wie ein Nebelhorn. Sie zog also im Nu Aufmerksamkeit auf sich, wenn sie weinte, und das passierte jetzt auch. Marianne merkte es, obwohl sie die Augen geschlossen hatte. Sie spürte es. Alle traten zu ihr, sie spürte Hände auf ihren Schultern, ihren Armen. Und hätte am liebsten geschrien, dass sie doch bloß weggehen und sie in Ruhe lassen und nicht anfassen sollten. Doch stattdessen stand sie da mitten im Raum, während ihr Tränen übers Gesicht strömten und an ihrem Kinn hängen blieben, bevor sie dann aufs T-Shirt tropften.

Die anderen machten aber alles richtig, waren tatsächlich tröstlich. Sie stellten keine Fragen à la *Was ist denn los, Marianne? Was ist passiert?*, sondern standen nur bei ihr, gerade so nah, dass sie ihre Wärme und die sachte Berührung der Hände spürte, aber nicht bedrängend nah.

Und Marianne flüchtete nicht, sondern verlor das Zeitgefühl. Sie wusste nicht, wie lange sie dort stand, umgeben von den Alles-wird-gut-Leuten, und hemmungslos schluchzte. Sie plapperte auch irgendwelche unverständlichen Worte, die im Schluchzen untergingen, aber niemand fragte danach. Alle standen nur ruhig bei ihr wie Ersthelfer, die auf ihren Einsatz nach einem Unglück warten.

Als Marianne sich etwas beruhigt hatte, wurde sie behutsam zum nächsten Stuhl geführt, was der Sitzplatz von Shirley war. Sie stellte ihn jedoch ohne Einwände zur Verfügung.

»Ich wusste ja nicht mal, dass sie krank ist«, sagte Marianne, als sie einigermaßen sprechen konnte.

»Rita wollte es dir aber sagen.« Bartholomew rieb Marianne sanft den Rücken.

»Sie hat nur auf den richtigen Moment gewartet«, ergänzte Freddy, der Mariannes Hand hielt.

»Mir würde es bei meinen Jungs genauso gehen.« Shirley schob George beiseite, bevor er sich vor Marianne breitmachen konnte, und strich ihr sachte das Haar aus dem verweinten Gesicht. »Ich wüsste auch nicht, wie ich denen so was sagen sollte.«

Marianne drückte die Augen fest zu, aber die Tränen flossen weiter. Ethel förderte aus ihrer Handtasche ein Stofftaschentuch zutage, auf dem ein Gänseblümchen und die Initialen S.A. aufgestickt waren, und reichte es Marianne.

»Ich kann mich doch nicht mit Stanleys Taschentuch schnäuzen«, schniefte sie.

»Doch, bitte tu das«, sagte Freddy und deutete auf ihre Nase. »Du hast da … Rückstände.«

»Das nennt man Rotz«, stellte Shirley klar.

»Stanley braucht es nicht mehr.« Ethel tupfte mit dem großen Tuch Mariannes Gesicht ab.

»Vielleicht ist Rita auf dem Friedhof«, sagte Marianne schließlich, nachdem sie sich mehrmals geschnäuzt hatte.

Flos Namen sprach sie nicht aus, weil sie fürchtete, erneut in Tränen auszubrechen. Aber das konnte gerade durch alles ausgelöst werden, wie es schien. Shirleys abgekaute Fingernägel. Ethels Brille, die in ihren Haaren steckte, was Ethel später vergessen haben würde. Freddy, der ein Haar von Mariannes Schulter zupfte. Bartholomew, der ihn erst aufgebracht ansah, dann aber warmherzig, beinahe zärtlich anlächelte.

Alle schüttelten fast gleichzeitig entschieden den Kopf. »Sie geht immer nur nachmittags zum Friedhof«, sagte Bartholomew sanft, ohne Marianne anzusehen.

»Auf jeden Fall muss sie mit einem Taxi gefahren sein«, sagte Freddy, während er zur Tür ging. »Ich rufe mal Hugh an und frage ihn, ob er etwas weiß.«

Das war ein vernünftiger Plan, fand Marianne. Einer, der ihr unter normaleren Umständen wohl selbst eingefallen wäre.

Sie putzte sich erneut prustend die Nase, und Ethel zuckte erschrocken zusammen.

»Entschuldige«, murmelte Marianne, worauf Ethel sie so liebevoll und mitfühlend anlächelte, dass der nächste Heulanfall drohte.

»Hallo?«, hörten sie Freddy draußen. »Ist Hugh zu sprechen? Nein? … Ja, ich hoffe, Sie können mir helfen. Ich suche Rita. Hat sie heute Morgen ein Taxi bestellt? … Ach, wir machen uns ein bisschen Sorgen um sie, deshalb wäre es gut … Wie, wer da dran ist? Freddy. Freddy Montgomery. Ach, was soll denn das.«

Freddy steckte den Kopf durch die Tür. »Da ist dieser andere Typ dran, der sich ›Zentrale‹ nennt. Sagt, er darf am Telefon keine Informationen über Kunden preisgeben.« Freddy verdrehte die Augen. »Hält sich scheinbar für den Geheimdienst, der Kerl.«

Marianne ging in den Flur hinaus, gefolgt von den anderen. Freddy reichte ihr den Hörer und sagte: »Rede du lieber mit dem.«

»Wo ist Hugh?«, flüsterte Marianne, die Hand auf der Sprechmuschel.

»Hat heute frei«, raunte Freddy.

Das empfand Marianne als Segen. Früher oder später würde sie mit Hugh reden müssen. Aber später war eindeutig angenehmer. Sie hielt den Hörer ans Ohr. »Hallo?«

Die anderen umringten sie wieder, leicht vorgebeugt. Marianne hörte ihren Atem, ruhig und regelmäßig, als atmeten sie alle im gleichen Rhythmus. Normalerweise hasste sie es, mit dem Atem anderer Menschen konfrontiert zu sein. Zu heiß. Zu viel Geruch. Zu intim.

Aber im Moment empfand sie das als tröstlich. Sie umklammerte den Hörer und sagte: »Hallo, hier ist Marianne, Ritas Tochter … aha … okay … Wenn sie anruft, sagen Sie ihr, dass ich sie … danke. Wiederhören.«

Sie legte auf.

»Und?«, fragte Bartholomew mit seiner sonoren Stimme.

»Rita hat heute kein Taxi bei der Firma bestellt.«

»Wusste der Typ, wo Hugh steckt?«, fragte Shirley. »Vielleicht ist Rita ja bei ihm.«

Marianne schüttelte den Kopf. »Nein, das hatte der Mann auch gesagt. Hat keine Ahnung, was Hugh heute macht.«

»Wir könnten ihn auf seinem Handy anrufen«, schlug Ethel vor.

»Ich mach das«, verkündete Freddy und fischte sein Handy aus der Hosentasche. Nachdem er die Nummer aufgerufen hatte, wartete er eine Weile und schüttelte dann den Kopf. »Meldet sich nicht. Die Mailbox geht auch nicht an.«

Als niemandem mehr etwas einzufallen schien, schlug Ethel vor: »Dann lasst uns doch wieder hinsetzen und überlegen.«

»Gute Idee«, sagte Bartholomew. »Und ich habe übrigens gesehen, dass in der Keksdose noch Nussplätzchen sind. Falls jemand Appetit hat.«

Das wollte zwar in dieser Lage niemand zugeben, aber den gigantischen Nussplätzchen konnte dann doch keiner widerstehen. Marianne machte den Tee.

Pfefferminztee für Ethel, in einer Porzellantasse, sodass sie den Beutel ablegen und ein zweites Mal benutzen konnte.

Eine Kanne PG-Tee für Freddy und Bartholomew, die sich ausnahmsweise nicht darüber zankten, wer die zweite Portion bekommen würde, die immer stärker war.

Den üblichen Lyons Tea für Shirley und für sich selbst den irischen Classic Blend von Barry's.

Es tat ihr gut, beschäftigt zu sein.

Um sich von ihrer schlimmsten Angst abzulenken.

Dass Rita sich irgendwo betrank.

Die anderen fanden das allerdings unwahrscheinlich.

Aber die wussten auch nicht, wie oft Rita früher nicht dort erschienen war, wo sie erwartet wurde. Beim Elternabend. Bei einer Schultheateraufführung von Flo.

»Wo ist Mum?«, hatte Flo danach immer ihre Schwester gefragt.

»Sie musste früher gehen.«

»Hat sie mich gesehen?«

»Sie hat gesagt, dass sie noch nie so einen tollen Pinocchio gesehen hat.«

Dann musste Marianne eine der anderen Mütter bitten, damit sie nach Hause gefahren wurden.

»Ist deine Mutter wieder unpässlich, Liebes?«

»Ja.«

Jetzt überlegte Marianne, wo William eigentlich immer gesteckt hatte. Wie es ihm gelungen war, sich um die Verpflichtungen zu drücken. Wahrscheinlich waren sie von ihm einfach nicht erwartet worden, weil er ein Mann war. Die Mütter waren zuständig.

Und diese Mutter war Alkoholikerin.

Das war unverzeihlich und inakzeptabel.

Und das galt auch für deren Töchter. Als sei Marianne selbst schuld daran. Oder hätte sich das selbst zuzuschreiben.

»Was ist los?«

Patrick stand in der Tür, eine leere Holzkiste in den Händen, und blickte in die Runde.

»Rita ist verschwunden«, sagte Freddy.

»Das wissen wir doch noch gar nicht.« Bartholomew warf Freddy einen strengen Blick zu.

»Jedenfalls nicht sicher«, fügte Ethel hinzu und blickte auf ihre Timex-Uhr. »Aber sie versäumt nie das Treffen, ohne uns Bescheid zu sagen.«

»Das stimmt«, bestätigte Freddy. »Sogar als William seinen ersten Schlaganfall hatte, hat Rita das Treffen an seinem Bett im Krankenhaus abgehalten.«

»Wie der arme Kerl danach überhaupt so lange weiterleben konnte, um einen zweiten Schlaganfall zu kriegen …« Shirley schüttelte den Kopf.

Patrick stellte die Kiste auf den Flurtisch und kam ins Zimmer. »Rita hat dir eine Nachricht geschrieben«, sagte er zu Marianne. »Der Zettel liegt auf dem Küchentisch.«

Sie spürte sofort den üblichen Ärger, dass Patrick wie immer alles wusste, war aber auch erleichtert.

»Ich habe keinen Zettel gesehen«, sagte Marianne, dennoch wie üblich verdrossen.

»Er lag aber auf dem Küchentisch.«

»Jetzt nicht mehr.«

»War Gerard zwischendurch in der Küche?«, fragte Patrick.

»Ich habe ihn rausgescheucht.« Marianne versuchte einen weiten Bogen um den Ziegenbock zu machen, dessen Hörner ihr bedrohlich lang und spitz vorkamen.

»Wahrscheinlich hat er den Zettel gefressen«, erklärte Patrick. »Er liebt das Papier von diesem Notizblock.«

»Jetzt sag endlich, was auf dem Zettel stand!«, polterte Bartholomew, worauf alle, inklusive Patrick, erschrocken zusammenzuckten.

»So was wie ›Entschuldigung, muss heute anderswohin, macht bitte alles ohne mich‹«, sagte Patrick.

»Was soll *anderswo* heißen?«, fragte Freddy.

»Sie will nicht, dass wir es wissen«, schlussfolgerte Bartholomew.

»Wenn sie beim Treffen fehlt, muss es etwas sehr Wichtiges sein«, äußerte Ethel und betastete die Taschen ihrer Strickjacke.

»Deine Brille steckt in deinen Haaren«, sagte Marianne.

»Ach ja, danke, Liebes.«

»Meinst du, sie ist wieder da, bevor wir losmüssen?«, fragte Shirley und sah Marianne an. »Sheldon hat beim Buchstabiertest diese Woche acht von zehn Punkten bekommen und hofft jetzt auf ein Goldsternchen von Rita.« Wenn Shirley lächelte, war es, als ginge nach einem endlosen trüben Winter die Sonne auf. Ihr Lächeln war wunderschön und so ansteckend, dass alle anderen auch lächelten.

»Also?«, fragte Shirley ungeduldig, und das sonnige Lächeln erstarb.

»Ich weiß, wo Rita die Goldsternchen aufbewahrt.« Marianne stand auf. »Ich hole sie.«

In der Küche zog sie ihr Handy heraus und rief in

Hughs Salon an. Vielleicht war er bei der Arbeit und meldete sich deshalb nicht.

Beim sechsten Freizeichen nahm er ab.

»Guten Morgen, Happy Hair, Hugh McLeod. Was kann ich für Sie tun?«

»Hugh?«

»Zu Ihren Diensten.« Sie hörte, dass er sein Profilächeln aufgesetzt hatte.

»Hier ist Marianne.«

»Oh. Hallo«, sagte er zögernd und fügte dann schnell hinzu: »Wie findest du meinen neuen optimierten Telefonauftritt?«

»Sehr … professionell.«

»Dachte mir, dass er dir gefallen würde. Was kann ich für dich tun?« Jetzt klang er ziemlich schroff, was Marianne durchaus nachvollziehen konnte.

»Ich kann Rita nirgendwo finden.«

»Oh«, sagte Hugh erneut.

»Hat sie vielleicht zu dir irgendetwas gesagt?«

»Nein, leider auch nicht.« Marianne hörte ein schabendes Geräusch und wusste, dass Hugh jetzt nachdenklich seine Bartstoppeln rieb.

»Sie hatte ja gestern einen sehr … vollen Tag«, sagte Hugh dann nach einer Weile.

Das war eine äußerst milde Beschreibung der Ereignisse, fand Marianne.

»Vielleicht hat sie sich einfach irgendwohin verkrochen, um sich auszuruhen?«, schlug Hugh vor.

»Aber wohin?«

Hugh pustete aus irgendeinem Grund in den Hörer, was Marianne im Ohr kitzelte. »Also«, sagte er langsam, »sie hat neulich mal über Flos Todestag gesprochen. Wollte sich darauf vorbereiten.«

»Aber der ist erst Ende April«, wandte Marianne ein.

»Ja, ich weiß«, sagte Hugh. »Aber dieses Jahr ... wollte sie ihn früher begehen.«

»Ach so. Ja.« Marianne biss die Zähne zusammen, um nicht wieder zu weinen.

»Es tut mir leid, Marianne. Ich weiß, dass es schwer ist.«

»Bitte hör auf, mich zu bemitleiden«, flüsterte Marianne.

»Newbridge Farm«, sagte Hugh unvermittelt.

»Was?«

»Diesen Namen hat Rita neulich erwähnt. Kommt dir das irgendwie bekannt vor? Hat es was mit Flo zu tun? Und dem Jahrestag?«

»Ja. Hat es«, antwortete Marianne.

32

Der Klassenausflug war zur Newbridge Farm geplant.

Marianne wusste noch, wie aufgeregt Flo gewesen war, als sie damals aus der Schule nach Hause kam und berichtete: »Wir fahren in einer Woche. Eine Woche hat sieben Tage, also noch siebenmal schlafen.«

Auf der Elterneinwilligung fälschte Marianne die Unterschrift ihrer Mutter, weil Rita und William für ein paar Tage irgendwohin gefahren waren, zu einem Kunstfestival wahrscheinlich. Dann nahm Marianne für die Lehrerin einen Zehn-Pfund-Schein aus dem Milchkrug in der Küche, der Geld für Notfälle enthielt. Noch heute erinnerte sie sich, wie sie den Geldschein in einen Briefumschlag steckte, die Lasche ableckte, die sauer schmeckte, und den Umschlag zuklebte. Flo zählte die Tage.

»Noch dreimal schlafen«, sagte sie sofort zu Rita und William, als die beiden zurückkehrten, und hopste dabei auf und ab wie ein Flummiball.

Am Abend vor dem Ausflug gab es wieder einmal Streit zwischen Rita und William. Wie üblich zog sich das Theater stundenlang hin, mitsamt Türenknallen, Bücherwerfen und hemmungslosem Trinken. Zuletzt landeten sie am Strand, und weil Marianne fürchtete, die beiden würden betrunken schwimmen gehen – was schon häufiger vorgekommen war –, konnte sie nicht einschlafen. Bis sie sah, wie ihre Eltern Hand in Hand singend zurückkamen und immer wieder stehen blieben, um sich zu küssen und zu umarmen. Oder vielleicht auch nur, um sich zu stützen.

Später wusste Marianne nicht mehr, ob sie ihren Wecker nicht gestellt oder ihn einfach nicht gehört hatte. Sie wusste nur, dass sie spät zum Bus gekommen waren.

Zu spät.

Als Flo und sie ankamen, abgehetzt und außer Atem, war der Bus schon weg. Flo versuchte tapfer, nicht zu weinen, aber es gelang ihr nicht.

»Das ist nicht fair«, schluchzte sie. »Das ist einfach nicht fair.«

»Ich fahr ein andermal mit dir dorthin, Schätzchen«, sagte Rita, als sie am Nachmittag endlich in der Küche aufkreuzte. »Oje, habe ich einen Durst. Das muss an diesem Käse liegen, den ich gestern gegessen habe.« Sie öffnete den Kühlschrank und trank große Züge aus einer Wasserflasche, die, wie Marianne schon lange wusste, Gin enthielt.

Als Marianne jetzt das Café der Newbridge Farm betrat, stand ein Mann hinter der Theke und trocknete gedankenverloren eine Tasse ab.

»Entschuldigung?« Marianne trat an die Theke.

Der Mann starrte ins Leere, während er weiter die Tasse bearbeitete.

»Ich glaube, die ist jetzt trocken«, sagte Marianne in einem Tonfall, der zu Shirley gepasst hätte. Das schien zu funktionieren, denn jetzt machte der Mann »Hm?« und richtete den Blick langsam auf ihr Gesicht.

»Ich suche jemanden«, erklärte sie.

»Das geht uns doch allen so, oder nicht?« Der Mann stellte die Tasse ab und legte das Handtuch über die Schulter.

Marianne räusperte sich. »Ich suche meine Mutter. Sie ist ... vielleicht zum Streichelzoo gegangen. Aber vielleicht war sie vorher hier?«

Der Mann beugte sich über den Tresen. »Wie sieht Ihre Mutter denn aus?«

Diese Antwort war einfach. »Wie Rita Hayworth.«

»In welchem Film?«, fragte der Mann interessiert.

Marianne schüttelte den Kopf. »Das kann ich nicht sagen, ich habe nie einen gesehen.«

Jetzt schaute der Mann sie mit großen Augen an. »Was, Sie kennen *Gilda* nicht?«

So etwas hasste Marianne. Hatte sie nicht eben klar und deutlich gesagt, dass sie keinen der verdammten Rita-Hayworth-Filme gesehen hatte?

»Meine Mutter«, antwortete Marianne stattdessen, »trägt vermutlich eine Art Ballkleid aus Seide oder Satin, mit Pailletten, raffinierten Trägern und weitem Rock. Hochhackige Schuhe, knallroten Lippenstift, einen Turban in irgendeiner leuchtenden Farbe. Auf keinen Fall schwarz, dunkelblau oder grau.«

Der Kellner dachte einen Moment nach. »Das hört

sich nach Rita in *Du warst nie berückender* an«, sagte er dann. »Großartiger Film. Den sollten Sie sich unbedingt mal anschauen.«

»Haben Sie meine Mutter gesehen?«

Der Kellner schüttelte den Kopf und fuhr fort, die Tasse abzutrocknen. »Nee, kann ich wirklich nicht behaupten. Kaum was los heute bei dem Regen.«

»Okay«, sagte Marianne, »dann schaue ich mal auf der Farm nach.«

»Nützt auch nichts«, erwiderte der Kellner. »Um zur Farm zu kommen, muss man durchs Café. Und jemand wie Ihre Mutter wäre mir garantiert aufgefallen.«

Trotz ihrem eher misstrauischen Naturell glaubte Marianne dem Kellner. Vielleicht wegen seines sorgfältigen Umgangs mit dem Geschirr.

Sie sah sich in dem Café um, in dem tatsächlich nur wenige Leute saßen. Zwei Paare, eine Frau, die ihr Baby fütterte. Marianne zog ihr Handy heraus. Nach wie vor keine Anrufe und Nachrichten von Rita, auch nicht von den Alles-wird-gut-Leuten.

Marianne probierte erneut Ritas Nummer. Und als das Freizeichen ertönte, hörte Marianne plötzlich Ritas Klingelton: den Song »Amado Mio«, den Rita Hayworth in *Gilda* singt.

Als Marianne sich wie wild umsah, konnte sie ihre Mutter dennoch nirgendwo entdecken, und ging in Richtung des Handytons. Ganz hinten im Café saß eine Frau mit dem Rücken zum Raum. Sie hatte dünne Haare, dunkel mit breitem grauem Ansatz. Die Frau hielt einen Henkelbecher in beiden Händen, um sich zu wärmen. Auf dem Tisch neben ihr lag ein Handy, das bei jedem Klingelton vibrierte und von der Frau nicht beachtet wurde.

»Rita?«

Die Frau drehte sich langsam um, und sogar als sie hochschaute, erkannte Marianne ihre Mutter nicht sofort. Ohne falsche Wimpern, Make-up und Lippenstift wirkte ihr Gesicht gespenstisch fahl, jeder Lebendigkeit beraubt.

Sie trug etwas, das wie einer von Mariannes Jogginganzügen aussah, dazu dicke Socken und Sneakers und ein Wolltuch um die Schultern. Dennoch sah sie durchgefroren aus, die Lippen waren fast bläulich. Zum ersten Mal in ihrem Leben empfand Marianne ihre Mutter als alt und runzlig, beinahe greisenhaft.

Es war ein Schock.

Marianne zog einen Stuhl heraus und setzte sich an den Tisch. »Rita? Warum gehst du nicht an dein Handy? Ich habe mehrmals versucht, dich zu erreichen. Ich … habe mir Sorgen um dich gemacht.«

Rita schüttelte stumm den Kopf. Schließlich sagte sie: »Woher wusstest du, dass ich hier bin?«

»Hugh hat mich darauf gebracht.«

Danach schwiegen beide eine Weile, bis Rita sagte: »Erinnerst du dich an die Sache mit Flos Schulausflug?«

Marianne nickte.

»Man konnte Flo schon mit so kleinen Dingen glücklich machen.« Rita schloss die Augen, und zwei große

Tränen flossen unter ihren Lidern hervor und rannen langsam über ihr Gesicht.

Wieder nickte Marianne. Das stimmte wirklich.

»Lass uns heimfahren.« Sie legte ihrer Mutter die Hand auf den Arm, aber Rita schüttelte den Kopf.

»Ich muss noch zur Farm«, sagte sie. »Das mache ich immer, wenn ich hier bin. Es gibt da Eulen. Flo hat Eulen geliebt, oder?« In Ritas müden und geröteten Augen lag jetzt ein erwartungsvoller Blick, als bitte sie um eine Bestätigung.

»Ja«, antwortete Marianne. »Flo hat Eulen geliebt.«

Rita stand auf, und im hellen Licht der Deckenlampen wirkte sie noch bleicher. Sie hielt sich an der Stuhllehne fest.

»Du bist heute nicht in Form für die Farm«, sagte Marianne bestimmt und fasste Rita am Ellbogen, um sie zu stützen.

Sie widersprach nicht, nickte nur wortlos.

»Wir kommen ein andermal wieder her.«

»Nein«, sagte Rita leise, aber entschieden. Dann ging sie Richtung Ausgang, so langsam und vorsichtig wie ein gebrechlicher alter Mensch, der Angst hat, zu stürzen und sich etwas zu brechen.

Marianne war erleichtert, dass sie nicht mehr hierherkommen musste. Denn sie hätte es wohl wie Ethel gemacht, ständig auf ein Zeichen von Flo gewartet. Vergeblich.

Durch ein Glas, das der Kellner gerade vor sich hielt, um es auf Sauberkeit zu überprüfen, beobachtete er, wie

Rita zur Tür ging. Dann nahm er das Geschirrtuch von der Schulter, polierte den Rand des Glases und beäugte Marianne, als sie an der Theke vorbeikam. »Sie haben Ihre Mutter wohl nicht gefunden?«

»Doch.«

»Ach«, sagte der Kellner verwirrt.

»Sie ist … nur gerade nicht sie selbst«, erklärte Marianne.

Dabei fiel ihr auf, dass sie sich ihr ganzes Leben lang gewünscht hatte, Rita sei nicht sie selbst, sondern anders. Aber jetzt, als es so war, fühlte sich das gar nicht gut an.

33

Am nächsten Morgen schlief Marianne ungewöhnlich lange. Und nicht nur sie, sondern auch George.

Sie führte es auf die Strapazen des vorherigen Tages zurück. Als Mensch, der Gewohnheiten brauchte, hatte sie sogar hier in Ancaire einen Tagesrhythmus entwickelt. Und so seltsam er auch sein mochte, war er doch irgendwie beruhigend für sie.

Marianne konnte Veränderungen nicht ausstehen. Gestern zum Beispiel, als sie zurückgekommen waren, hatte Rita darauf bestanden, das Haus durch die Hintertür zu betreten, um den Alles-wird-gut-Leuten nicht zu begegnen.

Die drückten sich am Fenster des Salons die Nase platt, als sie den Jeep hörten, aber Rita ging sofort nach oben in ihr Zimmer. Auf Mariannes Frage, warum Rita sich am helllichten Tag ins Bett legen wollte, antwortete sie nur: »Bin müde.«

Als ihre Mutter nicht zum Essen erschien, nachdem Marianne abends den Keksdosengong geschlagen hatte, ging sie nach oben. »Hab keinen Hunger«, hatte Rita gesagt.

Jetzt, als Marianne aufwachte, wunderte sie sich, dass George nicht wie üblich ihr Gesicht ableckte und sie mit der Pfote anstupste, sondern immer noch auf ihren Füßen schlief. Sie setzte sich auf und rieb sich die Augen. Es war schon hell, und die Sonne schien durch den Spalt in den Paddington-Vorhängen, der sich nie schließen ließ.

Marianne blinzelte und versuchte zu sich zu kommen.

Irgendetwas fühlte sich für immer verändert an.

Sie stand auf, schlüpfte in ihre Kleider und putzte sich die Zähne. Als sie ins Zimmer zurückkehrte, hatte George sich immer noch nicht gerührt. Sie trat vorsichtig zu dem Hund und legte ihm die Hand aufs struppige Fell. Er fühlte sich warm an und atmete ruhig und regelmäßig.

Marianne beschloss, ihn schlafen zu lassen, und überlegte kurz, ob sie alleine zum Strand gehen sollte. Aber dann dachte sie daran, dass George die Meeresluft an ihr wittern und sie mit schiefgelegtem Kopf und furchtbar traurigem Blick anschauen würde.

Also nicht zum Strand.

In der Küche hielt sich nur Patrick auf, der gerade Kaffee machte, und Tante Pearl, die wie immer Zeitung las. Über deren Rand beäugte Pearl Marianne, als sie hereinkam, die Augenbrauen hochgezogen.

»Du siehst müde aus«, sagte Tante Pearl, aber sie klang nicht ganz so spitz wie üblich.

Patrick trat zu Marianne und reichte ihr einen dampfenden Becher Kaffee.

»Danke«, sagte Marianne, als sie ihn in Empfang nahm, und Patricks stilles Lächeln erschien auf seinem Gesicht.

»Ist Rita noch im Bett?«, fragte Marianne und setzte sich.

»Ja«, antwortete Pearl, aber trotz des missbilligenden Tonfalls war ihr die Sorge anzumerken.

Und dass Patrick sich Sorgen machte, sah Marianne an seinen starren Schultern.

Sie stellte den Kaffeebecher ab und stand auf. »Ich gehe sie holen.«

Marianne klopfte kurz an die Tür von Ritas Zimmer, öffnete sie schließlich und ging hinein. Die Vorhänge waren zugezogen, die Luft roch muffig und abgestanden. Marianne trat zu dem großen Pfostenbett.

»Rita?«

Die Decke bewegte sich, und Ritas Kopf erschien. Sie blinzelte im Licht, das durch die offene Tür ins Zimmer fiel.

»Was ist los?«

»Patrick macht sich Sorgen um dich.«

»Nicht nötig.«

»Tante Pearl auch.«

»Also, das ist nun wirklich albern.« Rita setzte sich auf, aber die Bewegung war mühsam, wie ein Echo ihres hageren fahlen Gesichts mit den schmalen Lippen und farblosen Augenbrauen.

»Mir geht's gut, ich bin nur müde.« Sie griff nach dem Wasserglas auf dem Nachttisch, aber ihre Hand zitterte so sehr, dass Marianne es ihr reichte. Als sie trank, traten die Knochen an ihrem mageren Hals hervor, und Marianne sah, dass Ritas Augen rot geädert waren.

»Zeit zum Aufstehen.« Sie nahm ihrer Mutter das Glas aus der Hand.

Rita schüttelte den Kopf. »Heute nicht.«

»Du hast viel zu erledigen.«

»Sie kommen heute ohne mich zurecht.«

Marianne schüttelte hartnäckig den Kopf. »Du hast Verpflichtungen.«

Rita lehnte sich an die Kissen und schloss die Augen. Sie sah aus wie eine verblasste Kopie von sich selbst.

»Hast du mich gehört?«, fragte Marianne lauter.

»Lass mich«, sagte Rita. »Ich sterbe.«

»Heute stirbst du noch nicht.« Marianne zog die Decke ein Stück nach unten.

»Lass das, ich friere!«

»Du sagst doch selbst immer, dass Kälte gesund ist.« Marianne zog die Decke ganz weg und hielt sie außer Ritas Reichweite. »Kälte macht einen wach und lebendig. Stammt von dir, der Satz, hast du das vergessen?«

»Da kriegt man nun seine Sätze um die Ohren gehauen«, erwiderte Rita trotzig.

»Das hast du nicht besser verdient«, erwiderte Marianne, warf die Daunendecke hinter sich und verschränkte die Arme vor der Brust. »Und jetzt steh auf.«

Rita schwang ihre Beine aus dem Bett und stellte die Füße auf den Boden. »So, bitte schön.«

»Anziehen«, befahl Marianne.

»Was, jetzt sofort?«

»Genau.«

Ihre Mutter seufzte und schüttelte den Kopf. Als Marianne sich aber nicht rührte, murmelte Rita nach einer Weile: »Okay, dann gib mir eben den Jogginganzug.«

»Du trägst keine Jogginganzüge.« Marianne schob die Hose mit dem Fuß unters Bett.

»Was soll …«

»Hier.« Marianne nahm ein elegantes Kleid von der Chaiselongue und hielt es Rita hin. »Das ist schön.«

»Aber du hast recht, Jogginganzüge sind wirklich sehr bequem.«

»Du willst doch wohl nicht, dass ich dich auch noch anziehen muss?«, sagte Marianne.

»Ich werde furchtbar frieren in diesem Fähnchen.«

»Du kannst ja Thermounterwäsche tragen.« Marianne ließ das Kleid auf Ritas Schoß fallen.

»Thermounterwäsche?«, erwiderte Rita empört, was Marianne ermutigend fand. Das hörte sich schon eher nach ihrer Mutter an.

»Dann eine Weste.«

»Nur Männer tragen Westen«, sagte Rita verdrossen.

»Was glaubst du, was Shirley dir wegen solcher Rollenklischees erzählen würde.« Marianne trat zu Ritas Kommode, zog die Schubladen auf und nahm einen Unterrock, halterlose Strümpfe und den größten und wärmsten Slip heraus, den sie finden konnte. Der allerdings aus Seide und eigentlich weder warm noch groß war.

»Schon besser«, kommentierte Marianne, nachdem Rita bekleidet war. »Welche Turban-Farbe?«

»Brauch ich heute nicht.«

»Orange, sagst du?« Marianne hatte am Standspiegel ein orangefarbenes Seidentuch entdeckt. »Gute Wahl.« Sie setzte sich neben Rita aufs Bett und bemühte sich, das Tuch so lässig zu binden, wie ihre Mutter es immer tat.

Dann lehnte Marianne sich zurück und begutachtete ihr Werk. »Gar nicht übel«, sagte sie. »Du siehst schon ganz zivilisiert aus. Jetzt noch ein bisschen Make-up, und …«

»Nein, das will ich nicht«, sagte Rita bockig. »Von dem Geruch wird mir übel.«

»Das hat dich doch bislang auch nicht gestört.« Marianne öffnete den gigantischen Kosmetikbeutel ihrer Mutter und suchte eine Grundierung aus.

»Mit diesem Farbton bin ich aber auffällig«, bemerkte Rita.

»Na, das passt doch.« Marianne tupfte etwas von der Grundierung auf Ritas Stirn, Nase, Wangen und Kinn, verteilte sie dann behutsam mit den Fingerspitzen. Dabei versuchte sie nicht darauf zu achten, wie schlaff sich die Haut anfühlte.

Dann zog Marianne die Brauen nach und schaffte es sogar, falsche Wimpern anzubringen, ohne Rita die Augen auszustechen, sie tränten nur ein wenig.

»So, jetzt noch Lippenstift, dann bist du startklar«, verkündete Marianne.

Zu guter Letzt führte sie Rita zum Spiegel. »Schau. Was meinst du?«

»Ich meine, dass ich depressiv bin.«

»Und ich meine, was du von deinem Aussehen hältst.«

Rita zuckte mit den Schultern. »Keine Ahnung, warum du dir diese ganze …«

»Sag mir einfach nur, ob du damit zufrieden bist«, verlangte Marianne.

»Sieht okay aus«, sagte Rita ergeben.

»Na, bitte.« Marianne lächelte. »Und jetzt ist Essenszeit.« Sie steuerte Rita entschlossen zur Tür und machte dabei einen weiten Bogen um das Bett.

»Ich habe keinen Hunger.«

»Hunger ist nicht das Thema«, widersprach Marianne. »Du musst was essen.«

Rita öffnete den Mund, vermutlich um weitere Einwände vorzubringen. Doch dann schloss sie ihn wieder und folgte Marianne hinunter in die Küche.

»Aha.« Pearl faltete geräuschvoll raschelnd die Zeitung zusammen. Marianne warf ihr einen mahnenden Blick zu und schüttelte energisch den Kopf, worauf Pearl ärgerlich sagte: »Ich wollte Rita doch bloß fragen, ob sie Tee möchte.«

»Ach so«, murmelte Marianne.

»Dachtest du etwa, ich wolle mich abfällig darüber äußern, dass Rita sich endlich herablässt, zu dieser unchristlichen Uhrzeit zum Frühstück zu erscheinen?«

»Ähm, also …« Marianne lief rot an.

»Ja, ich hätte gern Tee«, erklärte Rita und ließ sich nieder.

Marianne setzte Wasser auf, und Patrick, der am Herd mit Backen beschäftigt war, stellte einen Teller mit

Pancakes, ein Kännchen Schokoladensoße, Himbeeren, Bananenscheibchen und ein Glas Honig auf den Tisch.

»Aus welchem Anlass gibt's denn so was?«, fragte Rita.

Patrick antwortete nicht, sondern legte ihr nur stumm die Hand auf die Schulter. Worauf Rita ihre Hand auf die seine legte, und diese Geste war so zärtlich und dankbar, dass Marianne wegschauen musste.

Tante Pearl legte einen Pancake auf einen Teller, dekorierte ihn mit zwei Himbeeren, einem Stück Banane und einem Halbkreis Schokosoße und stellte das Arrangement dann vor Rita hin.

»Ist das ein Smiley?«, fragte Marianne und starrte auf den Pancake.

»Was denn wohl sonst?«, fauchte Pearl.

»Danke schön«, sagte Rita und griff nach Messer und Gabel. Pearl nickte steif und rauschte in einer Wolke aus Kölnisch Wasser und Teerseife hinaus.

Rita aß eine Himbeere, das Bananenstück und zwei Bissen Pancake und trank eine halbe Tasse von ihrem braunen Kräuterteegebräu, das Marianne zubereitet hatte.

»Also dann«, verkündete sie schließlich. »Los geht's.«

Rita sah sie panisch an. »Was meinst du damit?«

»Na, wir holen unsere üblichen Verdächtigen ab«, antwortete Marianne und marschierte entschlossen zur Tür. Als sie sich umdrehte, hatte Rita sich nicht von der Stelle gerührt.

»Die Ärztin hat gesagt, ich soll mich ausruhen.«

»Du kannst dich im Jeep ausruhen.« Marianne wusste wohl, dass sie sich gerade grob und gnadenlos benahm, aber ihr fiel nichts anderes ein. Die einzige Rettung schien zu sein, einfach weiterzumachen wie gewohnt. Damit konnten sie den Karren vielleicht aus dem Dreck ziehen und wieder in Schwung bringen.

Genial war diese Strategie nicht, aber mangels Alternative wohl die einzige Option. Marianne reichte Rita ihren Kunstpelzmantel und ihren Kaschmirschal und war erstaunt, als Rita wie ein braves Kind widerspruchslos alles anzog. Dann blickte sie auf und nickte. »Okay.« Nicht gerade eine enthusiastische Befürwortung von Mariannes Plan, aber auch keine Verweigerung.

»Du siehst toll aus«, sagte Marianne.

»Du auch«, erwiderte Rita. Das war insofern eine beunruhigende Aussage, als Marianne in ihrer üblichen Kluft aus Jogginghose, Fleecejacke über T-Shirt und abgenutzten Sneakers steckte.

Am Jeep hielt Marianne die Tür auf, bis Rita eingestiegen war, was länger als sonst dauerte.

Beim Versuch, den Wagen zu starten, gab er sein übliches Stottern und Ächzen von sich, aber Marianne hatte inzwischen einen Kniff entwickelt: dreimal kurz aufs Gaspedal treten, dann zweimal lang, und der Motor erwachte zum Leben, etwas lahm und zögernd zwar, aber immerhin. Ethel hätte das sicher als gutes Zeichen betrachtet.

Heute stand an der Stelle ein Strauß bunter Tulpen, rosa, rot, gelb und violett. Marianne hielt diesmal nicht die Luft an und fuhr schneller, sondern warf einen Blick auf die Blumen, genauso wie Rita.

»Ich dachte immer, du stellst die jeden Tag da hin«, sagte Marianne.

Rita schüttelte den Kopf. »Nein, Pearl macht das.«

»Oh.« Marianne fuhr wortlos weiter. Bis der Jeep an der roten Ampel am Rand von Skerries den Geist aufgab.

Marianne versuchte mit ihrem Spezialtrick den Motor zu starten.

Nichts tat sich.

Sie schaute in den Rückspiegel. Drei Autos hinter ihr. Nächster Startversuch, auch vergeblich.

Die Ampel wurde grün.

Marianne schaltete den Warnblinker ein.

Die erste Hupe ertönte.

Der Fahrer des Wagens direkt hinter ihnen, ein massiger Typ mit Hipsterbart und Tweedkappe, deutete aufgebracht mit einer Hand auf die Ampel und drückte mit der anderen die Hupe.

Marianne warf einen Seitenblick auf Rita, die jetzt offenbar die Anweisungen ihrer Ärztin befolgte und sich ausruhte. Sie hatte sich zurückgelehnt und die Augen geschlossen.

Der Mann setzte zum Überholen an, aber die Ampel schaltete auf Rot. Und im Rückspiegel konnte Marianne an den Lippenbewegungen deutlich erkennen, welche Schimpfwörter der Fahrer jetzt von sich gab.

»Das gehört sich überhaupt nicht«, murmelte Marianne erbost.

Bei Grün trat sie erneut das Gaspedal durch, was dem Jeep gleichgültig war, er rührte sich nicht. Der Fahrer lehnte sich jetzt aus dem Fenster und brüllte irgendetwas.

Marianne zog die Handbremse an, schnallte sich ab und öffnete ihr Fenster. Weil es auf halber Höhe klemmte, drückte sie es mit beiden Händen nach unten.

Rita schlug die Augen auf. »Was machst du da?«

»Der Fahrer hinter mir benimmt sich schlecht«, antwortete Marianne und kniete sich auf ihren Sitz.

»Du meinst, er ist ein Arschloch?« Rita richtete sich auf.

»Genau.«

»Wieso sagst du das denn nicht gleich?« Rita löste ihren Gurt, kurbelte das Fenster hinunter und nahm dann die gleiche Haltung ein wie Marianne. Dann beugten sich Mutter und Tochter zeitgleich wie Synchronschwimmerinnen aus dem Fenster und zeigten dem tobenden Fahrer energisch den Mittelfinger.

Der Typ war krebsrot vor Wut, als er an ihnen vorbeirangierte, und spuckte doch wahrhaftig durchs offene Fenster in ihre Richtung. Was ihm allerdings nicht gut bekam, denn der Wind war ihm nicht wohlgesonnen und schleuderte die Spucke zurück ins Gesicht des unangenehmen Zeitgenossen. Als sie mit Karacho in einem Auge des Wüterichs landete, johlten und applaudierten die beiden Frauen.

Die Ampel stand inzwischen erneut auf Rot. Rita, in deren Wangen ein wenig Farbe zurückgekehrt war, setzte sich wieder und schnallte sich an. Dann sagte sie: »Du musst nett zum Jeep sein und ihm gut zureden, hast du das vergessen?«

Marianne beugte sich vor, tätschelte das Armaturenbrett und flötete: »Du bist ja so ein lieber Jeep!« Dann drehte sie den Schlüssel im Zündschloss und trat behutsam aufs Gaspedal. Der Motor, alt und müde und zuwendungsbedürftig, keuchte und stotterte, sprang aber wirklich und wahrhaftig an.

Jetzt fühlte Marianne sich so triumphal, als sei ein Wunder geschehen. Sie streckte die Hand aus dem Fenster und machte das Daumen-hoch-Zeichen für die bedauernswerte Frau hinter ihr, deren Auto voller schreiender und weinender Kleinkinder war. Dennoch nickte die Frau Marianne verständnisvoll lächelnd zu.

Die Ampel sprang auf Grün.

Marianne gab Gas.

34

Danach kehrte wieder eine gewisse Normalität ein. Nicht von der Art allerdings, wie Marianne sie früher gekannt hatte. Aber für Ancaire-Verhältnisse konnte man durchaus von Normalität sprechen.

Zum Beispiel die Fahrten mit der Alles-wird-gut-Gruppe. Wie an diesem Morgen, als Freddy sich ins Auto hechtete und »Nichts wie weg hier« schrie, während seine Mutter mit ihrer Haar-Mantilla und ihrer tödlich gekränkten Miene auf den Jeep zusteuerte. Bislang war es ihr jedoch nur einmal gelungen, bis zur Fahrerseite vorzudringen und alle zu mustern wie ein Feldwebel, der Uniformen inspiziert.

Marianne hob wie üblich die Hand vom Lenkrad und winkte, Bartholomew und Ethel auf dem Rücksitz taten das Gleiche.

»Und auf gar keinen Fall das Fenster öffnen«, zischte Freddy, ohne die Lippen zu bewegen. »Sonst lädt sie dich zum Tee ein und zwingt dich, mich zu heiraten.«

»Also, was soll ich tun?«, raunte Marianne.

»Fahr langsam los«, befahl Freddy. Währenddessen konnte Marianne im Rückspiegel beobachten, wie Mrs Montgomery stehen blieb, sich kerzengerade aufrichtete und dem Jeep hinterherstarrte.

»Mich würdigt sie ja keines Blickes«, sagte Bartholomew beleidigt, nachdem sie um eine Ecke gebogen waren.

»Bestimmt sieht sie dich einfach nicht, mein Lieber«, mutmaßte Ethel.

»Bartholomew zu übersehen ist ja wohl unmöglich«, bemerkte Freddy und schnallte sich an.

»Das ist gemein«, erwiderte Bartholomew.

»Ich wollte damit doch nur sagen: Du hast so eine starke, imposante Ausstrahlung.«

»Findest du wirklich?«

Freddy lächelte scheu. »Ja. Finde ich.«

Auch bei den Treffen ging es so lebhaft und turbulent zu wie immer, und niemandem fiel auf, wie die Zeit verstrich, bis Rita Freddy an seinem achtzigsten Tag ohne Alkohol einen Button mit der Aufschrift »Glückwunsch zum 80.!« überreichte.

»Ist ja schon schlimm genug, fünfzig zu sein«, grummelte Freddy, als er den Button widerstrebend entgegennahm.

»Du bist doch das Idealbild eines Fünfzigjährigen«, sagte Bartholomew.

Freddy wartete angespannt auf die folgende abfällige Bemerkung. Als die ausblieb, steckte er sich den Button lächelnd ans Revers.

Marianne erfüllte wie immer die diversen Teewünsche und teilte das Gebäck so gerecht auf, dass alle Stücke gleich groß waren und nicht einige gleicher.

Hugh ließ sich lediglich blicken, um Rita zu ihren Arztbesuchen im Krankenhaus abzuholen, die jetzt zweimal wöchentlich stattfanden. Dann sorgte Marianne dafür, dass sie unauffindbar war, und versteckte sich meist hinter den Vorhängen im Salon.

»Du kannst jetzt rauskommen«, sagte Tante Pearl einmal, worauf Marianne sich vor Schreck so heftig an der Wandleiste den Ellbogen stieß, dass er den Rest des Nachmittags schmerzte.

»Ich … hab dich gar nicht bemerkt«, murmelte Marianne, als sie hinter dem Vorhang hervortrat und sich den Arm rieb.

»Keine Sorge, er hat dich auch nicht bemerkt«, erwiderte Pearl mit leicht amüsiertem Funkeln in den hellblauen Augen.

»Wer?« Marianne blickte so übertrieben um sich wie im Schmierentheater. In Bartholomews Laientheatertruppe wäre sie mit einem solchen Auftritt sofort geschasst worden.

»Er ist ein höflicher junger Mann«, sagte Tante Pearl. »Das hättest du schlechter treffen können.«

Diese Aussage fand Marianne sehr verblüffend. In Tante Pearls Kosmos war »höflich« die allerhöchste Auszeichnung.

Und sie war überdies auch noch zutreffend. Hugh war tatsächlich ein höflicher Mensch. Möglicherweise würde er diesen … Vorfall bei ihm zu Hause überhaupt nie mehr erwähnen. Panisch versuchte Marianne die Erinnerungen zu verdrängen, scheiterte aber kläglich. Nur allzu deutlich stand ihr die Szene wieder vor Augen.

Ich will nicht, dass du zärtlich bist, ich will Sex mit dir.

Noch im Nachhinein stieg Marianne die Schamesröte ins Gesicht.

Aber noch schwerer erträglich war Hughs Reaktion. Wie er sie angesehen und sich dann von ihr gelöst hatte. Dieses schreckliche Mitleid. Und das bemüht behutsame Nein, um sie möglichst wenig zu kränken.

Dann tauchte prompt dieser andere furchtbare Gedanke auf, den sie auf keinen Fall denken wollte. Wenn er drohte, sich anzuschleichen, verbarg sie ihr Gesicht in allem, was gerade zur Hand war: Kissen, Handtuch, Teehaube oder aber die schweren Vorhänge im Salon.

Der Gedanke, den sie umgehen wollte, der sich aber immer wieder einstellte.

Dass Rita bald sterben würde.

Die Alles-wird-gut-Leute sprachen auch nicht darüber.

Es gab schließlich viel zu tun.

»Hört mal alle her, Leute«, verkündete Rita eines Tages nach der Teepause und klatschte in die Hände, um für Ruhe zu sorgen. »Ich habe einen Plan B für unsere Demo am Räumungstag.«

Nun waren alle ganz Ohr, und Marianne stellte fest, dass wohl nicht nur sie eine Schwäche für einen brauchbaren Plan B hatte.

»Höchstwahrscheinlich werden wir ihn nicht brauchen«, sagte Rita leichthin. »Aber zur Sicherheit, wisst ihr, habe ich mir einen Ersatzplan zurechtgelegt.«

Ein Ersatzplan war tatsächlich noch wirkungsvoller als ein Plan B. Marianne sah ihre Mutter erwartungsvoll an.

Auf Ritas Gesicht lag jetzt das durchtriebene Lächeln, das darauf hinwies, dass ihre Idee entweder gefährlich, haarsträubend, illegal oder all das zusammen war.

»Für den Fall, dass alles andere scheitert«, begann sie, »habe ich vor, mich nackt auszuziehen, auf das Dach von Shirleys Haus zu steigen und von dort aus weiter zu protestieren. Du, Bartholomew, kannst mich dabei filmen. Deine Handykamera ist doch ziemlich gut, oder?«

»Ähm, ja«, antwortete Bartholomew zögernd. »Aber …«

»Dann stellst du das Video ins Internet, und es … geht … wie heißt das gleich wieder, wenn alle ein Video toll finden und weiterempfehlen?«

»Ah, es geht viral, Liebes«, verkündete Ethel nicht ohne Stolz.

Rita grinste. »Ganz genau. Danke, Ethel.«

Marianne blieb stumm. Obwohl sie ziemlich sicher war, sich nicht verhört zu haben, gab ein kleiner Teil von ihr die Hoffnung nicht auf.

»Du hast übrigens richtig gehört«, sagte Rita jetzt zu ihrer Tochter.

»Ah ja.«

»Hat jemand Fragen?«

Offenbar hatte es allen die Sprache verschlagen.

»Ihr wollt jetzt sicher alle wissen, warum ich nackt sein muss«, sagte Rita geduldig.

»Ähm … um für möglichst viel Aufmerksamkeit zu sorgen?«, mutmaßte Freddy.

»Ganz genau, mein Lieber«, erwiderte Rita mit Nachdruck. »Ich meine, man sieht eben nie Bilder von Frauen meines Alters – also von Siebzigjährigen – nackt, nicht wahr?«

Niemand wies Rita darauf hin, dass sie bereits achtundsiebzig war.

»Damit machen wir also auf jeden Fall auf unsere Sache aufmerksam.« Rita strahlte vergnügt in die Runde. »Und ich werde mich weigern runterzukommen, sondern mich stattdessen an den Schornstein ketten. Mit einer von deinen Fahrradketten, Patrick, das würde doch gehen, oder?«

»Ich … ich glaube schon«, stotterte Patrick.

»Dann werden die alle endlich kapieren, dass wir es ernst meinen, oder?« Ritas Augen leuchteten, ihre Wangen waren rot, und sie wirkte sehr siegesgewiss, was Marianne für ausgesprochen voreilig hielt. Auf jeden Fall aber sah ihre Mutter gerade nicht aus wie eine Frau, die Krebs hat. Und die daran bald sterben wird.

»Ja«, sagte Marianne laut und wunderte sich darüber, wie kraftvoll sie klang. Vielleicht würde man sie bei Bartholomews Amateurtheater doch nicht ablehnen. »Ja, das werden sie.«

»Ich wusste, dass du die Idee toll finden würdest«, sagte Rita.

»Im Ernst?«

»Na ja, jedenfalls langfristig«, antwortete Rita fröhlich.

Marianne konnte nicht anders, sie musste ihre Mutter anstrahlen. Rita wirkte so lebhaft und mitreißend wie eh und je, und ihre Begeisterung war regelrecht ansteckend.

35

Der April nahte mit Riesenschritten, und obwohl es morgens noch kühl und frisch war, gab es viele sonnige und milde Tage mit zweistelligen, für die Jahreszeit ungewöhnlich warmen Temperaturen.

»Liegt am Klimawandel«, verkündete Shirley mit Grabesstimme, nachdem das schöne Wetter bereits die zweite Woche anhielt.

»Jippiiiiiie!«, schrie Harrison und flitzte so schnell durch den Garten, dass George Mühe hatte, ihm auf den Fersen zu bleiben.

Die beiden Jungs nahmen die Wärme zum Anlass, Rita hartnäckig daran zu erinnern, dass sie versprochen hatte, ihnen das Schwimmen beizubringen. Am nächsten Samstag erschienen Sheldon und Harrison mit Taucheranzügen unter ihren Fußballtrikots und prall aufgepumpten orangen Schwimmflügeln an ihren dünnen Armen.

»Übermut tut selten gut«, teilte Tante Pearl den beiden streng mit. »Schwimmen sollte man nicht vor Mai.«

Die beiden Jungen starrten sie argwöhnisch an und drängten sich dann an Rita.

»Bitte, bitte, kannst du uns heute das Schwimmen beibringen?«, bat Sheldon und schenkte Rita sein schönstes Grübchenlächeln.

»Ja, bitte ist das Zauberwort!«, schrie Harrison und ließ seine Arme kreisen wie beim Kraulen.

Rita sah Shirley an, die jetzt kopfschüttelnd die Augen verdrehte.

»Ich habe es ihnen aber versprochen«, wandte Rita ein.

»Ja, und diese zwei haben gestern versprochen, ihr Lego-Zeug aufzuräumen, und haben es immer noch nicht gemacht.«

Jetzt fielen die beiden Jungen mit Betgebärde vor ihrer Mutter auf die Knie, und Sheldon erklärte: »Das machen wir nachher, wir versprechen es!«

»Oder morgen«, ergänzte Harrison mit seinem hinreißenden Grinsen, dem nicht einmal Shirley widerstehen konnte.

»Also gut«, sagte sie. »Wenn Rita einverstanden ist …«

Schließlich marschierte die ganze Bande gemeinsam zum Strand, angeführt von Bartholomew und Freddy. Was allerdings dazu führte, dass es nicht vorwärtsging, weil Freddy sich die schlüpfrigen Stufen nicht zutraute.

»Mann, jetzt mach schon«, knurrte Bartholomew und streckte Freddy die Hand hin. »Ich helf dir.«

Freddy zögerte, dann überließ er seine schmale knochige Hand der weichen fleischigen von Bartholomew. Der augenblicklich schnaufte: »Ach herrje, ist die kalt.«

»Aber deine ist schön warm«, erwiderte Freddy. Beide wirkten ziemlich erstaunt über das Geschehen.

»Hey, ihr Turteltauben!«, schrie Shirley von hinten. »Nehmt euch ein Zimmer, oder beeilt euch jetzt mal!«

Bartholomew und Freddy gelang es erfolgreich, die Bemerkung zu ignorieren und den Abstieg langsam und vorsichtig fortzusetzen.

»Danke, Bartholomew«, sagte Freddy seltsam förmlich, als sie wohlbehalten unten ankamen.

»Gern geschehen, Freddy«, erwiderte Bartholomew im gleichen Tonfall.

Rita wurde von den zappligen Jungs begleitet, aber Patrick ging vor ihr. Er ließ sich nicht anmerken, dass er jederzeit bereit war, sie aufzufangen.

Ethel betrat vorsichtig die erste und die zweite Stufe, blieb dann aber leicht schwankend stehen.

»Du solltest dich vielleicht bei jemandem einhaken«, schlug Marianne vor, der bei dem Anblick ganz anders wurde.

»Oh, danke, Liebes.« Ethel nahm Mariannes Arm, als sie zu ihr trat. »Es wäre wirklich dumm, wenn ich mir die andere Hüfte auch noch brechen würde.«

Sogar Tante Pearl schloss sich an. Ihr übliches Outfit, bestehend aus hochgeschlossener Bluse, Bleistiftrock, dicker fleischfarbener Strumpfhose und robusten Schnürschuhen, wurde zu diesem Zweck ergänzt durch ihren grauen Trenchcoat und ein Kopftuch.

»Findest du wirklich, dass du in deinem Zustand schwimmen gehen solltest?«, sagte Tante Pearl zu Rita, als sie am Strand ankam.

Rita antwortete lachend, »Nee, natürlich nicht«, worauf sich die Spur eines Lächelns auf Pearls Gesicht zeigte.

Die beiden Jungen rissen sich die Fußballtrikots vom Leib, drückten mit den Zehen hinten ihre Sneakers herunter und schleuderten sie dann von den Füßen.

»Ich mach die Schnürsenkel später auf, Mam!«, rief Harrison, bevor Shirley ihn anpflaumen konnte. Dann sprinteten die beiden ins Meer, kreischten laut wegen der Kälte und begannen über die Wellen zu hopsen. Harrison versuchte dabei genauso hoch zu springen wie sein Bruder.

Rita, in gepunktetem Bikini und passender Bademütze, trieb schon auf dem Rücken im Wasser, und Marianne versuchte nicht daran zu denken, was beim letzten Mal passiert war.

Sie sprach nicht mit Rita über die Krankheit, weil ihre Mutter fand, es gäbe nichts dazu zu sagen.

In Ancaire wolle sie so lange wie möglich bleiben, hatte Rita erklärt. Sie käme mit ihren Schmerzmitteln gut zurecht. »Und wenn mir dann danach ist«, hatte sie gesagt, »gehe ich ins Hospiz.«

Als hätte sie die Freiheit, sich den Zeitpunkt auszusuchen.

Sie hatte sogar schon mit den Schwestern gesprochen, die sie betreuen würden.

»Hospizschwestern sind etwas ganz Besonderes«, hatte Rita Marianne berichtet. »Ich freue mich schon fast darauf, dort zu sein. Und das Essen ist zum Sterben lecker«, hatte sie glucksend hinzugefügt.

Jetzt erklärte sie den Jungen das Schwimmen anhand von George. »Guckt mal genau hin, wie er paddelt.«

»Das kann der aber toll«, sagte Sheldon staunend.

Marianne wich am Ufer den Wellen aus und genoss die Sonne, die ihre Schultern wärmte und auf den Wellen glitzerte.

»Schau mal, Marnie«, schrie Harrison, der im Meer stand und mit den Armen wedelte. »Ich kann schon tauchen!« Er beugte sich vor und hielt mit geschlossenen Augen das Gesicht ins Wasser.

»Hast du gesehen?«, rief er, als er wieder auftauchte, noch immer mit zusammengekniffenen Augen.

»Ja«, rief Marianne. »Das war … gut.«

»Gut?« Shirley erschien neben Marianne und blickte sie so drohend an, dass sie rasch schrie: »Ich meine … das war großartig, Harrison!«

Shirley boxte Marianne freundschaftlich auf den Arm, woran sie inzwischen schon gewöhnt war, obwohl es immer ein bisschen wehtat. Sie schubste Shirley ebenso freundschaftlich weg, aber die stolperte dabei über Ethels Klapphocker, den sie mittlerweile überall dabeihatte. Erst letzte Woche hatte sie berichtet: »Hab mich damit in der Post in die Schlange gesetzt, die war endlos.«

Shirley fiel mit dem Gesicht in den Sand und blieb liegen.

Entsetzt stürzte Marianne zu ihr. »Shirley? Das tut mir leid … ich wollte nicht …« Shirleys Schultern zuckten, und Marianne legte ihr die Hand auf den Rücken. »Oh Gott, Shirley, bitte weine nicht, es tut mir wirklich …«

»Hat dir deine Mama nicht beigebracht, dass man nicht schubsen soll?« Shirley setzte sich lachend auf und spuckte Sand aus.

»Ehrlich gesagt, war das bei mir gar nicht nötig.«

»Kann ich mir grade kaum vorstellen.« Shirley streckte die Hand aus, und Marianne packte sie und zog.

Rita rief jetzt: »Komm ins Wasser, Marnie! Ist schön ruhig heute!«

»Und eiskalt«, erwiderte Marianne trocken.

»Nein, nein, nur erfrischend«, widersprach Rita. »Und ich hab auch den Badeanzug mitgebracht, den ich für dich gekauft habe. Ist in der Tasche.«

Harrison und Sheldon kamen tropfnass angelaufen. »Wir können jetzt schwimmen wie George, Marnie! Komm gucken!«

»Sogar besser als George«, betonte Harrison und schaute bittend zu Marianne auf. »Bitte, bitte, bitte? Bitte ist das Zauberwort!«

Marianne schüttelte den Kopf. »Tut mir leid, Jungs, das geht nicht. Ich kann nämlich nicht schwimmen.«

Die beiden starrten sie verblüfft an.

»Aber du bist erwachsen«, sagte Sheldon schließlich. »Erwachsene können doch alles.«

»Nicht alle.« Marianne fühlte sich verpflichtet, ihnen die Wahrheit zu sagen, fühlte sich aber schlecht dabei.

»Meine Mama kann alles«, erklärte Harrison.

»Dann kann sie vielleicht mit dir ins Wasser gehen.«

»Sie hat ihre Periode«, erklärte Sheldon.

»Ich habe dafür früher immer Tage gesagt«, meldete sich Ethel zu Wort und pflückte sich einen Fussel ihres dicken Wollschals von der Lippe, den sie mehrfach um den Hals geschlungen hatte.

»Bitte, bitte, Marnie?« Jetzt wurde sie von beiden Jungen mit ihrem Rehblick traktiert. Marianne hätte gerne behauptet, dass sie auch ihre Periode hatte. Aber zum einen stimmte es nicht, zum anderen wäre ihr das Wort nicht über die Lippen gekommen.

Stattdessen sagte sie: »Ich habe Angst vor dem Meer.«

Das schien die beiden noch mehr zu schockieren.

Weil Flo sich vor gar nichts fürchtete, hatte Marianne das für sie beide übernommen.

»Komm doch ins Wasser, Marianne«, hatte Flo immer gerufen. »Das macht so viel Spaß!«

»Ich bleibe aber lieber hier«, hatte Marianne erwidert und war am Wellensaum stehen geblieben. Mit festem Boden unter den Füßen konnte sie besser wachsam sein.

»Ich hab vor gar nix Angst«, behauptete Harrison.

»Das stimmt doch gar nicht«, widersprach sein Bruder. »Du hast Angst vor der Schülerlotsin.«

Harrison blickte beunruhigt. »Weil die Hexenhände hat.«

Marianne schaute übers Meer. Es war wirklich zahm heute, so still, dass sich auf der glatten Oberfläche die kleinen weißen Wolken spiegelten wie Schäfchen.

Rita begann wieder zu winken. »Nun komm schon!«, rief sie. »Ist nicht so kalt, man gewöhnt sich ganz schnell daran.«

Die Jungs fixierten Marianne immer noch, aber sie sagte sich, dass die beiden sicher gleich aufgeben würden, wenn sie noch einmal »Nein« sagte.

Stattdessen sagte sie: »Okay.«

Die Jungs jubelten und rasten zurück ins Wasser, um Rita die frohe Botschaft zu verkünden.

»Diese zwei Kerlchen würden gute Sektenführer abgeben«, bemerkte Shirley, während Marianne in Ritas Tasche kramte. »Die können jeden zu allem überreden.«

Marianne schlüpfte in den hellrosa Badeanzug.

»Der ist aber hübsch«, sagte Ethel und goss sich aus einer Thermosflasche von Rita heiße Suppe in den Trinkbecher.

»Du bist zwar ganz schön weiß und haarig«, bemerkte Shirley, während sie Marianne von Kopf bis Fuß musterte, »aber ansonsten siehst du ja echt gut aus. Für dein Alter.«

»Sieh dich vor, Mädchen«, rief Bartholomew, der ein Stück entfernt mit Freddy Muscheln sammelte. »Sonst ist sie nachher noch eingebildet.«

Freddy lachte.

»Haltet ihr euch da mal schön raus«, konterte Shirley, und die beiden wanderten weiter, den Blick zu Boden gerichtet.

Marianne wagte sich vorsichtig ins Wasser. Rita hatte nicht die Wahrheit gesagt. Das Wasser war nicht erfrischend, sondern so brutal kalt, dass Marianne der Atem stockte. Oder vielmehr gar nicht stockte, sondern dass sie erschrocken keuchte und fürchtete zu hyperventilieren. Oder einen Kälteschock zu bekommen. Sie fragte sich, ob die anderen wohl wussten, was dann zu tun war.

Patrick hob ein Stück weiter hinten am Strand gerade ein Algenknäuel auf und schnüffelte daran.

Dass er in der Nähe war, fand Marianne irgendwie beruhigend. Patrick würde wissen, wie man sich richtig verhielt.

Sie schaute nach unten. Das Wasser war klar und grün, und sie sah ihre weißen Füße auf dem dunklen Sand.

Eine Krabbe kam angelaufen, und Marianne krümmte die Zehen, damit das Tier sie nicht mit seinen Scheren attackieren konnte. Doch die Krabbe beachtete sie gar nicht, sondern marschierte zielstrebig an ihr vorbei.

Marianne watete etwas weiter, bis ihr das Wasser bis zu den Knien reichte, und versuchte, möglichst ruhig zu atmen.

»Trau dich!«, rief Ethel aus sicherer Position von ihrem Klappstuhl. »Du schaffst es!«

Marianne wollte lächeln, aber ihr Gesicht schien eingefroren zu sein, und sie winkte Ethel stattdessen zu, die das Winken fröhlich erwiderte.

Schließlich zwang sich Marianne zu zwei großen Schritten, jetzt waren schon ihre Oberschenkel im Wasser. Weiter hinten spielten die Jungs mit George ein kompliziertes Spiel, bei dem er etwas apportieren sollte. Er schaffte es jedes Mal. Dieser Hund schwamm einfach für sein Leben gern.

»Alles okay?«, rief Rita, die ihre Tochter im Auge behielt.

»Natürlich nicht!«

»Warum brauchst du so lange, Marnie?«, schrie Harrison. Sheldon und er wippten im Wasser auf und ab wie Bojen.

»Ich komm ja schon!« Tapfer watete Marianne weiter. Linkerhand sah sie die Insel Rockabill mit dem Leuchtturm, weiß strahlend im Sonnenlicht. Das Wasser stand ihr jetzt bis zur Taille, und ihr Puls hämmerte und pochte wie wild in ihren Ohren. Marianne holte tief Luft, ging so weit in die Knie, dass ihre Schultern bedeckt waren, und musste einen Aufschrei unterdrücken. »Das ist doch wie in der Arktis!«, schrie sie.

»Nach einer Weile fühlt es sich so warm wie Suppe an.« Rita kam auf sie zu gewatet, die Jungs hinter sich herziehend, die auf dem Rücken lagen.

»Schau nur, Marnie!«, jubelte Sheldon.

»Wir schwimmen!«, fügte Harrison hinzu.

»Du könntest das bestimmt auch«, sagte Sheldon zu Marianne, hörte sich aber ein klein wenig unsicher an.

»Auf jeden Fall«, bekräftigte Rita, stellte die Jungen auf die Beine und wandte sich ihrer Tochter zu.

»Ich glaube nicht …«, begann Marianne.

»Mit Glauben hat das gar nichts zu tun.« Rita legte ihr den Arm um den Rücken. »Nur mit Entspannen.«

Die Jungs johlten und klatschten, als Marianne sich zurücklehnte. Sie spürte Ritas Arme unter ihrem Rücken und ihren Knien und keuchte: »Bloß nicht loslassen!«

»Mach ich nicht«, erwiderte Rita.

»Hast du immer noch Angst, Marnie?«, fragte Harrison.

»Ja«, keuchte sie.

»Streck Arme und Beine aus«, befahl Rita. »Wie ein Seestern.«

Marianne gehorchte. Die Jungs lachten und klatschten mit den Händen aufs Wasser. Ihre Begeisterung war ansteckend, und Marianne wollte ihnen beweisen, dass sie es schaffen würde. Oder wenigstens, dass sie sich Mühe gab. »Was soll ich jetzt machen?«

»Treiben«, antwortete Rita.

»Wie denn?«

»Wirst du schon sehen.«

»Was soll das heißen?«

»Ich lasse dich los, und du …«

»Nein, warte!«, schrie Marianne. »Ich bin noch nicht bereit!«

»Dann sag einfach Bescheid, wenn du so weit bist.«

Marianne hatte die Augen zusammengekniffen und schlug sie jetzt auf. Unter sich spürte sie noch immer die Arme ihrer Mutter, und jetzt sah sie auch ihr Gesicht. Die stahlblauen Augen, die gerunzelte Stirn, die Zungenspitze zwischen den Lippen.

»Du siehst nervös aus«, sagte Marianne.

Rita schüttelte den Kopf. »Nein, bin ich nicht. Ich … hatte mir nur gerade gewünscht, dass ich dir das schon vor vielen Jahren beigebracht hätte.«

»Du hast es versucht.«

»Das hat aber nicht gereicht.«

Marianne atmete aus. »Ich glaube, jetzt bin ich bereit.«

Rita ließ sie los.

Marianne hielt die Luft an und kniff wieder die Augen zusammen. Sie hörte die Jungs kreischen und plantschen. Den klagenden Schrei eines Brachvogels, der übers Meer flog. Das sachte Plätschern an ihrem Körper.

Sie trieb. Und wenn sie schwerer wurde, bewegte sie sich ein wenig und trieb weiter.

Vorsichtig öffnete sie die Augen, zuerst einen Spalt, dann ganz. Alles war wie vorher, nur dass sie jetzt auf dem Wasser trieb.

Rita lächelte. »Siehst du, Marnie – du kannst es.«

»Ja, ich weiß.« Marianne erwiderte das Lächeln, überwältigt von intensiven Gefühlen. Hoffnung war da – die Hoffnung, dass es für Rita und sie noch mehr Tage wie diesen geben würde.

Und eine resignierte Traurigkeit.

Das Wissen, dass es nicht mehr viele sein würden.

36

Nachmittags saßen Marianne und Rita jetzt meist gemeinsam im Gewächshaus. Auch an Tagen, an denen die Sonne eher schwächlich war und sich immer wieder hinter Wolken verkroch, konnte man ihre Wärme in dem gläsernen Haus spüren, wie eine liebevolle Geste der Zuwendung.

Das schöne Wetter hielt fast den ganzen April über, und an einem Nachmittag zog Marianne im Gewächshaus ihren Anorak aus. Als sie in den Scheiben ihr Spiegelbild sah, war sie einen Moment lang verwirrt, wie wenn man jemanden erkennt und ihn nicht zuordnen kann.

Sie lachte.

»Was ist so komisch?«, fragte Rita.

»Nichts. Ich habe nur gerade meine Klamotten bemerkt.«

Sie trug einen von Ritas Seidenröcken. Er war rosa mit einem Muster aus orangen, violetten und grünen Wirbeln. Etwas Schlichteres war nicht auffindbar gewesen. Weil der Rock ihr zu weit war, hatte Marianne ihr T-Shirt in den Bund gesteckt und sich einen breiten Ledergürtel von Patrick umgeschnallt. Ihre bloßen Füße steckten in Sneakers, ihre Lockenmähne war so ungebärdig wie immer.

»Du siehst zauberhaft aus«, sagte Rita.

»Ich habe gestern meine Sweat-Sachen in die Waschmaschine gesteckt, aber vergessen, sie anzuschalten«, erklärte Marianne.

»Das solltest du öfter mal tun.«

Rita machte es sich in einem der beiden Liegestühle bequem, die Patrick aus dem Schuppen geholt und gesäubert hatte, als sie verkündet hatte, sie wolle jetzt öfter im Gewächshaus die Sonne genießen.

Marianne bereitete den Tee zu.

Das gemeinsame Teetrinken am Nachmittag gehörte zu den neuen Ritualen. Heute gab es frischen Pfefferminztee mit Minze aus Patricks Kräutergarten, dazu Ritas Lemon Melts.

Von allen Köstlichkeiten, die Rita buk, waren diese Zitronenkekse Mariannes Lieblingsgebäck. Sie aß sie immer auf die gleiche Weise, war außerstande, daran etwas zu ändern. Als Erstes legte sie den ganzen Keks auf ihre Zunge und wartete ab, bis Glasur und Keks so weich wurden, dass er zu schmelzen drohte. Erst dann war es gestattet zu kauen. Das gleiche Prozedere wiederholte sie mit dem zweiten Keks, anschließend trank sie einen Schluck Tee. Wenn ihre Zungenspitze danach ihren Mund nach Krümeln durchforstete, schmeckte sie noch immer das überwältigend frische Aroma der Zitrone und die Süße des Gebäcks.

Dieses Ritual wiederholte sie bei jedem Lemon Melt aufs Neue.

Rita beobachtete den feierlichen Vorgang amüsiert.

»Hier.« Sie kramte in ihrer Handtasche, brachte ein zerknittertes Stück Papier zum Vorschein und reichte es Marianne. »Ich hab dir das Rezept aufgeschrieben.«

Es war eine Stromrechnung. Auf der Rückseite hatte Rita mit ihrer schnörkeligen Handschrift genaue Anweisungen und sogar eine Skizze notiert, wie man die Butter ins Mehl einarbeiten sollte.

»Immer so feinfühlig wie möglich«, erklärte Rita und deutete auf die Zeichnung. »Nur mit den Fingerspitzen.«

»Sie werden nicht so gut schmecken wie deine«, erwiderte Marianne.

»Doch«, sagte Rita, »irgendwann schon.«

Dann lehnten sich beide zurück, schlossen die Augen und nahmen die Wärme der Sonne in sich auf, als seien sie selbst Solarzellen.

Über den Tod und über das Sterben sprachen sie nie. Marianne vergaß das Thema manchmal sogar. Was wahrscheinlich an Rita selbst lag, die weiterhin in ihren schrill-glamourösen Klamotten herumlief und so schnell und immer etwas zu laut sprach wie gewöhnlich.

Man konnte sich einfach nicht vorstellen, dass sie todkrank war. Dass sie sterben würde, und das in nicht allzu ferner Zeit.

»Ich habe gestern mit der Polizistin telefoniert, die mich festgenommen hat«, sagte Marianne jetzt.

»Ah, ja, Karen. Ein Schätzchen. Wie hat ihre Tochter das Examen geschafft? War ja offenbar ein Nervenbündel vorher.«

»Ich … das weiß ich nicht. Darüber haben wir nicht geredet.«

»Über was dann?«

»Sie sagte, die Chancen ständen gut, dass ich eine Fortbildung zur Suchtberaterin machen könnte. Das würde man mir dann als gemeinnützige Arbeit anrechnen.«

Rita setzte sich ruckartig auf und sah ihre Tochter forschend an. »Möchtest du das denn wirklich?«

»Ich meine, natürlich nicht das Alles-wird-gut-Programm«, antwortete Marianne hastig. »Aber weißt du, ich dachte mir, irgendwann könnte das vielleicht für mich …«

»Du wärst ganz bestimmt toll darin«, sagte Rita und stellte ihren Becher ab, um in die Hände zu klatschen. »Wann fängst du an?«

»Es gibt einen Kurs im September.«

»Das ist ein prima Monat für Neuanfänge.«

Beide verloren kein Wort darüber, dass das für Rita sicher nicht gelten würde.

Marianne stand auf. »Möchtest du noch Tee?«

»Du willst dir doch nur noch mehr Lemon Melts holen.«

»Richtig geraten.«

Rita lehnte sich wieder zurück und schloss die Augen.

»Bist du müde?«

»Ich bin glücklich«, antwortete Rita lächelnd.

»Warum?«

»Ich bin froh, dass du nach Hause gekommen bist.«

»Mir blieb ja keine andere Wahl«, erwiderte Marianne.

»Das ist mir klar. Ich bin trotzdem froh darüber.«

Marianne sammelte schweigend die Becher und Teller ein und stellte sie auf das Tablett. Sie ging zur Tür, öffnete sie und zögerte einen Moment.

»Ich auch«, sagte Marianne dann, bevor sie hinausging.

In der Küche wusch sie frische Pfefferminze ab und steckte die Stängel in die Teekanne. Dann setzte sie Wasser auf und legte die zwei letzten Lemon Melts auf zwei kleine Teller.

An ihrem Bein spürte sie Georges warmen Atem, und sie kraulte den Hund so hinter den Ohren, wie er es am liebsten mochte. Er wedelte begeistert mit dem Schwanz und veranstaltete einen regelrechten Trommelwirbel am Küchenschrank. Seine Freude war so ansteckend, dass Marianne neben ihm in die Hocke ging, sein struppiges Fell streichelte und ihm ins Ohr raunte, was für ein lieber Hund er sei. Daraufhin wurde das Trommeln noch schneller.

»Du weißt aber schon, dass er dich nicht verstehen kann, oder?« Tante Pearl kam hereingerauscht.

Marianne richtete sich lächelnd auf. »Das dachte ich auch immer, aber inzwischen bin ich mir nicht mehr so sicher«, erwiderte sie. »Wegen seiner Augenbrauen, glaube ich. Mit denen kann er so viel zum Ausdruck bringen.«

Tante Pearl schüttelte den Kopf und schnalzte mit der Zunge. »Und ich habe dich immer für den einzigen vernünftigen Menschen in der ganzen Familie gehalten.«

Marianne grinste und goss den Tee auf. »Ja, das dachte ich früher auch.« Sie spürte auch ohne hinzuschauen, dass Pearl begehrlich die Lemon Melts beäugte. Sogar sie war versessen auf die Kekse und konnte sich das natürlich nicht verzeihen. Sie futterte sie immer nur heimlich, wenn sie sich unbeobachtet wähnte.

Marianne füllte die Becher, stellte alles aufs Tablett und machte sich auf den Weg.

»Denkt daran, einen Schirm mitzunehmen, wenn ihr später zum Friedhof geht«, rief Pearl ihr nach. »Jetzt ist es noch schön, aber das Wetter soll umschlagen.«

»Danke.« Marianne drückte mit dem Ellbogen die Türklinke herunter.

Auch das gehörte jetzt zum Tagesablauf: Wenn Rita sich so weit gut fühlte, spazierten die beiden Frauen gemeinsam über die Klippen zum Friedhof. Marianne hatte immer eine Gartenschere dabei und pflegte das Grab, Rita saß unterdessen auf einer Decke. Sie sprachen nicht über Flo, verweilten einfach in der friedlichen Atmosphäre. Ringeltauben saßen paarweise in dem erblühenden Ahorn und gurrten leise, von fern hörte man das Rauschen der Wellen. Der Baum selbst wirkte wie eine Feier des Lebens mit seinen schwellenden hellgrünen Knospen, aus denen sich erste zartgoldene Blattspitzen in die Welt hinauswagten.

Als Marianne im Garten am Küchenfenster vorbeikam, sah sie, wie Tante Pearl verstohlen nach dem Lemon Melt griff, den Marianne auf dem zweiten Teller zurückgelassen hatte. Pearl war anzusehen, dass sie den Keks mit dem gleichen Genuss und auf die gleiche Art verspeiste wie Marianne.

Pearl schob sich den Keks in den Mund, ohne abzubeißen, und kaute dann auch nicht, sondern schloss die Augen und ließ sich die Köstlichkeit auf der Zunge zergehen. Danach leckte sie sich die Lippen.

Marianne lächelte in sich hinein. Rita und ihr würde es wohl gelingen, sich den letzten Keks gerecht zu teilen.

Sie wusste es sofort, als sie das Gewächshaus betrat.

Rita lag reglos in dem Liegestuhl und sah so friedlich aus, als schliefe sie nur. Auf ihrem Gesicht war noch eine Spur des Lächelns von vorher zu sehen, wie der Geist eines Lächelns.

Marianne stellte das Tablett auf den Boden und setzte sich wieder in den Liegestuhl neben Rita. Sie ergriff die Hand ihrer Mutter, die sich weich und noch warm anfühlte, und schloss die Augen. Durch die Glasscheiben hörten sich alle Geräusche von draußen gedämpft an. Donals heiseres Eselsgeschrei, Declans krächzendes Krähen, als wäre es früher Morgen und nicht Nachmittag.

Marianne fragte sich, ob ihre letzten Worte von Rita gehört worden waren.

»Ich bin auch froh.«

Marianne hoffte es.

Und sie war froh. Dass sie es ausgesprochen hatte.

Laut und vernehmlich.

37

Rita hatte strenge Anweisungen hinterlassen.

Es sollte nicht geweint werden.

Sondern gesungen und getanzt.

Schwarz zu tragen war untersagt. Farben, hatte sie in den Vorgaben für ihre Bestattung geschrieben. Jede Menge fröhlicher Farben.

Und so war es dann auch.

Die Bestattung sollte in Ancaire stattfinden, und zwar ohne Trauerreden. Und auf keinen Fall mit offenem Sarg. »Ich werde wohl nicht so glamourös aussehen«, hatte Rita die Entscheidung begründet.

In Ancaire war es kälter als sonst. Tante Pearl hatte darauf bestanden, alle Fenster aufzureißen, um gründlich zu lüften, bevor die Trauergäste eintrafen.

Und es war auch stiller. Trotz des Winds, der die Fensterläden zum Klappern brachte, wirkte das Haus reglos und stumm. Als horche es, um Ritas Absätze auf der Treppe zu hören. Oder wenigstens Patrick, der mit dem Hammer zugange war, um irgendwo etwas zu reparieren.

Aber Patrick hatte keinen Fuß mehr über die Schwelle gesetzt, seit Marianne ihm die Nachricht überbracht hatte. Den genauen Wortlaut wusste Marianne nicht mehr, wahrscheinlich hatte sie etwas falsch gemacht. Sich ungeschickt ausgedrückt. Sie kannte Patrick zu wenig, um ihn einschätzen zu können. Weil sie immer viel zu beschäftigt damit gewesen war, ihn abzulehnen.

Weil er der perfekte Sohn war.

Und Rita die perfekte Mutter für ihn.

Die Alles-wird-gut-Leute trafen zuerst ein. Sie kletterten aus Hughs Taxi und umringten Marianne.

Bartholomew hatte sein Paco Rabanne heute dezent aufgetragen. Ethel, mit violettem Wollkostüm und Pillbox-Hut, tupfte sich mit einem aufwendig bestickten Taschentuch die Augenwinkel.

»Mein liebes, tapferes Mädchen«, sagte sie und tätschelte Marianne den Arm. Sie legte ihre Hand auf Ethels schmale knochige und drückte sie sachte.

»Wenn du weinst, Ethel, dann kann ich es auch nicht lassen«, schniefte Bartholomew, der bereits sein Einstecktuch zückte. Er trug einen Anzug, der so grellpink leuchtete, dass Marianne blinzeln musste, dazu eine Fliege in Regenbogenfarben.

»Du siehst großartig aus«, sagte Marianne zu ihm.

»Ist das Outfit nicht etwas *de trop*?«, fragte er mit tränenerstickter Stimme.

»Rita hätte es geliebt«, antwortete Marianne und umarmte ihn.

Freddy, der noch hagerer und bleicher wirkte als sonst und ein *Les-Misérables*-T-Shirt unter einem dunkelblauen Cordsakko mit den üblichen Lederflicken am

Ellbogen trug, bestätigte nicht, dass Bartholomews Outfit ziemlich gewagt war, sondern sagte gar nichts.

Marianne rückte seine verrutschte Brille zurecht und lächelte ihn an. »Tag einhundertundzwölf«, sagte sie.

»Ach ja?«

»Ja. Rita wäre sehr stolz auf dich.«

»Du siehst jedenfalls nicht so schäbig wie sonst aus«, bemerkte Shirley und schälte sich aus ihrer Lederjacke, unter der ein überlanges gelboranges Batik-T-Shirt zum Vorschein kam, das sie mittels einer Krawatte um die Taille zum Kleid umgestaltet hatte. Marianne wartete, ob Shirley »Nicht böse gemeint« hinzufügen würde, aber das tat sie nicht.

Marianne hatte sich tatsächlich fein gemacht für den Anlass, sie musste schließlich Ritas Anweisungen befolgen.

Keine Freizeitkleidung.

Das betraf wohl hauptsächlich Marianne und die Jogginganzüge.

»Wie oft hast du es gewaschen?«, fragte Shirley und wies mit dem Kopf auf das Kleid, das sie Marianne am Vortag vorbeigebracht hatte. Sie selbst hätte sich niemals ein hellgelbes ärmelloses Seidenkleid mit tiefem Ausschnitt und eng anliegendem Oberteil gekauft. Der Rock war weit und wehte um ihre Beine, wenn sie herumwirbelte. Was sie bei diesem Anlass natürlich nicht tat, obwohl das vermutlich auch zu Ritas Wünschen für ihre Bestattung gepasst hätte.

»Zweimal«, gestand Marianne.

Shirley verdrehte die Augen. »Ich hab dir doch gesagt, dass die in dem Secondhandladen alles waschen, bevor es in den Verkauf kommt.«

»Ich weiß, aber …«

»Du schuldest mir einen Zehner.«

»Weiß ich auch.«

»Und es ist ja so scheiße. Dass Rita tot ist.« Shirleys Stimme klang brüchig, und sie kniff die Augen zusammen. Ihre Wimpern waren lang und dick mit Mascara verklebt, und sie sah in diesem Moment aus wie ein kleines Kind, das irgendwo verloren gegangen ist.

Kurz entschlossen boxte Marianne sie auf den Arm. Shirley weinen zu sehen wäre unerträglich gewesen.

»Autsch, das tat weh!« Shirley schlug die Augen auf und funkelte Marianne an.

»Tut mir leid, ich …«

»Ach, Quatsch.« Shirley grinste und boxte zurück.

Während die anderen schon ins Haus gingen, wartete Marianne an der Tür auf Hugh. Er hatte den Wagen hinter dem Haus geparkt und kam jetzt auf sie zu, flankiert von Harrison und Sheldon. Die beiden steckten in Lederjacken und dem Fußballtrikot der irischen Nationalmannschaft. Ihre Gesichter waren so rosig, als seien sie von Shirley gründlich abgeschrubbt worden.

Harrison kam zu Marianne geflitzt und schaute zu ihr auf. Seine blonde Irokesenfrisur schimmerte golden im Sonnenlicht. »Ich soll sagen ›Tut mir leid‹, hat Mama gesagt. Aber ich hab doch noch gar nichts angestellt«, erklärte er, sichtlich empört über diese Ungerechtigkeit.

Marianne ging vor dem Jungen in die Hocke. »Hast du deinen Fußball mitgebracht?«, fragte sie.

Sheldon kam die Treppe heraufgesprintet. »Ist im Auto«, sagte er. »Aber Mam hat gesagt, wir dürfen nicht …«

»Rita hat etwas für uns alle aufgeschrieben«, sagte Marianne. »Nach dem Mittagessen sollt ihr Fußball spielen.«

»Ätsch, bätsch, und ich bin nicht Torhüter«, schrie Harrison, schleuderte seine Fußballschuhe von den Füßen und rannte ins Haus. Sheldon verdrehte die Augen und folgte seinem Bruder.

Marianne sah den beiden nach, wie sie auf Socken durch die Eingangshalle schlitterten, und war froh über den lebhaften Tumult.

»Du siehst sehr hübsch aus«, sagte Hugh, als er zu Marianne trat. »Nicht deine übliche Uniform.«

»Auf Befehl von Rita«, erwiderte Marianne, die sich plötzlich befangen fühlte in dem seidigen Kleid. »Du siehst … auch gut aus«, fügte sie dann hinzu und nickte Hugh zu.

Über seinem Hemd trug er ein Jackett, die Krawatte war mit einem akkuraten Windsorknoten gebunden, der Kilt war heute lila-grün kariert. Ritas Lieblingsfarben. Das war natürlich kein Zufall, und Marianne wurde warm ums Herz, weil ihre Mutter solche Freunde gehabt hatte.

Sie streckte ihm zur Begrüßung die Hand hin, und Hugh ergriff sie und hielt sie mit solcher Zärtlichkeit, dass Marianne plötzlich alle Kraft verließ. Sie fühlte sich schlagartig erschöpft und fragte sich, wie es wohl sein mochte, wenn sie sich an ihn lehnen würde. Nur für einen kurzen Moment. Nur um sich danach gestärkt zu fühlen. Oder zumindest dazu fähig, diesen Tag irgendwie durchzustehen.

Sie hatte nicht die Absicht gehabt, das wirklich zu machen. Aber auf einmal passierte es. Sie beugte sich vor, lehnte mit der Stirn an Hughs Schulter. Das war ihr schrecklich peinlich, aber nicht peinlich genug, um damit aufzuhören. Hugh legte den Arm um sie, und sie stand ganz still, schloss die Augen und lehnte sich einfach nur an. Es war warm in seinem Arm, so schön warm, dass sie am liebsten eingeschlafen wäre. Heute roch Hugh nach Meerbrise, salzig und frisch, und sie spürte, wie ihre Muskeln sich ein wenig entspannten.

»Mein herzliches Beileid«, flüsterte er in ihr Haar.

Marianne nickte und murmelte: »Für dich auch.«

Dann löste sie sich langsam von ihm, trat einen Schritt zurück und strich sich eine Strähne hinters Ohr, die aus ihrem Haarknoten am Hinterkopf gerutscht war. In Hughs Hand entdeckte sie einen Strauß.

»Was ist das denn?« Sie beäugte die Gewächse. »Sind das … Disteln?«

»Ja«, antwortete Hugh grinsend. »Rita hat die geliebt. Stachlige Teile, aber bezaubernd, oder nicht?« Obwohl die Blüten ziemlich borstig wirkten, musste Marianne zugeben, dass sie eine gewisse Schönheit hatten.

»Wie kommst du zurecht?«, fragte Hugh.

Marianne zuckte die Achseln. »Konnte mich bisher einigermaßen ablenken, indem ich Sandwiches mache.«

»Meine Sandwiches mit Käse und Pickles sind sensationell«, verkündete Hugh.

Sie nahm ihn beim Wort und stattete Hugh in der Küche mit Holzbrett, Brot, Cheddar und einem Glas Pickles aus.

»Ich schaue Männern immer gern beim Ausführen niederer Tätigkeiten zu«, bemerkte Tante Pearl mit beifälligem Blick auf Hugh.

Pearl hatte sich an diesem Tag als erstaunlich hilfreich erwiesen. »Dass ich bisher nicht gekocht habe, heißt noch lange nicht, dass ich es nicht kann«, hatte sie erklärt, und nun rührte sie in einem riesigen Topf. »Suppe mit gebackenem Butternusskürbis. Das war Ritas Lieblingssuppe.«

Pearl hielt einen Moment lang inne und schloss die Augen. Vielleicht, weil sie die Vergangenheitsform ausgesprochen hatte, so erschreckend in ihrer Endgültigkeit. Dann fasste Pearl sich wieder, wies mit dem Kopf auf einen großen Laib Weißbrot, den sie gebacken hatte, und sagte zu Marianne: »Die Butter kommt nicht von selbst da drauf, weißt du.«

Nach und nach begann sich das Haus zu füllen, und Marianne konnte kaum glauben, wie viele Leute in den Salon passten, in dem laut Ritas Anweisungen die Feier stattfinden sollte. »Mit euren Göttern will ich nichts zu tun haben«, hatte sie dem Priester und dem Vikar immer mitgeteilt, wenn sie den beiden bei Festivitäten und Wohltätigkeitsveranstaltungen begegnet war. »Ich halte mich an Mutter Natur.«

Beide Männer hatten Rita dessen ungeachtet sehr gemocht und zählten jetzt zu den Trauergästen. Ganz unterschiedliche Menschen von überallher fanden sich ein, alle mit ihren eigenen Geschichten über Rita, die so vielen Leuten etwas bedeutet hatte.

Als niemand mehr in den Salon passte, öffnete Marianne die Flügeltüren zum Esszimmer, und auch das füllte sich rapide.

Dennoch nahm der Menschenstrom kein Ende, und Marianne war froh darüber, so kam sie nicht zum Nachdenken. Sie nahm Mäntel ab, kochte Tee, hörte sich Rita-Geschichten an, bestrich Brote, machte mehr Sandwiches und noch mehr Tee. In der Küche traf sie auf Shirley, die verkündete, sie wolle mit den Jungs zum Strand gehen, um sie von dem Sarg im Salon abzulenken. »Wollten ihn aufmachen«, berichtete Shirley, während sie die Jacken der beiden von den Haken in der Waschküche nahm. »Sheldon wollte Cupcakes reinlegen und Harrison ein Bild, das er in der Schule gemalt hat. Von der Hölle, und drunter steht ›Zutritt verboten‹.«

»Ich sterbe nie, oder, Mami?« Harrison kam schlitternd vor seiner Mutter zum Halten und streckte die Arme hoch, damit sie ihm die Jacke anziehen konnte.

»Nur wenn ich dich abmurkse«, antwortete Shirley und küsste ihn auf die Nasenspitze.

Als Mariannes Blick durchs Küchenfenster fiel, sah sie, dass Patrick auf einem Hocker vor der Werkstatt saß, so reglos, als sei er aus Holz geschnitzt.

»Kommst du hier einen Moment ohne mich zurecht?«, fragte sie Tante Pearl, die gerade die klebrigen Teller von der Zitronenbaisertorte abspülte.

»Ich komme hier ohne dich zurecht, solange ich denken kann«, lautete die Antwort.

Marianne schlüpfte in Ritas dicke alte Strickjacke, die an dem Haken hing, und ging durch die Hintertür in den Garten hinaus. Der Rasen war schlammig, weil es am Vortag heftig geregnet hatte, und sie musste aufpassen, nicht auszurutschen, als sie mit schnellen Schritten auf die Werkstatt zusteuerte, gefolgt von George, der sich wie üblich an ihre Fersen geheftet hatte. Donal und Gerard sahen ihnen neugierig nach.

»Patrick«, sagte Marianne etwas atemlos, als sie zu ihm trat. »Da bist du ja. Ich habe mich schon gefragt, wo du steckst. Und nicht nur ich, alle fragen nach dir. Und Agnes ist auch schon da.«

Er rührte sich nicht, sondern starrte nur ins Leere.

»Patrick?«

Seine Lippen waren bläulich, und er hatte Gänsehaut an den Armen, weil er nur Jeans und ein dünnes T-Shirt trug.

»Komm ins Haus, und trink einen Tee«, sagte Marianne. »Du siehst ganz durchgefroren aus.«

Patrick schüttelte den Kopf. »Mir ist nicht kalt.«

Marianne ging vor ihm in die Hocke, ergriff seine

Hände, die eiskalt waren, und rieb sie. »Doch, dir ist kalt. Du spürst es nur nicht, weil du unter Schock stehst.« Als er wieder den Kopf schüttelte, hörte Marianne, dass ihm vor Kälte die Zähne klapperten. »Wir gehen bald los zum Friedhof«, sagte sie sanft.

Patrick sprang so abrupt auf, dass der Hocker umkippte. »Ich gehe da nicht hin.« Seine Stimme klang rau, und Marianne fühlte sich vollkommen hilflos ohne Rita. Nur sie wusste mit Patrick umzugehen.

»Das musst du auch nicht«, erwiderte Marianne. »Ich dachte nur … es wäre vielleicht gut, weißt du? Man soll ja … Abschied nehmen, um loslassen zu können.« Sie konnte selbst kaum glauben, dass sie dieses Wort benutzt hatte, was so sehr zu Rita gehörte.

Wieder nur Kopfschütteln. Schließlich nahm Marianne Patrick behutsam am Arm und geleitete ihn in die Werkstatt und nach oben in seine Wohnung. Setzte ihn in einen Sessel, zog die Strickjacke aus und legte sie um seine Schultern. Machte Licht, stellte die Heizung höher, kochte Tee, während Patrick stumm und reglos dasaß. Doch als sie ihm den gefüllten Becher reichte, nahm er ihn in Empfang.

»Nimm ihn in beide Hände, um dich zu wärmen«, sagte sie. Patrick hielt den Becher so dicht vor sein Gesicht, dass ihm der Dampf in die Nase stieg, was Marianne ermutigend fand.

»Falls du es dir noch anders überlegst …«, begann sie.

»Werde ich nicht.«

Rita hatte immer gesagt, Patrick sei Mariannes Bruder, aber sie war viel zu wütend auf ihn gewesen, um sich mit ihm verbunden zu fühlen.

Und vielleicht war es deshalb jetzt zu spät dafür?

Als Marianne in die Küche zurückkam, fand sie dort Bartholomew vor, der gerade ein Sandwich verputzte. Er schien einen Moment abgewartet zu haben, in dem Tante Pearl sich nicht dort aufhielt, denn sie behauptete gern, Völlerei sei die abscheulichste der sieben Todsünden.

»Weißt du, wo Freddy ist?«, fragte Marianne.

Bartholomew deutete auf seine dicken Backen, und Marianne wartete ab, bis er gekaut und geschluckt hatte. »Hab ihn zuletzt im Salon gesehen, ist aber schon eine ganze Weile her. Hat mich kaum angeschaut, geschweige denn irgendeine bissige Bemerkung abgelassen. Ich mache mir Sorgen um ihn.« Bartholomew schnappte sich das nächste Sandwich und biss hinein.

»Ich auch, deshalb frage ich«, erwiderte Marianne und eilte hinaus. Ihr war wieder eingefallen, dass sie Freddy das letzte Mal wahrgenommen hatte, als er in einer Gruppe von Menschen stand, aber völlig abwesend wirkte. Als sei er damit beschäftigt, auf Stimmen in seinem Inneren zu hören.

Schließlich entdeckte Marianne ihn in Ritas Atelier, wo er an dem Panoramafenster auf dem Boden saß, in der Hand eine volle Flasche Whiskey. Neben ihm stand ein leerer Kristallschwenker. Als Marianne hereinkam, blickte Freddy auf und lächelte, als habe er sie erwartet.

Dann hob er die Flasche. »Es ist nun mal so«, sagte er. »Ich bin Alkoholiker.«

Marianne ging langsam auf ihn zu, setzte sich neben ihn und ergriff seine freie Hand.

Freddy schüttelte die Flasche, sodass die bernsteingelbe Flüssigkeit im Inneren umherwirbelte. »Ich habe versucht mir einzureden, dass ich nur heute trinken würde, weißt du? An diesem Tag würde das jeder verstehen, oder? Bei Bestattungen saufen doch alle.« Er atmete zittrig und sah Marianne an. »Aber dann ist mir klar geworden, dass ich morgen und übermorgen auch trinken würde und an allen weiteren Tagen. Ich würde nicht mehr aufhören können.«

»Es ist gut, dass du das weißt«, sagte Marianne. »Sehr gut.«

Freddy seufzte und lehnte sich an sie. »Ich bin Alkoholiker und schwul. Und jetzt ist auch noch Rita tot. Das ist so … schlimm.«

Marianne legte ihm den Arm um die Schultern.

»Es ist kaum auszuhalten«, murmelte Freddy an ihrem Arm. »Wie soll man das schaffen?«

»Ich weiß es auch nicht«, sagte Marianne. »Aber es wird irgendwann besser werden.«

Freddy hob den Kopf und lächelte sie an. »Du klingst gerade wie deine Mutter.«

»Also, es gibt sicher Schlimmeres, denke ich mal.«

Danach versanken sie in Schweigen. Es war kalt in dem unbeheizten Atelier, und Marianne war dankbar für Freddys Wärme neben sich.

Nach einer Weile sagte Freddy: »Mein Po fühlt sich taub an.«

Marianne rappelte sich hoch und streckte Freddy die Hand hin. Als sie beide standen, reichte er ihr die Whiskeyflasche, straffte sich und sagte: »Tag einhundertundzwölf.«

»Tag einhundertundzwölf«, bestätigte Marianne und wischte ihm Gipskrümel, die von der Decke gerieselt waren, vom Sakko.

Erst später auf dem Friedhof spürte Marianne, dass ihre Mutter tatsächlich nicht mehr da war. Der Verstand hatte diese Tatsache verarbeitet, aber sie war noch nicht in allen Teilen ihres Gehirns angekommen.

Auf dem Friedhof gab es keinen Zweifel mehr daran.

Als Marianne nicht mehr damit beschäftigt war, Mäntel abzunehmen, Tee zu kochen, Sandwiches zu machen, Geschichten anzuhören, und nur noch zusehen konnte, wie Ritas Sarg aus geflochtenen Weiden in das Grab gesenkt wurde, in dem schon William und Flo bestattet waren. In die feuchte, dunkle und aufklaffende Erde. Marianne dachte, dass sie es eines Tages, wenn wieder Gras auf dem Grab wuchs, vielleicht tröstlich finden würde zu wissen, dass die drei hier zusammen ruhten.

Aber nicht an diesem Tag.

Sie fröstelte in der feuchten Luft. Der Himmel hatte sich zugezogen, war bewölkt und düster. Freddy und Bartholomew, die Marianne flankierten, legten ihr einen Arm um die Schultern. Ethel und Shirley, die hinter ihr standen, ergriffen je eine ihrer kalten Hände. Sheldon und Harrison spielten unterdessen Fangen zwischen den Grabsteinen, und ausnahmsweise wurden sie nicht von ihrer Mutter angebellt. Die Aufgabe, die beiden zurechtzuweisen, übernahm Tante Pearl, die Kinder generell nicht leiden konnte, ganz besonders aber diese beiden. Als sie wütend zischte, blieben die Jungs sofort wie angewurzelt stehen.

Patrick war nirgendwo zu sehen.

Danach das Kondolieren mit Händedruck. Marianne war kein Fan davon. Diese ganzen Bazillen.

»Du musst das aber machen«, sagte Tante Pearl. »Die Leute wollen Rita die letzte Ehre erweisen.« Sie zog schwarze Lederhandschuhe an. »Ich assistiere dir.«

Marianne ließ es gehorsam über sich ergehen. Jedes Mal, wenn sie nach hinten schaute, schien die Schlange länger, statt kürzer geworden zu sein. Denn die Menschen wollten nicht nur kondolieren, sondern über Rita sprechen.

»Hallo, Marianne«, hörte sie plötzlich. Als sie zum Tor schaute, stand dort Brian, die Hände in den Taschen eines schwarzen Mantels vergraben, der zwei Nummern zu groß zu sein schien.

»Kommst du zwei Minuten alleine zurecht?«, fragte Marianne Pearl.

Sie warf Brian einen finsteren Blick zu und nickte grimmig. »Aber wirklich nur zwei Minuten.«

Brian sah bleich und erschöpft aus, unter seinen Augen lagen dunkle Schatten. Einen Moment lang standen die beiden schweigend voreinander. Dann traf Marianne eine Entscheidung. Sie umarmte Brian. Er fühlte sich sonderbar schmal und mager an – war er schon immer so gewesen? Es erschien ihr, als könne sie ihn sich auf die Schulter laden und mühelos davontragen, ohne auch nur ins Schwitzen zu geraten.

»Mein herzliches Beileid, Marianne.«

»Nett von dir, dass du gekommen bist.«

»War sie lange krank?«

»Am Ende ging es dann schnell.«

Diese Sätze hatte sie bereits so oft gesagt. Sollte ihnen beiden nicht etwas anderes einfallen?

»Du siehst … ist alles okay bei dir?«, fragte sie.

Brian schüttelte den Kopf und rieb sich die unrasierte Wange. »Doch, schon, aber … ich kriege in letzter Zeit kaum noch Schlaf. Die Babys haben Koliken.«

»Koliken?«, wiederholte Marianne, als hätte sie das Wort noch nie gehört.

»Reden wir nicht darüber, ich kann's nicht mehr hören, wirklich. Koliken und Windelausschlag und Milchschorf und Blähungen und die Varianten von Stuhlgang, ich … entschuldige, Marianne, ist einfach die Müdigkeit, ich bin völlig durch den Wind. Wusstest du, dass Schlafentzug eine der wirksamsten Foltermethoden ist? Ich würde sogar behaupten wollen, es gibt keine effektivere. Ich meine, die Zwillinge sind toll, versteh mich nicht falsch, aber manchmal bin ich mir nicht sicher, ob ich nicht einen von beiden weggeben würde, um mal wieder acht Stunden durchschlafen zu können. Nein, ist natürlich ein Witz. Also, kein Witz, das ist nicht der richtige Ort und Zeitpunkt für Witze, das weiß ich. Ein Begräbnis. Das Begräbnis deiner Mutter. Mein herzliches Beileid, Marianne. Hatte ich das schon gesagt? Dann entschuldige bitte. Also … sag du einfach was. Erzähl mir, wie's dir geht. Wie geht's dir? Wie kommst du klar?«

Noch nie zuvor hatte Marianne Brian so viel am Stück sprechen hören. Er schien nicht mehr aufhören zu können, redete pausenlos und ohne Betonung. Seine Augen wirkten glasig und starr, wie die Augen eines Toten. Und sein Atem roch schlecht.

Marianne trat einen Schritt zurück, und plötzlich sah Brian sie forschend an. Sie konnte sich nicht erinnern, dass er sie jemals so genau gemustert hatte.

»Du siehst großartig aus«, sagte er dann und beäugte sie weiterhin. »Deine … Haare. Und dein Gesicht. Du leuchtest irgendwie. Bist du etwa schwanger?«

»Brian!«

»Entschuldige, entschuldige, ich mache zurzeit alles falsch. Mein Chef hat mich gestern in sein Büro zitiert, weil ich auf dem Platz vom Oberboss geparkt hatte, kannst du dir das vorstellen?«

Marianne schüttelte den Kopf. Brian kniff die Augen zusammen, und als er sie wieder öffnete, waren sie gerötet, und Marianne fürchtete, dass er womöglich in Tränen ausbrechen würde. Was bei ihm bestimmt genauso schauderhaft aussehen würde wie bei ihr.

»Mir fehlt unser altes Leben, Marianne«, flüsterte er.

»Brian, ich glaube nicht, dass …«

»Wir hatten so ein ruhiges, entspanntes, geordnetes Leben, nicht wahr?«

Einen Moment lang gestattete sich Marianne die Erinnerung. Ihr Haus. Die weiße Leinencouch, ein Dreisitzer, damit zwischen ihnen in der Mitte Platz war für Bücher, Papiere und die Fernbedienung. Freitagabend Take-away vom Thai und ein Naturfilm. Spaziergänge am Hafen von Howth. Die Schlafanzüge ordentlich gefaltet unter den Kopfkissen. Immer warmes Wasser in der Dusche.

»Der Verkauf von unserem Haus ist nicht zustande gekommen«, sagte Brian jetzt, »hast du davon erfahren? Es ist wieder auf dem Markt. Wenn du Ancaire loswirst, könntest du dir das Haus zurückkaufen. Ich weiß doch, wie sehr du es geliebt hast.«

Mariannes Herz tat einen heftigen Sprung in ihrer Brust, und sie musste tief einatmen. Ihr Haus in der Carling Road. Sie hatte sich so sehr bemüht, nicht mehr daran zu denken. »Du solltest weiterziehen«, hatte Rita zu ihr gesagt. »Es wird Zeit.« Hatte sie das damit gemeint? Dass Marianne Ancaire loswerden und ihr altes Haus zurückkaufen sollte?

Ihr Zuhause.

»Marianne?«, hörte sie jetzt Hugh hinter sich und drehte sich zu ihm um. »Ich soll dir von Pearl ausrichten, dass sie beabsichtigt, dich an den Haaren hinter sich herzuzerren, wenn du nicht sofort wieder zu ihr kommst.«

»Ach so, ja. Gleich.« Ein kurzes Schweigen trat ein, dann streckte Hugh die Hand aus. »Hugh McLeod«, sagte er mit seiner kraftvollen Stimme so laut, dass man es auf dem gesamten Friedhof hören konnte.

»Geht auch leiser«, rief Shirley herüber, und Hugh grinste breit und schüttelte Brian die Hand. Marianne fürchtete beinahe, er würde dabei kollabieren, weil er regelrecht durchgerüttelt wurde. Als Hugh ihn losließ, sagte Brian schwer atmend: »Sie sind ja ein richtiges Kraftpaket.«

»Und wer sind Sie?«, fragte Hugh, der sich sichtlich das Lachen verkneifen musste.

»Das ist Brian«, warf Marianne ein.

»Wir waren ein Paar«, sagte Brian, »bis ich alles kaputtgemacht habe.« Er ließ den Kopf hängen und strich sich durch die Haare, die bereits schütter wurden, wie Marianne in diesem Moment bemerkte.

Hugh sah Marianne groß an, und sie legte ihrem Ex-Mann die Hand auf den Arm. »Mach's gut, Brian.«

Er hob hilflos die Hand zum Abschied, und Marianne kehrte zu Pearl zurück, um das Händeschütteln und die Bazillenvermehrung fortzusetzen.

Als sie ihre Position wieder einnahm – »Danke, dass du gekommen bist. Ja, Rita hätte dein Kleid fantastisch gefunden. Nein, bitte nur Spenden an die Obdachlosenhilfe, das ist Ritas Wunsch« –, sah Marianne, wie Hugh gemeinsam mit Brian den Friedhof verließ und die beiden Richtung Parkplatz steuerten.

38

In der nächsten Woche war niemand in Form für die Protestaktion bei Shirley. Nach Ritas plötzlichem Tod, der Hektik bei den Vorbereitungen zu ihrer Beisetzung und der Bestattung verfielen alle in eine Art Lethargie. Sogar Ancaire schien Stagnation und Mattigkeit auszustrahlen. Das Wetter, das tatsächlich umgeschlagen war, trug auch zum allgemeinen Trübsinn bei. Es war kalt und regnerisch, und ein Wind von der gemeinsten Sorte fegte ums Haus. Er toste und wütete derartig, und die Regenschwaden prasselten so laut an die Fenster, dass man die Stimme erheben musste, um gehört zu werden.

Überdies machte Marianne sich furchtbare Sorgen um Patrick, den sie nach der Beerdigung kaum zu Gesicht bekommen hatte. Als sie ihn einmal einen ganzen Tag lang nicht sah, rief sie in ihrer Verzweiflung Agnes an.

»Hallo?« Agnes sprach so leise, dass sie kaum zu verstehen war.

»Ich … suche Patrick«, stotterte Marianne.

»Bei mir ist er nicht.«

»Weißt du, wo er sich aufhält?«

»Nein.«

Sie fragte mit keinem Wort, wer da überhaupt dran war und weshalb die Person sich nach Patrick erkundigte.

»Agnes ist so seltsam«, beklagte sich Marianne nach diesem Erlebnis bei Tante Pearl.

Doch die war auch nicht sie selbst. »Agnes ist eben schüchtern«, sagte Pearl nur, anstatt die hervorragende Gelegenheit zu nutzen, nach Herzenslust bissig über die junge Frau herzuziehen. Marianne war regelrecht verstört. Wenn Pearl schon einsilbig und sanftmütig wurde, dann war die Lage wirklich hundsmiserabel.

Das Einzige, was Marianne Halt gab, war das übliche Einerlei mit der Alles-wird-gut-Truppe, und daran hielt sie eisern fest. Sie holte alle zur üblichen Zeit ab und chauffierte sie nach Ancaire. Allerdings musste sie sich dabei viel Jammern und Klagen anhören.

»Wozu denn? Das ist doch jetzt alles überflüssig«, stöhnte Bartholomew.

»Aber du musst in Form bleiben, du fängst nächste Woche mit deinem Job an«, widersprach Marianne.

»Ich sehe aber auch keinen Sinn darin«, pflichtete Freddy Bartholomew bei.

»Weil auch keiner da ist«, meldete sich Shirley zu Wort.

Sogar Ethel sagte entschuldigend: »Ich muss ebenfalls gestehen, dass ich meine Zweifel habe, ob wir weitermachen sollen.«

Als der Jeep wieder an einer Kreuzung stehen blieb, wartete Marianne darauf, dass der Fahrer hinter ihr ein

Hupkonzert veranstaltete. Was er jedoch nicht tat. Er saß einfach da und wartete, während Marianne den Wagen zu starten versuchte. Einmal kurz aufs Gaspedal treten, dann zweimal lang. Der Motor stotterte, keuchte, sprang an. Sie fuhr los, der Wagen hinter ihr folgte so langsam wie bei einer Trauerprozession. Wenn der Mann sich aus dem Fenster gelehnt und gemurmelt hätte: »Ich sehe keinen Sinn darin«, hätte das Marianne auch nicht gewundert.

In Ancaire begann sie mit dem üblichen Ritual, allen ihren Spezialtee zuzubereiten. Darüber musste sie nicht mehr nachdenken, dieser Vorgang war ihr längst in Fleisch und Blut übergegangen. Nachdem sie alle Teebeutel in die entsprechenden Tassen und Becher verteilt hatte, zerschnitt Marianne das Shortbread, das sie gebacken hatte. Als erster Backversuch war Shortbread wohl am einfachsten, hatte sie sich gesagt.

Aber es war ziemlich trocken geraten und zerbrach beim Schneiden, sodass die einzelnen Stücke bizarr geformt und unterschiedlich groß waren.

Als Bartholomew und Freddy aber deshalb keine Streiterei anfingen, begann auch Marianne zu verzagen.

Nachdem sie das Teegeschirr abgeräumt hatte und aus der Küche zurückkam, verkündete Marianne schließlich mit erzwungener Munterkeit: »Wir sollten über die Protestaktion morgen reden.«

»Ist schon alles geklärt«, verkündete Shirley.

»Ach ja?«, sagte Marianne erstaunt und erleichtert zugleich.

»Ja, hab schon unsere ganzen Sachen eingepackt. Drei Koffer. Einer für mich, einer für die Jungs, und einer für das ganze *Star-Wars*-Zeug. Die beiden haben haufenweise Lichtschwerter. Wenn wir mal vom Imperium angegriffen werden, kann uns jedenfalls nichts passieren.«

»Aber wo wollt ihr denn hin?«, fragte Ethel ängstlich, ohne auf Shirleys Mangel an Kampfgeist einzugehen.

Sie zuckte mit den Schultern. »Hab meine Mutter gefragt, ob wir eine Weile bei ihr unterkommen können.«

»Rita hatte gesagt, dass ihr hier in Ancaire wohnen könnt«, warf Marianne ein.

»Aber Ancaire gehört jetzt dir, und du willst es doch verkaufen, oder nicht?«, wandte Shirley ein.

Alle sahen Marianne an, und ihr wurde unbehaglich unter den forschenden Blicken.

»Für das Land zahlen Grundstücksentwickler auf jeden Fall einen hübschen Batzen«, verkündete Bartholomew eifrig.

»Alles Gute endet irgendwann«, sagte Ethel, sichtlich um Tapferkeit bemüht.

»Willst du Ancaire denn überhaupt verkaufen?«, fragte Freddy behutsam.

Marianne schüttelte den Kopf. »Ich … weiß es nicht. Hatte wirklich noch nicht viel Zeit, darüber nachzudenken.«

Alle nickten verständnisvoll.

»Jedenfalls«, fuhr sie fort, »finde ich, dass wir den Kampf um Shirleys Wohnung jetzt nicht einfach aufgeben dürfen. Erstens haben wir schon so viel dafür gearbeitet. Und zweitens: Was glaubt ihr, was Rita uns dann erzählen würde!«

Da das allen auf Anhieb einleuchtete, begannen sie, den Stand der Dinge und die nächsten Schritte zu erörtern.

»Ich habe E-Mails an alle geschickt, die damals die Petition unterschrieben haben«, erklärte Freddy stolz.

»Hat jemand geantwortet?«, fragte Bartholomew.

»Ähm … nee, niemand«, musste Freddy zugeben.

Shirley berichtete, dass der Besitzer von ihrem chinesischen Imbiss dabei sein wollte. Er hatte wohl zu ihr gesagt: »Wer soll denn meine Hühnerbällchen und Currycracker essen, wenn du wegziehst?«

Die Leute von Bartholomews Theatergruppe hatten auch zugesagt. »Aber Schauspieler sind ja nicht so zuverlässig«, bemerkte Bartholomew zweifelnd.

»Hugh hat morgen seinen Termin zum Haareschneiden im Seniorenheim in Lusk«, sagte Ethel. »Er möchte gern dabei sein, aber ihr wisst ja, wie das dort zugeht …« Die anderen nickten ernsthaft. Hugh war bei seinem Friseureinsatz in den Heimen immer im Stress und musste jede Menge lila Tönung auftragen, manchmal bis spät in den Abend hinein.

Marianne empfand eine Mischung aus Enttäuschung und Erleichterung. Wenn Hugh nicht dabei war, würde sie dieses mulmige Gefühl in der Magengrube nicht ertragen müssen, das extrem unangenehm war und gegen das auch keine Arznei helfen würde.

Andererseits wäre Hugh bei der Aktion auf jeden Fall nützlich. Der Mann war ein Hingucker, und dann diese Stimme. Mit dem Volumen konnte er einen ganzen Sprechchor alleine übernehmen.

»Vergiss Patrick nicht. Er wird ganz bestimmt dabei sein«, verkündete Freddy jetzt im Brustton der Überzeugung.

Marianne war nicht so sicher wie er, aber angesichts der allgemeinen trübsinnigen Stimmung war Freddys Bemerkung die reinste Kraftspritze.

Am Abend blieb ihr nur George als Gesellschaft, der ihr unbeirrt treu durchs Haus folgte. Die Küche war unerträglich leer und still ohne Ritas geschäftiges Treiben, das Klappern ihrer Absätze, das Blubbern und Brodeln ihrer Kreationen auf dem Herd. Marianne hörte im Geiste ihre Stimme: »Probier mal das, Marnie. Ich habe diesmal Basilikum statt Rosmarin genommen, wird dir bestimmt schmecken.«

In der letzten Zeit hatte sie immer alles gekostet, was Rita ihr auf dem Kochlöffel vor den Mund hielt.

Jetzt war im Haus nur noch das Ticken der alten Standuhr zu hören, das Knarren von Tante Pearls Bett, die keinen Schlaf zu finden schien, und der ewige Wind mit seinem klagenden Heulen.

Sie hatte die Freiheit, von hier wegzugehen, sagte sich Marianne.

Die Freiheit, Ancaire abzustoßen und sich ihr einstiges Zuhause in der Carling Road zurückzukaufen.

Aber was sollte dann aus Tante Pearl werden? Sie

hatte Ersparnisse, und wenn nach dem Hauskauf noch Geld übrig war, würde Marianne sie vielleicht unterstützen können. Pearl würde sich in Skerries eine Wohnung mieten oder vielleicht sogar erwerben können.

Doch Marianne konnte sich nicht vorstellen, dass Tante Pearl bereit sein würde, Geld anzunehmen, das würde sie vermutlich als »Almosen« betrachten.

Und dass sie an einem anderen Ort als Ancaire leben würde, war erst recht unvorstellbar.

Das nächste Problem war Patrick. Aber er hatte sein Haus und seine Werkstatt und würde vielleicht sogar froh sein, wenn Ancaire verkauft wurde. Seit Ritas Tod schien er den Fuß ja nicht mehr über die Schwelle setzen zu wollen.

Marianne seufzte tief. In ihrem früheren Leben hatte sie sich nie um andere Menschen Sorgen machen müssen.

Kurz entschlossen rief sie die Seite des Immobilienmaklers im Internet auf und sah sich die Fotos des Hauses an. Es wurde möbliert angeboten, und alles sah noch genauso aus, wie sie es verlassen hatte. Als warte es nur auf ihre Rückkehr.

Sie klickte durch die einzelnen Zimmer, die einheitlich cremefarben gestrichen waren, und zoomte auf die Jalousien. Marianne hatte sie immer genau so geöffnet, dass die Möbel vor Sonnenlicht geschützt waren und niemand von draußen in die Räume schauen konnte. Jetzt waren die Jalousien weit offen, und das grelle Licht erzeugte eine unbehagliche Atmosphäre. Als würde das Haus von niemandem mehr geliebt werden.

Marianne schauderte. Sie sehnte sich danach, die Jalousien so zu justieren, dass die Zimmer wieder genauso aussahen wie früher. Als sie in ihrem Haus gelebt hatte, wo sie sich nie hatte Sorgen machen müssen um andere Menschen. Dort hatte auch nie der Wind geheult und an Fensterläden gerüttelt. An den langen Abenden nach der Trennung hatte sie immer nur die Geräusche ihres eigenen Körpers gehört. Das war sehr beruhigend gewesen.

So lange hatte das Haus ihr Schutz und Geborgenheit gegeben.

Vielleicht würde es wieder so sein können.

39

Marianne hielt das Schild mit der Aufschrift *Wohnen ist Menschenrecht* hoch über den Kopf, wie Bartholomew es ihr bei der ersten Protestaktion gezeigt hatte.

Die Reihe der Demonstranten bestand aus Ethel, Bartholomew, Freddy, Shirley und nicht zu vergessen George, der sich an Mariannes Waden lehnte. Sie stand in der Mitte.

»Power To The People«, schmetterte Marianne. Eine Elster, die gerade im Vorgarten eine Chipstüte zerlegte, krächzte empört und fixierte Marianne mit kaltem Blick.

Marianne versuchte, den Vogel zu übersehen. Eine einsame Elster bringt Unglück, hieß es.

»Müssen wir das wieder singen?«, erkundigte sich Freddy.

Marianne sang unbeirrt noch lauter weiter.

»Ich bin heiser«, erklärte Bartholomew und legte sich die Hand an die Kehle.

»Meine Arme tun weh«, klagte Ethel und ließ ihr Schild sinken. »Und meine Beine.« Sie hatte vergessen, ihr Klappstühlchen mitzubringen.

»Power To The People, now now now!« Marianne brüllte jetzt beinahe.

»Ist doch alles sinnlos.« Shirley legte ihr Protestschild auf den Boden und setzte sich darauf.

Jetzt verstummte auch Marianne und ließ die Arme sinken. Es ließ sich nicht leugnen, dass die Lage anscheinend hoffnungslos war. Ritas Abwesenheit erwies sich als unüberwindbares Hindernis. Ohne Rita waren sie ein verlorenes Häufchen, es fehlte ihnen an Schwung, Energie und Überzeugung.

Niemand von den Medien war gekommen, niemand aus der Politik, nicht einmal der unbedeutendste Stadtrat. Keine Blogger, keine Theaterleute und auch nicht der Mann vom chinesischen Imbiss.

Patrick blieb ebenfalls unauffindbar. Marianne hatte ihn weder auf dem Handy noch am Festnetz erreicht. Sie hatte bis zuletzt die Hoffnung nicht aufgegeben, aber er schien komplett untergetaucht zu sein.

Selten winkten ihnen Passanten zu, ab und an hupte mal jemand.

Um zwei wurde der Vermieter erwartet.

Zur Übergabe der Schlüssel.

Bartholomews Magen knurrte vernehmlich.

»Sollen wir was essen?«, fragte Marianne. Aber der Lunch würde die Laune wohl auch nicht aufbessern, weil Marianne keine Zeit für ein liebevoll zubereitetes Picknick à la Rita gehabt hatte. Heute gab es lediglich Käse-Sandwiches, Äpfel und eine Packung Haferkekse. Was alle noch mehr daran erinnern würde, was fehlte.

Wer hier fehlte.

Dennoch ließen sich alle auf der Picknickdecke nieder und verspeisten den dürftigen Imbiss, um in der aussichtslosen Lage nicht auch noch einen leeren Magen zu haben.

Und aussichtslos war die Lage wohl, gestand Marianne sich ein. Sie warf einen Blick auf ihre Uhr. Zehn vor zwei.

Dann musterte sie ihre verzagten Kampfgenossen. Selbst wenn sie es schaffen würden, sich wieder mit ihren Schildern aufzustellen – was sollte das noch bringen?

War es nicht vernünftiger, das Handtuch zu werfen? Sich einzugestehen, dass man verloren hatte? Die ganze Aktion zu beenden?

Marianne warf den letzten Happen ihres Sandwichs der Elster hin, die noch immer durch den Vorgarten stolzierte. Der Vogel schnappte sich den Happen und flog davon.

»Wenn eine Elster fliegt, ist sie so gut wie zwei«, bemerkte Ethel geistesabwesend.

»Stimmt das? Dann bringt sie kein Unglück mehr?«

Ethel schüttelte lächelnd den Kopf. »Nein, Liebes, dann bringen sie Glück.«

»Das ist ein Zeichen!« Marianne sprang auf und rannte zum Jeep, um ihr Handy zu holen. Sie rief erneut bei Patrick an, hinterließ dieses Mal aber eine Nachricht.

»Hallo, Patrick, hier ist Marianne. Es ist furchtbar wichtig! Ich brauche unbedingt deine Fahrradkette!

Komm bitte damit sofort zu Shirleys Haus. Es ist dringend! Beeil dich! Danke!«

Sie feuerte das Handy in ihre Tasche zurück, knallte die Tür zu und lief zu den anderen zurück.

»Alles okay mit dir, Marianne?«, fragte Bartholomew besorgt, als sie sich vor allen postierte und tief Luft holte.

»Hast du dein Handy mit der tollen Kamera dabei?«, fragte Marianne.

»Ja«, antwortete Bartholomew verwundert. »Warum? Du willst doch nicht etwa …«

»Fang bitte sofort zu filmen an.« Marianne bückte sich, zog Sneakers und Socken aus und schleuderte sie durch den Vorgarten. Der Boden unter ihren Füßen fühlte sich kalt und matschig an. Dann richtete sie sich auf und zog ihre Jogginghose herunter.

»Das machst du nicht wirklich!«, rief Freddy entsetzt.

»Du wirst dir den Tod holen, Liebes!«, jammerte Ethel, während Marianne die Hose über ihrem Kopf kreisen ließ und dann Richtung Haus warf, wo sie an dem zersplitterten Vordach über der Haustür hängen blieb.

Danach wurden Anorak, Fleecejacke und Brians verwaschenes altes T-Shirt mit dem Zauberwürfel vorne drauf in die Luft geworfen.

»Ist sonst eigentlich eine ganz anständige Wohngegend hier«, bemerkte Shirley grinsend.

Schließlich stand Marianne in weißem BH und schwarzem Slip im Vorgarten. Und schämte sich etwas, dass sie nicht daran gedacht hatte, eine farblich passende Kombi anzuziehen.

Aber letztlich spielte das keine Rolle, weil sie die Absicht hatte, sich auch noch der Unterwäsche zu entledigen.

Wollte sie das wirklich tun?

Traute sie sich das zu?

Sie kniff die Augen fest zusammen, riss sie aber sofort wieder auf, weil ihr jemand auf die Schulter tippte.

»Entschuldigen Sie?« Der Postbote überreichte ihr einen Umschlag und schaute zur Haustür. »Nummer drei ist doch hier, oder?«

»Ähm, ja.« Marianne legte einen Arm vor die Brust. »Danke.«

Der Postbote radelte davon.

Die anderen applaudierten, als Marianne Shirley den Umschlag zuwarf und sich mit ihrem BH-Verschluss abmühte.

»Soll ich dir helfen, Marianne?«, fragte Freddy und trat tapfer vor. »Ich habe viel Erfahrung mit so was.«

»Haha, wer's glaubt«, kreischte Bartholomew.

»Ich meine beruflich«, erwiderte Freddy beleidigt. »Kostümverleih, hast du das vergessen?« Er schüttelte den Kopf. »Ansonsten habe ich nie … eine Frau aus … romantischen Gründen entkleidet, da ich … ein schwuler Mann bin.« Freddy selbst schien ebenso verblüfft über diese Offenbarung zu sein wie alle anderen. Er holte tief Luft und wiederholte, diesmal noch lauter: »Genau. Ich bin ein schwuler Mann. Und der Vollständigkeit halber füge ich noch hinzu: Ich bin ein schwuler Alkoholiker.«

»Mein lieber Junge«, sagte Bartholomew staunend. »Größte Hochachtung für deinen Mut und deine Ehrlichkeit.«

Alle bis auf Marianne drängten sich um Freddy, um ihn zu umarmen und zu küssen.

»Wir sind so stolz auf dich, lieber Freddy«, sagte Ethel strahlend.

Shirley boxte ihn auf den Arm. »Du wirst ein super Schwuler sein, Freddy. Nicht böse gemeint.«

»Weiß ich doch«, erwiderte Freddy glücklich lächelnd.

»Ey, hallo?«, rief Marianne. »Habt ihr mich vergessen? Ich bin übrigens nackt.«

Alle starrten zu ihr hinüber. Mit zwei Luftballons, die Harrison und Sheldon an der Haustür befestigt hatten, und ihrem Protestschild versuchte Marianne zu verdecken, was ging, jedoch mit wenig Erfolg.

»Den BH bist du auch losgeworden«, konstatierte Bartholomew. »Starke Leistung.«

»Ich bin auf jeden Fall schwul«, erklärte Freddy, während er Mariannes Brüste betrachtete. »Ich empfinde nicht das Geringste.«

»Du verstehst es, einer Frau Komplimente zu machen«, bemerkte Marianne trocken.

»Und was ist mit deiner Mütze?«, fragte Shirley.

Marianne grinste, zog sie ab und ließ sie durch den Garten segeln. Sie landete auf dem Dach des Jeeps.

Jetzt hatte Marianne nackte Tatsachen geschaffen. Und es war zu spät, um etwas zu bereuen oder sich zu schämen.

Viel zu spät.

Sie marschierte zum Haus, hielt dabei das Schild hinter sich, um ihr Gesäß vor Blicken zu verbergen. Die anderen folgten ihr im Gänsemarsch, Bartholomew mit dem Handy im Anschlag.

»Stellt euch in einer Reihe vor die Haustür«, rief sie ihnen über die Schulter zu.

»Im Kinderzimmer ist ein Klappfenster«, sagte Shirley. »Durch das kommst du aufs Dach.«

»Du machst das super!«, rief Bartholomew. »Und die Kamera liebt dich, Schätzchen!«

Im Zimmer der Jungs kletterte Marianne auf einen Stuhl und band sich die Schnüre der Ballons um die Handgelenke. Dann öffnete sie das Oberlicht und hangelte sich keuchend aufs Dach.

Es war schräger, als sie erwartet hatte, und das Haus kam ihr plötzlich sehr hoch vor, fünfzehn Meter vielleicht. Bei einer Endgeschwindigkeit von zirka zweihundert Stundenkilometern würde sie … Marianne errechnete das Ergebnis sehr schnell – nicht so schnell allerdings, wie sie am Boden landen würde, wenn sie ausrutschen sollte. Und diese mathematische Übung bekam ihr auch gar nicht gut.

Unten bellte George wie verrückt und stellte sich auf die Hinterbeine, als könne er Marianne so erreichen. Die anderen, die besorgt zu ihr aufschauten und

Warnungen und Ermutigungen schrien, sahen ziemlich winzig aus.

Und der Schornstein schien sehr weit entfernt zu sein.

»Du schaffst es, Marianne!«, schrie Ethel, die Hände zum Sprachrohr geformt.

Marianne klemmte sich das Schild zwischen die Zähne und kraxelte auf allen vieren nach oben zum Dachfirst. Als sie ihn erreicht hatte, klammerte sie sich daran fest und hielt einen Moment inne. Dann zog sie sich hoch und hockte sich rittlings auf den First.

Das fühlte sich außerordentlich unangenehm an.

Sie begann, sich mit Händen und Füßen langsam vorwärtszuschieben, und war unendlich erleichtert, als sie den Schornstein erreichte. Aufseufzend umschlang sie ihn, schloss die Augen und konzentrierte sich auf ihren Atem.

Von unten waren jetzt Gesänge zu vernehmen.

Power To The People.

Die Alles-wird-gut-Leute sangen aus vollem Hals, alle gemeinsam. Ihre Stimmen klangen stark und laut, und Marianne spürte, wie viel Kraft es ihr gab, sie zu hören. Sie hätte am liebsten gejubelt, hatte aber das Gefühl, dafür zu atemlos zu sein. Aber es gelang ihr immerhin, die Augen wieder zu öffnen, wenn auch nicht aufzustehen.

Der Vermieter traf um Punkt zwei Uhr ein, in einem schwarzen Range Rover mit getönten Fenstern. Als der Mann ausstieg, wirkte er bereits etwas alarmiert. Er war jünger, als Marianne erwartet hatte, wohl in den Dreißigern, trug einen engen schwarzen Anzug und hielt einen Aktenkoffer in der Hand. Jetzt gingen die Hintertüren des Range Rover auf und zwei wuchtige breitschultrige Männer stiegen aus, beide in schwarzem Anzug und weißem Hemd.

Der Vermieter hatte eine Schlägertruppe mitgebracht.

Marianne nahm ihren ganzen Mut zusammen und richtete sich auf. Mit einer Hand stützte sie sich am Schornstein ab, mit der anderen hielt sie das Schild hoch. Die Luftballons konnten in dieser Haltung auch nichts mehr verdecken.

»Power to the People«, begann Marianne zu schmettern, und die anderen, die zwischenzeitlich verstummt waren, stimmten kraftvoll ein.

»Was ist hier los?«, rief der Vermieter und marschierte aufs Haus zu, gefolgt von den Schlägertypen.

»Das sieht man doch wohl, Sie herzloser Mensch!«, rief Ethel empört, als er vor ihnen stand.

»Ich will hier keinen Ärger«, sagte der Vermieter und wich einen Schritt zurück.

»Wenn Sie mich und meine Kinder hier wohnen lassen, kriegen Sie auch keinen Ärger«, verkündete Shirley.

»Das Haus gehört mir«, entgegnete der Mann. »Ich kann damit machen, was ich will.«

»Diese Zwangsräumung ist gesetzwidrig, und das wissen Sie«, sagte Bartholomew, während er den Vermieter filmte. »Sie haben sich geweigert, Shirley einen korrekten Vertrag zu geben, Sie haben mehrmals ohne vorherige Benachrichtigung die Miete erhöht, und Sie haben keinen Eigenbedarf angemeldet. Wir haben das alles überprüft, Sie brauchen also gar nichts zu leugnen.«

»Hören Sie auf, mich zu filmen!«, schrie der Vermieter und versuchte, an das Handy zu kommen. Aber Bartholomew wich geschickt aus und sagte: »Ach, und übrigens: Die Tapete im Wohnzimmer ist ein geschmacklicher Affront. Die Farbe beißt sich ganz entsetzlich mit dem widerwärtigen giftgrünen Teppichboden.«

George sprang unterdessen knurrend um die beiden Schläger herum und tat, als wolle er sie in die Waden beißen, was er natürlich niemals machen würde. Das wussten die beiden Typen aber nicht, die zunehmend nervöser herumzappelten, um George auszuweichen. Das ganze Schauspiel war ziemlich amüsant anzuschauen, fand Marianne von ihrem Aussichtspunkt.

Ein Wagen hielt vor dem Gartentor. Heraus kam Tante Pearl, die fuchsteufelswild und in Rage zu sein schien. Marianne hoffte inständig, dass ihr unbekleideter Zustand nichts damit zu tun hatte.

Dann stieg Patrick aus, in den Händen sein Fahrradschloss mit Kette. Marianne hoffte inständig, dass sie lang genug war, um sie damit an den Schornstein zu fesseln. Sie war schon völlig durchgefroren und fühlte sich ziemlich schwächlich.

»Patrick!«, schrie Marianne und winkte mit der freien Hand. »Ich bin hier oben!«

Patrick zeigte keinerlei Reaktion, als er Marianne entdeckte. »Ich komme zu dir!«, schrie er, um den Radau aus Bellen und Singen zu übertönen.

»Aber Vorsicht, der Vermieter ist da! Der Typ in dem billigen Anzug!«

Der Eigentümer trat jetzt zurück, um zu sehen, wer sich auf dem Dach befand, und starrte fassungslos zu Marianne hinauf. »Ich rufe die Polizei, wenn Sie nicht sofort herunterkommen!«, schrie er. »Und, zu Ihrer Information, dieser Anzug hat tausend Euro gekostet!«

»Da hat man Sie aber beschissen«, bemerkte Shirley trocken.

»Rufen Sie doch die Polizei«, sagte Freddy und spähte hinter Bartholomews breitem Rücken hervor. »Wir filmen Sie dabei.«

Jetzt sah Marianne, wie Patricks Kopf durch das Oberlicht erschien. Mühelos stemmte er sich aufs Dach und kraxelte zu ihr hinauf.

»Sei bloß vorsichtig!«, rief Marianne. »Rita sucht mich als Geist heim, wenn dir was zustößt!«

Patrick hatte den Schornstein erreicht, legte Marianne die Kette um und schloss sie hinter dem Kamin. »Ist das bequem?«, fragte er, als er fertig war. Über die absurde Frage musste Marianne lachen, und nach einem Moment stimmte Patrick ein.

Das war ein wunderbarer Laut, und eine wohlige Wärme breitete sich in Mariannes Brust aus, trotz der Kälte.

»Möchtest du meine Jacke?«, fragte Patrick.

Marianne schüttelte zähneklappernd den Kopf, und Patrick rieb ihr die Arme mit seinen warmen Händen. »Rita wäre so stolz auf dich«, sagte er leise.

»Auf dich auch«, erwiderte Marianne.

»Marianne Gwendolyn Cross, was in aller Welt machst du da in diesem Zustand?«, kreischte von unten Tante Pearl, die den Wagen anderswo geparkt hatte und jetzt den Gartenweg entlangmarschiert kam.

»Ich protestiere gegen diese illegale Zwangsräumung«, schrie Marianne.

»Und wieso kannst du das nicht bekleidet tun, um Himmels willen?«

»Weil ich viral gehen will.«

»Was, wohin?«

»Bartholomew, erklär du ihr das!«, brüllte Marianne und sagte dann zu Patrick: »Geh du wieder runter.«

»Nein, ich bleibe bei dir«, verkündete er fest und ließ sich auf dem Dachfirst nieder.

»Ich würde dich ja zum Dank umarmen, bin aber gerade in einer ungünstigen Position«, sagte Marianne.

»Hat Zeit bis später.«

Inzwischen hatten sich durch den ganzen Tumult eine Menge Leute auf der Straße versammelt, die jetzt auch in den Garten kamen. Marianne war schon heiser vom Singen und Schreien, hielt aber durch und wurde jetzt von Patrick unterstützt, während George unermüdlich bellte.

Plötzlich war eine bekannte Männerstimme von unten zu vernehmen.

»Marianne? Was machst du denn da?«

Als sie hinunterspähte, konnte sie Brian in der inzwischen noch mehr angewachsenen Menschenmenge zunächst nicht entdecken. Aber der breite Kinderwagen mit den zwei Babys war unübersehbar.

»Hi!«, schrie sie und winkte. »Wie geht's dir?«

»Ähm … gut!«

»Und den Babys? Immer noch Koliken?«

»Ja, aber nicht mehr so schlimm.«

»Gut!«

Jetzt fing einer der Zwillinge zu weinen an, und Brian suchte im Kinderwagen nach dem Schnuller, lutschte daran und steckte ihn dann dem Kind in den Mund. Marianne fragte sich, ob das wohl den Richtlinien für Kinderhygiene entsprach. Dann begann Brian am Kinderwagen zu ruckeln, weil der Kleine trotz des Nuckels nicht zu brüllen aufhörte.

»Brian«, schrie Marianne, »weißt du noch, als wir über Ancaire gesprochen haben? Dass ich es abstoßen würde, um unser altes Haus zurückzukaufen?«

»Ja, schon.«

»Werd ich nicht machen.«

»Okay …«

»Und noch was.«

Sogar von weit oben sah Marianne, dass Brian beunruhigt war.

»Nichts Schlimmes! Wollte nur sagen, dass du recht hattest mit der Trennung. Ich war aus den falschen Gründen mit dir zusammen. Weil ich vor allem anderen Angst hatte. Du hast für mich Sicherheit bedeutet.«

Brian wirkte verblüfft und nickte nur.

»Und«, langsam ging Marianne die Puste aus, aber das wollte sie noch gesagt haben, »das wird schon mit Helen und dir! Wenn die Babys erst mal keine Koliken mehr haben.«

»Meinst du?«, rief Brian, der jetzt hoffnungsvoll aussah.

Marianne nickte vehement. »Auf jeden Fall!«

Brian rief noch etwas, aber das war nicht mehr zu hören, weil jetzt zwei Streifenwagen mit Martinshorn angerast kamen und mit quietschenden Reifen vor dem Gartentor anhielten.

Inzwischen brüllten beide Babys. Brian winkte Marianne zu und schob eilig den voluminösen Kinderwagen vom Grundstück.

Unterdessen verkündete eine Polizistin über Lautsprecher, dass Straße und Gelände sofort zu räumen seien. Dann marschierte sie mit ihrer Kollegin zum Vermieter, der nach oben deutete. Nachdem die beiden Frauen das Geschehen auf dem Dach registriert hatten, sprachen sie weiter mit dem Eigentümer, der jetzt wild gestikulierte. Schließlich öffnete er seinen Aktenkoffer, entnahm ihm ein Bündel Papiere und blätterte es hastig durch.

Schließlich blickte er auf und lächelte die Polizistin an, die das Lächeln nicht erwiderte, sondern entschieden den Kopf schüttelte und auf den Mann einredete. Dabei wirkte sie keineswegs freundlich.

Plötzlich ertönte lauter Jubel von den Alles-wird-gut-Leuten, und Marianne schrie: »Was ist los?«

Noch lauterer Jubel, niemand schien sie zu hören, und Marianne sah Patrick an. »Kriegst du mit, was da vor sich geht?«

»Ich schau mal nach.« Patrick hangelte sich Richtung Oberlicht.

»Sei vorsichtig!«, rief Marianne besorgt.

Patrick nickte. »Bin gleich wieder da.«

Und diese Vorstellung fand Marianne ungeheuer beruhigend. Dass Patrick zu ihr zurückkommen würde.

Zu wissen, dass er sie unterstützte.

Und sie würde ihn unterstützen.

Sie waren schließlich eine Familie.

Der Stimme, die Marianne jetzt hörte, gelang es, den enormen Krach zu übertönen.

»Bist du das etwa, Marianne Cross?«

Nachdem sie einen Ballon aus dem Gesicht geschoben hatte, spähte Marianne nach unten. Großer Gott, es war Hugh, der alle anderen zu überragen schien.

»Hab dich ohne Mütze kaum erkannt«, schrie er.

»Sehr witzig! Was ist da unten jetzt los?«

»Der Eigentümer findet den Mietvertrag nicht.«

»Es gibt ja auch gar keinen!«

»Weiß ich«, rief Hugh breit grinsend.

»Dann kann Shirley bleiben?«

»Sieht jetzt im Moment so aus, ja.«

Als Marianne laut jubelte, blieben auf der Straße weitere Menschen stehen und starrten zu der johlenden Frau hinauf, die triumphal ihr Protestschild über dem Kopf schwenkte.

Auch wenn es erst mal nur in diesem Moment so aussah, war das besser als nichts. Es war sogar ziemlich gut. Rita hatte immer gesagt, dass der Moment das Einzige war, was zählte. Die Gegenwart.

Das Plakat rutschte Marianne aus der Hand und fiel vom Dach. Hugh fing es geistesgegenwärtig auf.

»Danke!«, schrie Marianne.

»Ich muss zurück ins Seniorenheim«, rief Hugh. »Muss noch mehr Haare lila färben. Kommst du klar?«

Marianne nickte. Und davon war sie in diesem Moment wirklich überzeugt.

Sie sah, wie Hugh die Alles-wird-gut-Leute, Patrick und sogar Tante Pearl umarmte. Dann ging er den Gartenweg entlang, und der Wind zerzauste seine wilde rote Mähne.

Marianne holte tief Luft und brüllte: »Hugh!«

Er blieb stehen und drehte sich um. »Ja?«

»Willst du immer noch ausgehen?«

»Mit dir?«

»Ja …«

»Okay«, schrie Hugh.

»Nur okay?«

»Nee, viel besser!« Er lächelte fröhlich und winkte ihr zu, bevor er weiterging.

Jetzt war neuer Jubel von den Alles-wird-gut-Leuten zu hören, und Marianne stimmte erneut ein.

Der Vermieter stieg wutentbrannt mit seinen Schlägern in den Range Rover und brauste mit aufheulendem Motor davon. Die Polizistinnen fragten an, ob

Marianne Hilfe beim Verlassen des Dachs brauche, doch sie traute es sich alleine zu. Beide Frauen winkten ihr und begaben sich dann wieder in ihre Streifenwagen. Die Menschenmenge löste sich auf, und die Alles-wird-gut-Leute bildeten eine Reihe auf dem Rasen und blickten zu Marianne hinauf.

Bartholomew und Freddy hielten sich an der Hand.

»Kommst du da auch mal wieder runter?«, schrie Shirley.

»Geht gerade noch nicht ...«

»Bin schon unterwegs!« Patrick verschwand im Haus.

»Frierst du nicht schrecklich?«, rief Ethel besorgt, die trotz ihres dicken Wollmantels fröstelte.

Marianne grinste. »Ist wirklich so, wie Rita immer gesagt hat: Kälte macht wach und lebendig.«

Und Marianne fühlte sich so quicklebendig wie noch nie zuvor in ihrem Leben.

Autorin

Ciara Geraghty lebt mit ihrem Mann und ihren drei Kindern in Dublin. Mit ihrem Debüt »Das Leben ist zu kurz für irgendwann« eroberte sie die Herzen der Leser*innen im Sturm und stand unter den Top Ten der Irish-Times-Bestsellerliste. »Jeder Tag ein neuer Anfang« ist der zweite Roman der Autorin bei Goldmann und handelt von Liebe, Vergebung und zweiten Chancen.

Ciara Geraghty im Goldmann Verlag:

Das Leben ist zu kurz für irgendwann. Roman

(auch als E-Book erhältlich)